ABHANDLUNGEN ZUR KUNST-, MUSIK- UND
LITERATURWISSENSCHAFT, BAND 118

DIE FRAUEN IM WERK EICHENDORFFS
VERKÖRPERUNGEN HEIDNISCHEN UND CHRISTLICHEN GEISTES

VON THERESIA SAUTER BAILLIET

1972

BOUVIER VERLAG HERBERT GRUNDMANN · BONN

Meinen Professoren an der University of Washington und der Universität
Freiburg sowie meinen Förderern in Dankbarkeit gewidmet.

ISBN 3 416 00813 8

INHALTSVERZEICHNIS

EINLEITUNG

Lange Zeit ist Eichendorff als ein harmonischer, unproblematischer Poet und Volksliedichter in die Literaturgeschichte eingestuft worden. Die Literaturkritik der letzten Jahrzehnte dagegen hat immer mehr auf die Tiefe und geistige Spannung aufmerksam gemacht, die sich hinter der Einfachheit und Einfalt der Eichendorffschen Kunst verbirgt. Einige vereinzelte Rezensionen der Eichendorffschen Zeitgenossen wiesen jedoch schon damals darauf hin, daß Eichendorffs Dichtung eben nicht einer harmonischen Natur entsprungen sei. Goedeke hat in einer Würdigung der 1843 erschienenen Werke auf die „törichten Verirrungen der Zeit" und auf den unentschieden umherirrenden jungen Dichter, also auf Dissonanzen im biographischen und zeitgeschichtlichen Bereich, hingewiesen. Adolf Schöll schreibt 1836 in den *Wiener Jahrbüchern der Literatur:* „Ein Dichter muß viel gelitten haben, ehe sich die Poesie so klar und schlackenlos in seiner Seele befreit hat." Es ist das Verdienst der modernen Literaturkritik, diese Unruhe in der Dichtung selbst aufgedeckt zu haben. Der neueren Forschung verdanken wir durch ihre intensive Textanalyse wertvolle Einsichten in die Eichendorffsche Dichtung, deren Haupteigenschaften nach Alewyn und Seidlin Magie und Symbolik, deren Bilder Hieroglyphen, deren Landschaften sichtbare Theologie sind. Nach Seidlin vollzieht sich „das Leben der Natur, wie Eichendorff es sieht, ... in der religiösen Spannung zwischen Gottesnähe und Gnadenferne." [1] Durch dieses Spannungsverhältnis ist nicht nur ein Teilaspekt der Eichendorffschen Dichtung, sondern seine Thematik überhaupt gekennzeichnet. Die rein textbezogene Interpretation dürfte eine Bereicherung erfahren, wenn man sie mit älteren Methoden, d. h. der biographischen und geistesgeschichtlichen Interpretation, verbindet. Hilda Schulhof hat anhand der Eichendorffschen Dichtung dessen Lebensproblematik aufgezeigt. Sie weist aus einer Gesamtsicht seiner Werke auf den Hauptkonflikt Eichendorffs hin: den Kampf zwischen Weltlichkeit und Glauben, der besonders in der Frühzeit und dann wieder beim alternden Dichter spürbar sei. Der Widerstreit zwischen Weltlichkeit und Glauben, zwischen heidnischer und christlicher Existenz, drückt sich im Werk Eichendorffs oft in der Gegenüberstellung erdgebun-

---

[1] Seidlin, *Versuche*, S. 49.

dener und transzendierender Liebe aus. In den heidnischen und christlichen Frauengestalten finden wir beide Formen von Liebe versinnbildlicht.

Aus der Gesamtsicht der Werke hat man stellvertretend für den heidnischen Bereich die mythischen Gestalten Venus und Diana, und für den christlichen Bereich die himmlische Jungfrau gesetzt. Die Seins- und Verhaltensweise der Frauenfiguren entscheidet, welchen mythischen Bereichen sie zuzuordnen sind. Diese schematische Aufteilung, wie wir sie in der Literatur über Eichendorff finden, soll in der vorliegenden Arbeit neu auf ihre Gültigkeit hin untersucht werden. Sie wird im Endergebnis durchaus bestätigt und weiterhin bekräftigt werden können, jedoch mit einigen Einschränkungen. Wenn man sich bei der Untersuchung der Eichendorffschen Werke auf die des reifen Dichters beschränkt, wie es die moderne Literaturkritik meist tut, so mag man daran ein verhältnismäßig einheitliches Schema für die Dichtung Eichendorffs ablesen. Diese Feststellung verleitete zu einigen Schlußfolgerungen, die sich im Verlauf einer umfassenden Analyse, die auch die Jugenddichtung mit einbezieht, als nicht stichhaltig erweisen werden. Hierhin gehört zunächst einmal die Annahme, daß Eichendorffs Dichtung keine Entwicklung aufzeige, zum anderen die Meinung, daß Eichendorffs Orientierung an der Antike von primärer Bedeutung für die Konzeption seiner heidnischen Frauengestalten sei. In Eichendorffs Dichtung erscheinen venus- und dianahafte Gestalten, lange bevor sie der Dichter mit den antiken Göttinnen in Verbindung bringt. Sie verhelfen dem Dichter lediglich dazu, seine schon ausgeprägten Vorstellungen in eine adäquate Form zu kleiden. So aufschlußreich eine stoff- und motivgeschichtliche Forschung, die die Venus- und Dianagestalten in ihrem Verhältnis zur Antike verfolgt, sein mag, zum eigentlichen Verständnis dieser Gestalten kann man eher durchdringen, wenn man sie in ihrer Entwicklung aus der Jugenddichtung heraus verfolgt. Bei der Untersuchung der Jugenddichtung wird sich herausstellen, daß sich Eichendorffs Dichten und Denken sehr wohl gewandelt hat. An der frühen Dichtung ist auffallend, daß die mythischen Gestalten noch nicht nach den in der Folge typischen heidnischen und christlichen Gesichtspunkten getrennt sind, daß Eichendorff noch nicht zwischen „Venus" und „Maria" unterscheidet. Zu seinem späteren künstlerischen und menschlichen Standpunkt hat sich Eichendorff erst während einer zum Teil krisenreichen Jugendzeit durchringen müssen. Angesichts der Bedeutung dieser Entwicklung für die spätere Dichtung Eichendorffs werde ich das Hauptgewicht meiner Arbeit auf die Analyse der Jugenddichtung legen.

Es sollen zuerst die Lyrik und danach die Prosawerke untersucht werden. Eine solche Aufteilung bietet sich einmal an, weil Eichendorffs lyrische Versuche zeitlich vor seinen ersten Prosaentwürfen liegen. Sie erfolgt aber vor allem deshalb, weil die frühe Lyrik, d. h. die Schul- und Jugendgedichte, über die aufzuzeigende Entwicklung der heidnischen und christlichen Frauengestalten Aufschluß bietet. Diese frühen Gedichte verraten die Einwirkung von Erziehung und Schulbildung. Die Gedichte aus der Heidelberger Zeit sind angefüllt mit den mystisch-romantischen Vorstellungen der Umwelt des Dichters und seiner literarischen Vorbilder. An seinen Frühwerken kann verfolgt werden, wie sich Eichendorff mit dem Phänomen der Liebe auseinandergesetzt hat. Auch forderten seine eigenen Liebeserlebnisse zur dichterischen Gestaltung heraus. Eichendorff hat bei der Überarbeitung der Jugendgedichte oft das Zeitbedingte und Biographische gestrichen und ihnen somit eine größere Objektivität und künstlerische Form gegeben. Die spätere Dichtung erlaubt selten Rückschlüsse auf sein Leben. Deshalb sind die dort auftretenden Frauengestalten anders als die Gestalten des Frühwerks zu interpretieren. Andererseits ist eine gewisse Verbindung festzustellen, weil die Probleme, die die Frühwerke prägen, in die spätere Dichtung hineinwirken. Diese Probleme werden in der Auseinandersetzung zwischen heidnischer und christlicher Existenz auf einer höheren, überpersönlichen Ebene weitergeführt.

In Eichendorffs Jugenddichtung nimmt die Analyse des Liebesgefühls in seinen verschiedenen Ausdrucksformen einen bedeutenden Platz ein. Sie spiegelt Eichendorffs sich wandelnde und sich festigende Auffassung von der Liebe und bezieht darüber hinaus die Natur, die Religion und die Kunst in ihren Bereich mit ein. Die Gefühls- und Gedankenäußerungen, die in der Jugenddichtung untersucht werden sollen, zielen auf ein weibliches Wesen oder sind von ihm getragen. Da und dort vergegenständlichen sich Gefühl und Gedanken in einer Frauengestalt. Diese wird immer mehr zur Trägerin einer vielschichtigen Symbolik. Sie kann sich aber auch zur allegorischen Figur verengen. Nachdem die dichterische Gestaltung der Frau im Werk Eichendorffs zuerst in ihrer vielseitigen Bedeutung aufgezeigt wird, sollen auf dieser breiten Basis schließlich die spezifisch heidnischen und christlichen Gestalten herausgearbeitet werden. Es handelt sich teils um mythische, teils um poetische Gestalten, die in den mythischen Bereich und in den Wirklichkeitsbereich hinüberspielen, oder nur letzterem verbunden sind. An diesen Frauengestalten können wir jeweils Eichendorffs weltanschauliche und existentielle Fragestellung ablesen.

ERSTER TEIL

DIE FRAUENGESTALTEN IN EICHENDORFFS LYRIK

Während die Frauengestalten in den Prosawerken als epische Figuren faßbar sind, entziehen sie sich in der Lyrik einer personalen Definition. Manchmal ist es nur der Schatten eines weiblichen Wesens, der hinter den lyrischen Äußerungen steht, oder es bleibt bei einem lyrischen „sie," das nicht näher präzisiert wird. Dann wieder beschränkt sich das Gedicht auf die wechselseitige Liebesbeziehung zwischen einem Jüngling und einem Mädchen. Auch wo im ganzen Gedicht von ihr oder zu ihr gesprochen wird, oder wo sie selbst als lyrische Person auftritt, wird sie zu keiner fest umrissenen Gestalt. Zwar kann sie realistische und biographische Züge tragen. Doch nicht die realistische Darstellung an sich ist letztlich das Entscheidende, sondern ihre innere Bedeutsamkeit. Es ging Eichendorff in seinem dichterischen Schaffen ja nicht darum, Personen möglichst wirklichkeitsgetreu nachzuzeichnen, sondern ihr eigentliches Wesen zu enthüllen und damit den Lebensfragen nachzugehen. Die Frauengestalten, denen wir in Eichendorffs Werken begegnen werden, sind mehr oder weniger Verkörperungen von menschlichen Wesenszügen, von Ideen und Gefühlen. In der Lyrik soll zuerst solchen Wesenszügen, Ideen und Gefühlen, von denen die weiblichen Gestalten getragen sind, nachgespürt und deren Entwicklung aufgezeigt werden.

Gehaltlich, stilistisch und chronologisch läßt sich Eichendorffs Lyrik in drei Gruppen aufteilen:

I. Seine dichterischen Versuche während der Schulzeit bis 1805.

II. Die Jugendgedichte aus den Universitätsjahren bis 1813.

III. Die Lyrik des reifen Dichters.

Eine stufenweise Untersuchung soll zeigen, welche Spannweite die in der Frau verkörperten oder dem Bereich der Frau zugehörenden Gefühle und Ideen besitzen. Vom Ethischen her gesehen ergeben sich dabei zwei Gruppen, d. h. negative und positive Werte, die sich der heidnischen bzw. der christlichen Welt zuordnen lassen, mit diesen beiden Welten aber nicht durchaus identisch zu sein brauchen. Eine dritte Gruppe wäre diejenige, die sich einer solchen Zuordnung verschließt, weil bei ihren Gestalten nicht das weltanschauliche, sondern das rein menschliche Moment ausschlaggebend ist.

Voraussetzung für die Entstehung eines Gedichtes sind das äußere Erlebnis, die innere Aufnahmefähigkeit und das sprachliche Medium. Bei der Untersuchung von Eichendorffs Gedichten interessiert uns, wie ein Erlebnis auf den Dichter wirkte, und wie er dieses Erlebnis dichterisch gestaltete. Ersteres betont mehr die individuelle Eigenart der Eichendorffschen Erlebniswelt, letzteres hauptsächlich seine Zugehörigkeit zu einem bestimmten Sprach- und Kulturbereich.

KAPITEL I

SCHULGEDICHTE

Meine Untersuchung setzt bei einem aufwühlenden Erlebnis des jungen Eichendorff ein, mit dem Erwachen der Liebe zum weiblichen Geschlecht. „Kleine Morgenröte" nennt Eichendorff das Mädchen, das in ihm ein bis dahin unbekanntes Gefühl auslöste, dem er in mehreren dichterischen Versuchen gerecht zu werden strebte. Während seiner Schulzeit verliebte sich Eichendorff noch in eine A. S. — nach Hilda Schulhof die Breslauer Schauspielerin Amalia Schaffner — der er einige Gedichte widmete. Ich werde aus den Liebesgedichten zuerst die realistischen Züge der Geliebten herausstellen, danach das durch sie ausgelöste Gefühl in seinen verschiedenen Ausdrucksformen untersuchen. Dabei wird sich zeigen, daß in Eichendorffs Vorstellung die Geliebte über sich selbst hinauswächst. Sie ist nicht mehr ausschließlich reale Person, sondern wird zum Symbol, wird Mittlerin zu einem anderen Seinsbereich. Was zuerst ein reales Ereignis war: die Liebe eines Jungen zu einem Mädchen, das wird immer mehr ausgeweitet und analog auf andere Bereiche übertragen. Das Spannungsverhältnis von Mensch zu Mensch — und als solches stellt sich die Liebe zwischen den beiden Geschlechtern dar — findet sein Äquivalent in der eigenen Brust (innere Konflikte); in der Außenwelt wird es als physisches Spannungsverhältnis innerhalb der Natur, oder als ein geistiges innerhalb der Ideenwelt wahrgenommen, und schließlich kann es als Spannung zwischen Innenwelt und Außenwelt empfunden werden. Die Stellungnahme zu dem Liebesgefühl ist in den Schulgedichten verhältnismäßig einfach. Während die Stimmungsänderungen des Gefühls schon in einer gewissen Vielschichtigkeit erfaßt werden, gleicht die Bewertung im ethischen und ästhetischen Sinne einer Schwarzweißzeichnung. Es gelten praktisch nur die Kategorien von Gut und Böse, von Schön und Häßlich. Diese kindliche Vorstellung wird der heranreifende Jüngling durch seine wachsende Lebenserfahrung allmählich aufgeben oder differenzieren.

Die ersten Liebesgedichte Eichendorffs, die man als Erlebnisdichtung bezeichnen kann, sind 1804 bis 1805 nach seiner Trennung von der „kleinen Morgenröte" entstanden. Sie sind also Erinnerungslyrik. Eichendorff läßt immer wieder die Trennungsstunde in den Gedichten aufleben: Er sieht die Geliebte, wie sie weint. Sie steigert dadurch die Liebesglut im

Jüngling, die er in einem heißen Kuß zu stillen sucht. Doch seinem ungestümen Herzen steht ihres „leis und zart," „harmonisch," gegenüber (Sch 35, 36, 41). Unschuldig und schüchtern ist die Liebe des Mädchens (Sch 35, 46, 54a). Das Gedicht Sch 54a spielt auf ein gemeinsames Tanzfest an, „Als ich mit dir mich durch die Reyhen wand". Die beschwingte Freiheit des Tanzes, ein leiser, rascher Händedruck, ein fröhlich und flüchtig gewechselter Kuß — diese Bilder evozieren die damalige Situation. Daß die Geliebte in seinen Augen schön ist, versteht sich von selbst. Was bei der „kleinen Morgenröte" naive Schönheit ist, bekommt einen sinnlicheren Anstrich bei den Gedichten, die der A. S. gewidmet und nach Hilda Schulhof „aus der Bewunderung für die unerreichbare Schauspielerin hervorgegangen" sind. [2] Die stärkere Sinnlichkeit ist wohl nicht nur in der Unerreichbarkeit der Geliebten, sondern auch in ihrer Person selbst begründet. Realistische Züge dieses Mädchens sind noch spärlicher in den an sie gerichteten Gedichten enthalten: ihr Purpurmund, ihrer „Reitze Wonnemeer," bringen des Jünglings Blut zum Wallen (Sch 42, 43). Falls Eichendorff dieses angebetete Mädchen nur auf der Bühne, also in einer Schauspielerrolle gesehen hat, ist ihre Herauslösung aus der Wirklichkeit und die Übersteigerung des Gefühls für das Mädchen nur zu verständlich. Eine Assoziation zwischen dem Liebesgefühl und der Bühne ist in der Ode *Liebe* (Sch 42) erkennbar:

> Nieder stürzt der Täuschung Vorhang
> Den des Menschen Sinne ziehn,
> Nichtig, und im bunten Wechsel,
> Schwebt, was irdisch ist, dahin!

Wie das Spiel auf der Bühne uns über die Wirklichkeit hinaushebt, so sprengt das Liebesgefühl die irdischen Fesseln der Sinne. Das Gedicht Sch 44 schöpft schließlich aus den beiden Liebeserlebnissen, so daß das angeredete Mädchen eigentlich nicht mehr dem Wirklichkeitsbereich, sondern einer dichterischen Vorstellungswelt angehört. Es ist zwar an A. S. gerichtet, aber die geschilderte Situation deckt sich mit dem Lubowitzer Liebesverhältnis. Die Geliebte, die damals beim Abschied weinte, wird getröstet: „Weine nicht . . ." Er erinnert sie an ihr gegenseitiges Liebesgeständnis, das er mit einem Kuß auf ihren Purpurmund besiegelte. Der Ausdruck „Purpurmund" tritt erst mit Gedicht Sch 41 auf und leitet schon über zu den Gedichten an A. S. Die beiden Geliebten ver-

---

[2] Schulhof, *Jugendgedichte*, S. 56.

schmelzen also im Gedicht zu einer Person. Dies geschieht unbewußt schon auf der Wirklichkeitsebene. Wird doch das Gewesene im Punkt der Begegnung zwischen Ich und Du mit einbezogen. So konnte die Erinnerung an die „kleine Morgenröte" in Eichendorffs neuem Liebesverhältnis zu A. S. mitschwingen. Aber auch unter einem anderen Gesichtspunkt kann man von einer Entgrenzung der Person sprechen, indem sich nämlich im Du nicht nur Individuelles, sondern ein Stück Welt offenbart. Diese Welt zu erfragen und zu erfassen, wurde der junge und der reife Dichter nicht müde. Das Fluidum, die Verbindungslinie zu dieser Welt des Du ist hier die Liebe. Wenden wir uns nun der Analyse dieses Gefühls zu.

Der übermächtige Eindruck der Liebe löst zunächst Begeisterung aus. Der Liebende ist beseligt, er möchte an den Busen der Geliebten sinken und trunken seine Liebe stammeln (Sch 35). Fern von der Geliebten erfüllt ihn heiße Sehnsucht, allverschlingend ist der Wunsch, ihre Lippen zu küssen: „O dann halt ich dich umschlungen, / Trotzend jeglicher Gewalt, / Bis vom Staub' emporgeschwungen / Unser Geist vereint entschwebt" (Sch 43). Diesem „himmelhoch Jauchzen" entspricht auch ein „zu Tode betrübt." Von der „kleinen Morgenröte" war der junge Eichendorff räumlich getrennt, der A. S. konnte er menschlich nicht nahekommen. Seinem Gefühl war also der Gegenstand entzogen, auf den sich doch alles konzentrierte. Trennung von der Geliebten bedeutet Verzweiflung, Trauer (Sch 36, 40). Darein mischt sich die Angst, die Geliebte für immer zu verlieren, die Angst, daß das einmal gekostete Liebesglück unwiderbringlich sein könnte (Sch 39). Oder Eichendorff verzagt, im Falle der A. S., weil seine Liebe unerwidert bleibt (Sch 43). Zwischen Freude und Trauer, Lust und Schmerz, bewegt sich das von Liebe ergriffene Herz. Gehen wir nun der dichterischen Gestaltung dieses Gefühls nach.

Um seine Gefühle in Worte zu fassen, mußte Eichendorff zu fremdem Erfahrungsschatz, zu konventionellen Wendungen und literarischen Vorbildern greifen. Jedoch verwandelt sich dieses fremde Gut in eigenes, wenn es dem inneren Bedürfnis entspricht. So übersetzt ein übernommenes literarisches Klischee wie: „An deinen Busen wollt' ich damals sinken," in dem ersten überschwenglichen Liebesgedicht durchaus Eichendorffs eigene Gefühlslage. Auch daß er die Geliebte mit „heilge Gottheit" anredet, ist dem Grad seiner Verehrung gemäß. Diese „heilge Gottheit" ist zugleich seine Muse. Sie hat ihm das Zauberland der Poesie eröffnet, hat ihn zum Singen gebracht, „daß er nun dich und ewig dich nur singt!" (Sch 35). Was er aber singt, ist sein Gefühl, das er verewigen möchte.

Indem er es allerdings immer wieder an der Wirklichkeit zu orientieren sucht, muß er erkennen, daß Gefühl und Wirklichkeit auseinanderzuklaffen drohen. Einmal glaubt er, als Dichter über aller Vergänglichkeit zu stehen, weil ihm, dem Begnadeten, verliehen sei, tote Schönheit lebendig zu machen (Sch 39). Dann modifiziert er diesen Glauben an eine dichterische Verewigung insofern, als er das Erlebnis in der Erinnerung festhalten möchte (Sch 39). Aber auch diese Möglichkeit bezweifelt er in Gedicht Sch 40: „Umsonst durchstürmt die Saiten mein Gefühl / Die Nacht verschlingt mein inig Hertzenlied — ". In diese Welt der Dichtung, durch die sein Gefühl noch eine Steigerung erfährt, werden andere Bereiche einbezogen, in denen sich sein Gefühl spiegelt: der Bereich der Natur und der Bereich des Religiösen.

Der Landschaftsrahmen des Abschiedsabends gewinnt in Gedicht Sch 36 kosmische Weite und soll so dem Trennungsschmerz Intensität geben: „In heilger Dämmrung schwieg des Erdkreis weite Runde / Und trauernd starrten wir ins öde Dunkel hin". Die Natur wird beseelt: „Ein finstrer Abgrund, gähnt' es [das Thal] offen izt uns an". Ein andres Mal gibt die Natur der Liebe süßes Weben wieder: „Und traulich flüsterten die Abendwinde / Durch unsre Laube ihre Geisterlieder, / Und leise, leise säußelte die Linde / Aus goldnem Wipfel süße Schauer nieder" (Sch 41). Die Natur — hier die Abendwinde, die Linde — wird personifiziert, trägt aber nicht Eigenwert, sondern steht im Dienst des Gefühls. Naturerscheinungen wie Morgenrot und Abendrot werden in die Liebessprache übertragen. Bedeutet das Abendrot Abschied, so steht das Morgenrot für die Hoffnung. Diese Vorstellung verschmilzt zur Metapher „schöner Hoffnung Morgenroth" (Sch 36). Sie ist bereits im ersten Liebesgedicht als der ‚Liebe Morgenröthe" enthalten. Ja, die Geliebte selbst erscheint als „Morgenröte," wird mit diesem Namen schon im Tagebuch bezeichnet, also noch vor Entstehung der Liebesgedichte. Der ländliche Rahmen, in dem sich Eichendorffs erste Liebesepisode abspielte, wirkte als Erlebnis nachhaltig auf seine Dichtung.

Dienen die Naturbilder meist als Hintergrund für das Liebeserlebnis, zur Intensivierung des Gefühls, oder auch als Kontrast, so erfährt der religiöse Bereich eine innigere Verschmelzung mit dem Liebesgefühl. Die Liebeslyrik bedient sich schon seit je religiöser Vorstellungen für das Walten der Liebe. Solche Liebessprache kannte auch Eichendorff aus der Literatur seiner Schulzeit; es sei nur auf die Liebeslyrik aus der Zeit der Empfindsamkeit und die Bekanntschaft mit Schillers Sprache der Begei-

sterung verwiesen. Literarisches Klischee und doch Ausdruck der Eichendorffschen schwärmerisch-hingebenden Haltung ist der Wunsch, an der
Geliebten „in vollen Zügen / zu trinken reine Himmelslust" (Sch 36).
Mit schillerschem Pathos trotzt er jeglicher Gewalt, „Bis vom Staub'
emporgeschwungen / Unser Geist vereint entschwebt" (Sch 43). Bemerkenswert ist, daß es hier nicht bei einem Vergleich mit religiösen
Bildern bleibt. Schon im ersten Liebesgedicht *ist* die Geliebte die heilige
Gottheit. In den Gedichten Sch 36 und Sch 43 hat die Liebe mystische
oder Geisterflügel, die sie über die Körperwelt emportragen. Wo Eichendorff die Liebe mit dem religiösen Bereich verbindet, entsteht bei ihm
meist eine Art von Gedankenlyrik. Im christlichen Glauben erzogen,
konnte er durch sein Liebeserlebnis die Bilder des christlichen Himmels
mit persönlicher Erfahrung beleben. Da er die Liebe als etwas Schönes,
Gutes und Unschuldiges empfand, fügte sie sich ohne weiteres in seine
christliche Vorstellungswelt ein.

Die Liebe wird nun für Eichendorff die Verbindungslinie zum Überirdischen. Ihr steht der Himmel offen, heißt es in Gedicht Sch 42, das in
den Aufruf mündet: „Auf zum Vater, wo die Weesen / Alle heil'ge Lieb'
umfaßt!" Schön und naiv-unschuldig ist die „kleine Morgenröte," die sich
der Liebe schüchtern wie eine Knospe öffnet. So sieht sie der junge Dichter
und abstrahiert schließlich von diesem Eindruck Schönheit, Unschuld und
Liebe, die alle drei im Himmel vereinigt sind. Dieses Ineinanderfließen der
Begriffe, das so oft einer Identifizierung gleichkommt, wird in Gedicht Sch 39
besonders deutlich, wo Gedankenassoziationen unverbunden nebeneinander-
stehen. Ein kurzer Überblick soll das zeigen. Durch den noch unbewältig-
ten Gedankenbau leuchtet überall das persönliche Liebeserlebnis durch,
wie bereits in den unpersönlich gehaltenen Eingangszeilen: „O bey dem
schönen, göttlichen Gedanken / Geliebt zu seyn vom edlern Theil der
Welt". Die Frau als der edlere Teil der Welt ist das höherstehende, für
den Mann erstrebenswerte Objekt. Der Gedanke an sie vermischt sich mit
religiösen Vorstellungen, die von einem festen moralischen Gebäude umschlossen werden. Eichendorffs Vater hat wohl seinen kleinen Sohn ge-
lehrt, die Schätze der Welt zu meiden und die Unschuld zu schätzen, die
aus einer besseren Welt stammt und dorthin führt. Festgehalten ist diese
Mahnung in dem Gedicht *Der erste Maytag* (Sch 12). In der „kleinen
Morgenröte" nimmt für Eichendorff der Begriff der Unschuld Gestalt an.
In Gedicht Sch 39 bleibt zunächst der Begriff der Unschuld abstrakt. Das
wird deutlich, wenn der Dichter sich und seine Geliebte zu dieser Tugend

ermahnt: „Laß nie die Unschuld schwanken / Die sich dein Herz zum Heiligthum gewählt!". Dann wird der Begriff mit der Liebe, etwas Erlebtem, in Verbindung gebracht: Wer sich der Unschuld weiht, werde mit Liebe belohnt. Die Liebe ist „der Unschuld schönrer Himmelspreiß". Und die Liebe ist es wiederum, „die mit heil'gem Band / Ans Himmlische, an Gott knüpft deine Triebe".

Himmlische und irdische Liebe gehen also eine Bindung ein, doch stehen sie auf zwei verschiedenen Ebenen. Das wird noch deutlicher im Verlauf des Gedichts, wenn der Dichter zweifelt, daß ihm auf Erden Liebe beschieden sei, und die Frage stellt: „Ist meiner Liebe Frucht etwa für jene Welt, / Wo ew'ge Lieb' die Seligen umfängt, beschieden?" Während die himmlische Liebe ewig besteht, ist die irdische vergänglich. In beiden aber glüht der gleiche göttliche Funke. Fern von der Geliebten — die vielleicht für ihn für immer verloren ist — sinnt Eichendorff der Vergänglichkeit der Liebe nach. Andererseits wird ihm durch das wunderbare Liebesgefühl die Vorstellung einer ewigen göttlichen Liebe offenbar. Oft stehen aber auch eigene Erfahrung und Angelerntes unverarbeitet nebeneinander. Unter dem Einfluß der Anakreontiker, die sich das horazische „prodesse" und „delectare" zum Leitgedanken machten, wird die Liebe mit der Unschuld in Verbindung gebracht: Es „durchschweben / Genuß u. Tugend friedlich dann dein Leben." Ethische Werte verbinden sich mit dem Liebesgefühl. Die Liebe soll von allem Bösen rein bleiben, sie verlangt tugendhaftes Streben. Diese Idee entsprang nicht Eichendorffs eigener Vorstellung, sondern entstammt dem ihm vertrauten moralischen Kodex. Er selbst hat die Liebe bis jetzt nicht anders als rein und gut empfunden und dichterisch dargestellt. Von Verstrickt- und Schuldigwerden in der Liebe weiß er noch nichts. Spricht er von „Niedrigkeit und Sinnenwuth" (Sch 39), über die es sich zu erheben gilt, so sind diese negativen Äußerungen der Sinnlichkeit zwar Kontrastwirkungen zu seinem heilig gehaltenen Gefühl, im Grunde bleiben ihm aber diese Begriffe fremd. Daher auch die Schwarzzeichnung, die ebenfalls in anderen Gedichten vorkommt. In Gedicht Sch 46 verteidigt er das „Veilchen zarter Liebe" gegen die wilden Triebe der Wollüstlinge. Es verletzt ihn, wenn „wilde Hauffen / im Humpen Wein / der Liebe Zartgefühl versaufen." Er setzt sich und sein Gefühl also gegen die Außenwelt ab, oder vielmehr er erhebt sich und sein Ideal über sie, zieht sich aber damit immer mehr in sein Inneres zurück. Sein Ideal verträgt sich nicht mit der Wirklichkeit. „Von der Gemeinheit ew'gen Alltagsgang" rettet er sich durch die Liebe (Sch 39). Doch die Außenwelt als feindliche Macht greift seine Liebe selbst an, zerstört das Hüttchen, das er der Liebe gebaut hat (Sch 45).

Das Idealland, in dem Eichendorff seine Liebe geheimatet, ist das biblische Eden oder das klassische Arkadien (Sch 45, 46). Weder mit dem einen noch mit dem anderen ist der christliche Himmel gemeint, der ja als objektiver Bereich außerhalb des Dichters gedacht wird. Es handelt sich um ein Paradies, das er sich im eigenen Herzen und in der Phantasie erbaut hat. Dieses innere Paradies leitet Eichendorff in Gedicht Sch 39 vom biblischen Paradies ab: Als der erste Mensch das Paradies entweihte, entwich die Liebe. Jetzt kehrt sie nur zu dem zurück, der „ein neues Paradieß im Busen pflanzt und hegt," d. h., wer die Unschuld bewahrt. Somit wird derjenige, dem die Liebesgöttin ihre Huld schenkt, über die Menschen hinausgehoben. Das macht auch ein anderes, aus der christlichen Lehre deduziertes Beispiel deutlich. In einem sehr frühen Gedicht von 1803, das die Schöpfungsgeschichte zum Inhalt hat, ist der Mensch ein sinnliches Tier, das „von Sinnlichkeit gehemmt im Fluge" nun zwischen Erde und Himmel schwebt (Sch 16). Doch diesem Los scheint der Liebende entkommen zu sein. Ihm sind Flügel gegeben, um „frey von der Thierheit Last" zum Himmel zu fliegen (Sch 42). Auf diese Weise hat sich also Eichendorff objektiv Gelerntes (aus Religionsunterricht und Erziehung) subjektiv zugeschnitten.

Neben der Unschuld wird die Schönheit mit der Liebe in Verbindung gebracht. Gehört der Begriff der Unschuld in den christlichen Bereich einer ethischen Wertung nach Gut und Böse, so ist die Schönheit als ästhetischer Begriff der Antike verbunden. In dem Nebeneinander von Unschuld und Schönheit, wie in den synonym verwandten Begriffen Eden und Arkadien, verrät sich humanistisches Bildungsgut. So sind auch Namen aus der griechisch-römischen Mythologie wie Venus, Eros oder Amor mit christlichen Begriffen vertauschbar und geben lediglich Schulwissen wieder (Sch 17a, 52, 17d). Für eine bewußte Auseinandersetzung mit dem Unterschied zwischen antikem und christlichem Gedankengut oder für ein bewußtes Streben nach Versöhnung der beiden war Eichendorff damals noch zu jung. Jedoch läßt sich an diesen Schulgedichten erkennen, daß der Einfluß der christlichen Erziehung der bestimmendere war. Da sind wohl einerseits Begriffe wie Liebe, Schönheit, Unschuld, aneinandergereiht, wie in dem fragmentarischen Gedicht Sch 46, in dem Sehnsuchtsruf nach dem Mädchen, „Das Schöne / In deren Brust Arkadien, schuldlos noch blüthe." Doch wenn Eichendorff diese Begriffe einer genaueren Prüfung unterzieht, dann siegt der moralische Wert. So mündet das Preisen der Schönheit seiner Geliebten in die Mahnung: „Doch Schönheit nur, der schönen Seele Spiegel, / Glaub' Mädchen mir, entzücket nie allein, / Geschirmt und von der Unschuld Rosenflügel / Gräbt sie ins fremde Herz sich flammend ein!" (Sch 54a). Die Vorstellung von der äußeren Schönheit als dem Spiegel der schönen Seele entstammt humanistischem Erbe. Ästhetische und ethische Werte sollen auf höherer Ebene versöhnt werden. Eichendorffs Verse zeigen, daß ihm noch das Verständnis für solche Überlegungen fehlt. Mit „der schönen Seele Spiegel" ist lediglich die Schönheit periphrasiert. Erst mit dem Geschirmtsein und der Unschuld kommt das ethische Moment hinzu. Das schöne und zugleich bescheidene, meist naiv-unschuldige Mädchen gilt als ein weibliches Ideal des 18. Jahrhunderts. Es wurde bereits erwähnt, daß die „kleine Morgenröte" für Eichendorff diese Werte verkörperte. Wenn Eichendorff später in sein Tagebuch einträgt, er habe Luise, seine spätere Frau, zu Demut und Bescheidenheit ermahnt, so zeigt das wiederum, welche Tugenden seine Zeit von der Frau forderte. Eichendorff hat dieses weibliche Ideal später in seinem Roman *Ahnung und Gegenwart* in Julie zur Darstellung gebracht.

Noch eine andere Vorstellung seiner Zeit hat sich in Eichendorffs Gedichte eingeschlichen, ohne in ihrer Bedeutung von ihm erfaßt zu werden. Das geht aus dem inneren Widerspruch folgender Formulierung hervor. Da preist er als Göttergeschenk den irdischen Funken Schönheit, „Der zaubrisch eint die Seele mit der Hülle, / Daß man beym Körper nicht des Körpers denkt" (Sch 54a). Es handelt sich um die Trennung von sinnlicher und geistiger Liebe, wobei die letztere allein erstrebenswert war. Die Spuren des Pietismus reichen in Eichendorffs Jugendzeit hinüber und sind sowohl in der Literatur als auch im damaligen Leben erkennbar. Die bewußte Auseinandersetzung einiger bedeutender Männer wie Friedrich Schlegel und Schleiermacher mit dem Problem der Entzweiung von Körper und Geist konnte das allgemeine Denken, von dem Eichendorffs Dichten in seinen Schuljahren getragen wurde, noch nicht beeinflussen. Was aber an Eichendorffs Versen widersprüchlich erscheint, deckt in seiner naiven Ahnungslosigkeit das Dilemma auf, dem Verfechter der geistigen Liebe kaum ausweichen konnten: daß die menschliche Natur vom menschlichen Geist ihr Recht fordere. Ist rein geistige Liebe zwischen den zwei Geschlechtern überhaupt möglich, ist sie nur mit der Verdammung der sinnlichen Liebe zu erkaufen? Der 16-jährige verliebte Eichendorff hat „des Kusses Wollust," den Händedruck der Geliebten, das Ruhen an ihrem Herzen — alles Indizien der Sinnlichkeit — als äußerst beglückend empfunden. Und seinem Wunsch, sich ganz hinzugeben, diesem Glutverlangen, von dem er spricht, liegt ja doch der Trieb zur innigen Vereinigung mit der Geliebten zugrunde, auch wenn er ihn dichterisch seinen Vorbildern gemäß zum Verschmelzen der Seelen, zum vereinten Entschweben ihres Geistes sublimiert (Sch 43). In den oben erwähnten Versen unterzieht Eichendorff sein natürliches Gefühlserlebnis einem gedanklichen Prozeß und gerät, ohne es zu bemerken, in folgenden Widerspruch: Wie kann er beim Anblick der Geliebten nicht des Körpers denken, da es doch gerade ihre Schönheit, also ein sinnliches Element ist, das ihn bezaubert? Was Eichendorff noch fraglos übernimmt, dessen Gültigkeit erfragt er später mit zunehmender Erfahrung. Dies führt ihn auch zu neuen Einsichten über das Wesen der Schönheit und damit zusammenhängend über die Bedeutung der antiken Götterwelt.

Will man Eichendorffs aus eigenem Erlebnis erwachsene Liebesauffassung während seiner Schulzeit weltanschaulich einstufen, so kann man sie durchaus dem christlichen Bereich zuordnen. Sowohl die Person der Geliebten, als auch das an ihr entzündete Liebesgefühl konnte er schön und gut heißen. Es besteht die berechtigte Annahme, daß dieses frühe Erlebnis mitbestimmend war für das sich programmatisch durch Eichendorffs Werk ziehende christliche Morgenrötemotiv. Da es in Eichendorffs späterer Dichtung einen so wichtigen Platz einnimmt, soll kurz darauf eingegangen werden. Der ausgezeichneten Abhandlung von Peter Schwarz über den Aurora-Begriff bei Eichendorff möchte ich ergänzend hinzufügen, daß bereits schon vor Eichendorffs Heidelberger Bekanntschaft mit dem romantischen Ideengut die „Morgenröte" eine entscheidende Rolle spielte. Es wurde schon erwähnt, daß Eichendorff seine erste Jugendliebe auf den Namen „Morgenröte" taufte. Daß er diesen Namen nicht willkürlich wählte, geht aus der entsprechenden Tagebuchnotiz hervor. Durch die Umschreibung des Mädchens mit „schöne Morgenröte eines noch schöneren Tages" wird der Naturbezug deutlich (Tb 1. 10. 1804). Wie ihm der Sonnenaufgang in der Natur und der Sonnenaufgang der Liebe in den heimatlichen Fluren zum Erlebnis wurde und seine Gedanken befruchtete, ist aus einem Gedichtentwurf aus dem Jahre 1805 ersichtlich:

> Seyht mir gegrüßt, ihr Fluren, die ich zuerst erblikte,
> wo mir des gantzen Lebens Bahn in Morgenroth
> gehüllt, vorkam; wo mich unter säuselnden

Schatten, am rieselnden Bache die Muse zuerst
überraschte, u. mich den schönen Morgen, den
Abend etc. schöner fühlen lehrte. (Sch 60a)

Bereits in früheren Gedichten ist das Morgenrot metaphorisch verwendet,
was darauf schließen läßt, daß Eichendorff diese Metaphern aus seiner Lek-
türe, aus Kirchenliedern und religiösen Gedichten kannte. In den Liebesgedichten spielt die „Morgenröte" eine wachsende Rolle. Ihre Bedeutung
ist manchmal verschwommen, und je nach metaphorischer Zusammen-
stellung verschieden. Doch immer steht sie für einen Anfang (Jugend,
Hoffnung, Beginn des ewigen Lebens), für ein erhebendes, nach oben ge-
öffnetes Gefühl (Begeisterung, Liebe, Unbeschwertheit, Unschuld). Alle
diese Vorstellungen schwingen in dem Namen der Geliebten mit. Doch
indem er sie in der Geliebten veranschaulichen will, entgrenzt er gleichzeitig ihre Person, um sie dichterisch in einer überpersönlichen Einheit, in
einer idealen Gestalt zusammenzufassen. Als solche ist wohl die „Morgenröte" in Gedicht Sch 45 aufzufassen:

Wohin floh sie, die schöne Morgenröthe,
Die ach! so herrlich mir den schönsten Tag verhieß,
Die Kühlung sanft auf meine Pfade wehte,
Ein Eden mir in naher Zukunft wieß?

Es wird sich in Eichendorffs späteren Dichtungen noch zeigen, wie die
Morgenröte als Naturrahmen eine Frauengestalt charakterisiert oder als
allegorische Figur die Vorstellungen vertritt, die ihr schon in den Schulgedichten zukommen. Sie kann stets dem christlichen Bereich zugeordnet werden.

KAPITEL II

EICHENDORFFS JUGENDGEDICHTE VON 1807 BIS 1813

1. *Die naturmagische Dichtung der Heidelberger Zeit*

Der nächste überlieferte Gedichtzyklus setzt mit der Heidelberger Zeit
ein. Der Unterschied zwischen diesen und den über zwei Jahre zurücklie-
genden Gedichten aus der Breslauer Schulzeit zeigt, wie sich Eichendorffs
Dichten und Denken gewandelt hat. Zwei Dinge wurden jedoch aus den
Schulgedichten herübergenommen: das Bild der Geliebten und die Verinnerlichung, das Lauschen ins eigene Herz. Das Bild der „kleinen Morgenröte," von dem die ersten Liebesgedichte geprägt sind, scheint auch jetzt
noch hinter den Gedichten zu stehen, die Sehweise ist aber eine andere
geworden. In den Schulgedichten ist der Bezug zur Geliebten entweder
direkt ausgesprochen, oder er wird in die lehrhafte, idealistische Gedankenlyrik mit einbezogen. In den ersten Heidelberger Gedichten fehlt der feste
Bezug zur Wirklichkeit. Aus einer Reihe von Metamorphosen ging ein
verschwommenes Bild der Geliebten hervor, welches in den Sog einer
mystisch-romantisierenden Tendenz, der Eichendorff mit seinem Heidelberger Freundeskreis huldigte, geriet. Die Verinnerlichung des Erlebnis-
ses nimmt jetzt einen entscheidenden Platz ein. Der ganze Kosmos wird
praktisch ins Herz eingesogen und weitet sich in eine Seelenlandschaft
aus. Man kann diese Landschaft auch Traumlandschaft nennen, denn sie
wird durch den Traum heraufbeschworen und belebt. Dieser Landschaft
eignet das Fließen und Zerfließen, das Duften und Klingen, kurz: alles
Entgrenzende. Aus solch flüssigem Element verdichtet sich manchmal das
Bild einer weiblichen Gestalt, um sogleich wieder im Strom unterzu-
tauchen. Oder die Gestalt dehnt sich über andere Bereiche aus, bis nicht
mehr zu unterscheiden ist zwischen einer irdischen Geliebten, der himmlischen Jungfrau und einem naturmythischen Wesen.

Die Abhängigkeit Eichendorffs von Loeben tritt in den Heidelberger
Gedichten klar zutage und ist von der Forschung hinreichend belegt worden. [3] Loeben seinerseits stand damals unter dem Einfluß von Novalis,
dessen *Heinrich von Ofterdingen* er mit seinem Roman *Guido* fortzusetzen
und zu vollenden gedachte. Loebens Roman, den man als epigonenhaftes

---

[3] z. B. von R. Pissin, H. Kummer, E. Reinhard, D. Lent.

Gebilde in der Nachfolge Novalis' bezeichnen kann, ist „Denkmal einer der hohen Spannung der Zeit noch überspannten Schwärmerei, ... Zeugnis und Erzeugnis der alles durchdringenden Stimmung der Sehnsucht, dieses stärksten Symptoms jener Zeit." [4] Eichendorff hat von seinem Vorbild Loeben den novalisierenden Ton übernommen. Die zentrale Bedeutung der blauen Blume in Eichendorffs Heidelberger Gedichten, das Spiel mit dem Schleier, die mystische Verschmelzung der irdischen Geliebten mit der himmlischen Maria legen davon Zeugnis ab.

In die Heidelberger Zeit fällt Loebens stark katholisierende Gedichtsammlung *Reisebüchlein eines andächtigen Pilgers*, die vielfach noch an den Roman *Guido* und damit an Novalis anklingt, dann aber auf den Spuren Tiecks geht, „den Loeben unterdessen kennen gelernt hatte und glühend verehrte." [5] Diese Spuren führen auch, wie schon aus dem Titel ersichtlich ist, auf *Sternbalds Wanderungen* und auf die Wackenroder-Tieckschen *Herzensergießungen eines kunstliebenden Klosterbruders* zurück. Hier wie dort macht sich eine ästhetisierte Religiosität bemerkbar. Von dem religiösen Kunstwerk, von der Atmosphäre des katholischen Kultes, werden „wunderbare Regungen" erwartet, „ein rauschhaftes Hochgefühl als Bestätigung der Nähe Gottes." [6] Eichendorff kannte Tiecks *Sternbalds Wanderungen*, die er nach einer Tagebuchnotiz als Hallenser Student gelesen hatte (Tb 13. 8. 1805). Auch die *Herzensergießungen* dürften ihm in Halle zugänglich gewesen sein. Doch erst in Heidelberg und im Banne Loebens legt Eichendorff dichterisches Zeugnis von der schwärmerischen Religiosität ab, die ihn ergriffen hat. Hier wendet er sich zum ersten Mal in seinen Gedichten an die himmlische Mutter. Seine anfängliche sogenannte „Mariendichtung" ist vom Geist Loebens geprägt, der sich in den *Lotosblättern* selbst beschreibt:

Ewig rührend wird das Mütterliche, Zugängliche und Poetische des Katholizismus bleiben, und das Gemüth daher stets eine Ruhestätte in den stillen Kapellen, vor den süßen Weihnachtskerzen, in der sanften, läuternden Atmosphäre des Weihrauches, in den tragenden Armen der Musik und der himmlischen Mutter finden, und vor dieser in Kindlichkeit, Demuth und Beschauung der Liebe des süßen Heilands versinken. [7]

---

[4] R. Pissin, *Gedichte von Loeben*, Einleitung, XII.
[5] Ibid.
[6] Stein, *Dichtergestalten*, S. 22.
[7] zitiert nach Pissin, *Loeben*, S. 144.

Wie bei Loeben, so führt auch bei Eichendorff der Marienkult zu einer „steigenden Verehrung des Minnedienstes und Minnesangs überhaupt." [8] In den Eichendorffschen Gedichten, die 1808 unter dem Pseudonym Florens in Asts Zeitschrift erschienen, ist die stoffliche Übereinstimmung mit Loeben und dessen katalysatorische Funktion für Einflüsse anderer Dichter aus den Themen zu ersehen, die Pissin mit „Frühlingsandacht, Waldeszauber, Minnedienst, fromme Andacht, Marienkult, Pflege des Wunderbaren," bezeichnet. [9]

Das Thema „Waldeszauber," mit dem Auftauchen der Waldschönen, der verführerischen, mit Perlen geschmückten Frau, deutet auf den Dichter der Waldeinsamkeit, auf den Tieck des *Phantasus* hin. Lockend und verlockend klingen die Stimmen der Natur in Eichendorffs Gedichten, wie das „verführend Lied der Quelle" (J 17), das dann in der wunderschönen Fraue aus dem Wald (J 10), in einer Sirene (J 14), in der „Einen" (J 25), in der Jungfrau zu Roß (J 31) und anderen Wesen Gestalt annimmt. Märchen- und Sagenmotive spielen in diese Gedichte, wie auch in Tiecks Erzählungen hinein. Wie es bei Märchen der Fall ist, werden die neuverwerteten Motive von der Welt des Traumes gespeist, wo sich das Unbewußte und darin ein räumlich und zeitlich Verbindendes offenbart: das Leben in seinem flüssigen Zustand, oder die Archetypen in Urbildgestalt, die in verschiedenen Mythen ihren Ausdruck finden. Wer ins Unbewußte eindringt, der wird auch die Doppelgesichtigkeit seiner Gestalten erfahren: ihren Zauber, dem man willig folgt, und ihre verführerische Anziehungskraft, die einen in den Abgrund lockt. Daß die verführerischen Kräfte weibliche Gestalt annehmen, ist durch die Assoziation der Frau mit Leben und Tod und durch ihre natürliche erotische Wirkung auf den Mann gegeben. Dieses Hinuntergezogenwerden in den Abgrund kann als ein Schuldigwerden und als Vernichtung im Tod erfahren werden, wie bei Tieck, dessen Erzählung *Der Runenberg* Béguin psychologisch folgendermaßen deutet: „Le monde des hantises, des désirs charnels est un monde sur lequel pèsent la malédiction et la mort. Les plus pures créatures de rêve se changent soudain en hideuses figures." [10] Auch Eichendorff erfährt diese Bedrohung, das Sich-verlieren, wenn er sich im Traum den unterbewußten, ihrer Natur nach erotischen Trieben zügellos überläßt. Auch er ahnt die dämonische Seite der bezaubernden Frau.

---

[8] Ibid., S. 148.
[9] Ibid., S. 153.
[10] Béguin, *L'Âme*, II, 164.

Der großen Bedeutung dieser Erfahrung für Eichendorffs spätere Einstellung zum Heidentum und Christentum, für die Gestaltung der heidnischen und christlichen Frau, ist die Forschung noch nicht genügend in den Heidelberger Gedichten nachgegangen. [11] Von zweifelhaftem künstlerischen Wert, sind sie doch entwicklungsgeschichtlich äußerst aufschlußreich. Wolffheim hat zwar recht, wenn er, auf die Heidelberger Liebessonette bezogen, in diesen Gedichten noch keine Auseinandersetzung Eichendorffs mit seinem antik-heidnischen und seinem christlichen Lebensgefühl entdeckt. Doch liegt diesen Gedichten eine existentielle Erfahrung des menschlichen Daseins, ein Blick in den Abgrund der menschlichen Seele zugrunde, die er damals noch nicht benennen konnte, später aber mit gewonnenem Abstand zur objektiven Gestaltung und Bewertung brachte, d. h. dem antik-heidnischen bzw. dem christlichen Bereich zuordnete. Ohne diese Erfahrung wäre z. B. *Das Marmorbild* nicht denkbar.

Wo vom Abgrund der menschlichen Seele, der sich im Traum offenbart, die Rede ist, darf der Jean Paulsche Einfluß nicht vergessen werden. Dessen *Flegeljahre, Titan, Hesperus, Giannozzo*, hat Eichendorff zwischen 1806 und 1807 gelesen, wie aus Tagebuchnotizen zu erschließen ist. Während Tieck dem Abgrund gleichsam mit seinen Gestalten einen Boden gibt, auch wenn diese Gestalten hintergründig und gespensterhaft sind, erlaubt Jean Pauls ätherische Landschaft den Durchbruch ins Bodenlose, ins Nichts. Ob man — wie Staiger — Jean Pauls formlose, ins Unendliche strebende Kunst auf eine von der Wirklichkeit losgelöste Phantasie zurückführt, oder — wie Kommerell — in ihr einen freischwebenden, vom Leben abgezogenen Geist walten sieht, sie ist aus einem unerbittlichen Vorstoß ins Unbewußte hervorgegangen, aus einem Vorstoß bis ins Nichts, der dichterisch im *Giannozzo* verwirklicht und mit der Raummetapher „Flug in den Abgrund oben" [12] am treffendsten gekennzeichnet ist. Kommerell hat diese Erfahrung so zusammengefaßt: „Jean Paul grub in sich — auf einmal grub er unter sich." [13] Dieses Durchbrechen muß auch Eichendorff zum Erlebnis geworden sein, woran folgende Strophe aus der *Jugendandacht* (J 26) scheu zu rühren wagt:

---

[11] Es gibt zwar einige gute Arbeiten über dieses Thema, z. B. von Lent, Haberland, Baxa, Bezold. Wertvolle Hinweise finden sich bei Stein, Weihe, Uhlendorff. Doch wird nicht die Entwicklung des Dämonischen in Eichendorffs Werken aufgezeigt.

[12] Formulierung von Gerhart Baumann.

[13] Kommerell, *Jean Paul*, S. 267.

Durchs Leben schleichen feindlich fremde Stunden,
Wo Ängsten aus der Brust hinunterlauschen,
Verworrne Worte mit dem Abgrund tauschen,
Drin bodenlose Nacht nur ward erfunden.

Der fremde Einfluß auf Eichendorffs Heidelberger Gedichte beschränkt sich keineswegs auf die genannten literarischen Vorbilder, die nur als Wegweiser gedacht waren für das Verständnis der Eichendorffschen Entwicklung von einer mystisch-pantheistischen Religiosität bis zur Erfahrung des Abgrundes. Eichendorff konnte an seinen Vorbildern nur das ihm Verwandte erkennen und sich aneignen. Aus einer inneren Disposition war er dem romantischen Geist ergeben. Für ihn als Kind seiner Zeit gilt, was Béguin von den Romantikern im allgemeinen sagt: „Les romantiques admettent tous que la vie obscure est en incessante communication avec une autre réalité, plus vaste, antérieure et supérieure à la vie individuelle." [14]

Auf diesem Hintergrund zeichnen sich Eichendorffs Gedichte von 1808—09 ab, deren Frauengestalten nun näher beleuchtet werden sollen. Sie sind folgenden drei Wesensbereichen zuzuordnen: dem transzendenten Bereich mit der Gestalt Mariens, dem menschlichen Bereich mit der Gestalt der irdischen Geliebten, dem Naturbereich mit der mythischen Gestalt des Frühlings. Da es sich in erster Linie um eine mystische Dichtung handelt, sind die Grenzen zwischen diesen Bereichen flüssig, greifen die Gestalten meist ineinander. Dieses Ineinanderfließen sollen folgende Beispiele anschaulich machen. Wie schon erwähnt, ist Eichendorff durch Loebens Vorbild zur Mariendichtung angeregt worden. In dem an Loeben gerichteten Gedicht *Antwort* (J 4) kniet der Dichter „vor der Jungfrau Bilde, / Erflehend nur ein einzig Liebes-Zeichen." Sie gewährt es ihm, und

Nun drängt ein Schmerz mich süß und sanft und wilde,
Daß ich mit ihrer Wunder Himmelreichen,
Die weiter als mein ird'sches Leben reichen,
Wie ich sie himmlisch schau', die Schöne bilde.

Diese Bitte an Maria ist eine Bitte um dichterische Gnade, wie sie in Eichendorffs Augen Loeben gewährt wurde, der sich durch seine Hinwendung zu Maria dem Wunderbaren öffnete. Das Bild der Jungfrau ist ein ästhetisches Objekt, wird gleichzeitig aber als religiöses Symbol gesehen,

---

[14] Béguin, *L'Âme*, I, XXIX.

in dem sich Maria offenbart. Denn es wird ja ein handelndes Eingreifen von ihr erwartet. Oder ist es das eigene Gefühl, das, am ästhetischen Objekt berauscht, sich selbst antwortet?

Die religiöse Kunstbegeisterung jener Zeit hat offensichtlich auf dieses Gedicht eingewirkt. Aus der Stimmung der „süßen Weihnachtskerzen" ließ Tieck die Religiosität eines in Rom konvertierenden Malers entstehen. Im *Brief eines jungen deutschen Malers in Rom an seinen Freund in Nürnberg* kommt diese Religiosität zum Ausdruck: „Die Kunst hat mich allmächtig hinübergezogen [zum katholischen Glauben], und ich darf wohl sagen, daß ich nun erst die Kunst so recht verstehe und innerlich fasse." [15] Dieser religiöse Ästhetizismus, den Eichendorff später in seiner *Geschichte der poetischen Literatur Deutschlands* als Identifizierung von Poesie und Religion bezeichnet, hat gleichzeitig einen erotischen Anstrich: In Eichendorffs Gedicht *Antwort* (J 4) ist von einem Liebeszeichen, von einem Schmerz, der süß drängt, die Rede. Eine mystische Verschmelzung von irdischer und himmlischer Liebe nennt Eichendorff das Wesen der Poesie Novalis', in dessen geistlichen Liedern er „Maria als die göttliche Verklärung der irdischen Schönheit" dargestellt sieht (NGA IV, 255—256). Den Akzent auf der „irdischen Schönheit" hat Eichendorffs *Jugendandacht, 4 (An Maria)* (J 20). An Maria gerichtet, ist doch von einer himmlischen Maria darin nicht die Rede. Vielmehr erwacht in ihm die Erinnerung an die ehemalige Geliebte. Durch fernen Gesang in die Vergangenheit zurückversetzt, fühlt das dichterische Ich „die alten Schmerzen immer wieder, / Seit Deine Blicke, Jungfrau, mich bezwangen". Eichendorff nennt dieses Gedicht in einem Brief an Loeben „meine erste Liebe und lebendige Religion des Lebens" (HKA XII, 4). Ist daraus nicht eine Analogie zur mystischen Verbindung zwischen Sophie und Maria bei Novalis zu sehen, hier auf Eichendorffs Geliebte — nennen wir sie die „kleine Morgenröte" — und Maria angewandt?

Das erotische Moment umfaßt neben der himmlischen Maria und der Geliebten auch die Natur, so daß Maria in den pantheistischen Bereich mit einbezogen wird. Diese Dimension weist das Gedicht *Selige Wehmut (Maria)* (J 62) auf, das auch mit der zitierten Briefstelle gemeint sein könnte. [16] Das Gedicht beginnt so:

[15] Wackenroder/Tieck, *Herzensergießungen*, S. 87.
[16] Bei Regina Otto handelt es sich um J 62 (GW I, 506), während Hilda Schulhof die Briefstelle auch auf das Gedicht J 20 bezieht (HKA I, 2. Teil, 757). Nadler läßt beide Möglichkeiten offen (*Lyrik*, S. 153).

Ist der Frühling nicht gekommen,
Sinn'ge Farbe still entglommen?
Hab ich nicht den Schleier 'hoben,
Zart aus Blumenduft gewoben?

Daraufhin spricht der Dichter eine Geliebte an, der er am Schluß gesteht: „Möcht Dich gern recht hertzlich grüßen, / Rühren nur den Mund, den süßen, / Sterben gerne so im Küssen." Das Bild Mariens bzw. der „kleinen Morgenröte" tritt ihm also aus dem neuerwachten Frühling entgegen, als er dessen Schleier lüftet. Mystischer und verschwommener als in den beiden Gedichten an „Maria" drückt sich Eichendorff in einem anderen, an Loeben gerichteten Gedicht aus, welches ausdrücklich an Novalis anknüpft (*An Isidorus Orientalis*, J 5). Die Assoziation von blauer Blume und Maria, von der Zeugungskraft der Natur und dem Kinde, das ihrem Herzen entspringt, endet in diesem Gedicht in einem dionysischen Taumel, wo dem gebärenden weiblichen Element (Blumen, Maria) der Opfertod (Heimkehr zum Vater) gegenübersteht.

Ein verbindender Gedanke hält jedoch die drei Bereiche der irdischen Liebe, der himmlischen Liebe, der erotisierten Natur, zusammen. Es ist der Geist der Liebe, der alles belebt und durchschwebt, den der Dichter durch sein Zauberwort fesseln kann. Diesen typisch frühromantischen Gedanken finden wir bei Friedrich Schlegel in seinem *Gespräch über die Poesie* theoretisch entwickelt. Er ist bei Schelling im Begriff der „Weltseele" enthalten, und bei Novalis poetisch in *Klingsohrs Märchen* dargestellt. Den Geist der Liebe, der das All umfaßt, setzt Schlegel mit „Poesie" gleich, in dem Sinne wie die Erde ein „Gedicht der Gottheit" ist, „dessen Theil und Blüthe auch wir sind." [17] Auch für Novalis ist „die Liebe . . . selbst nichts, als die höchste Naturpoesie." [18] Zu dem immanenten Geist kommt die transzendierende Komponente hinzu, und derselbe mystische Faden verbindet das Unten und das Oben. Neben dieser mystischen Natur- und Religionsauffassung, in die sich Eichendorff einfühlte, nahm er noch einen anderen Gedanken Novalis' in sich auf, nämlich, daß alles Organ der Gottheit, Mittler zu Gott sein könne. Solche Gedanken, nur vage verstanden, verleiteten aber zu Ausschweifungen, zu Gefühlsschwelgereien und Unklarheiten, wie im Falle Loeben.

[17] Friedrich Schlegel, *Gespräch über die Poesie*, in *Athenaeum*, III, 1. Teil, 59.
[18] Novalis, *Heinrich von Ofterdingen*, S. 246.

Im Zyklus *Jugendandacht* verbirgt sich der Dichter hinter solchen Undeutlichkeiten. Ist sie auf Maria bezogen, diese Zeit „Der ersten Andacht, solch' inbrünstger Liebe, / Die ewig wollte knien vor der Einen!" (*Jugendandacht, 1, J 17*)? Paßte nicht auch hier die Bezeichnung „meine erste Liebe und lebendige Religion des Lebens"? Damit wären wir wieder bei der „kleinen Morgenröte" angelangt. In der Tat sprechen auch die anderen Anzeichen in diesem ersten Gedicht des Zyklus hierfür. Eichendorff denkt die irdische Liebe, möchte sie aber zur himmlischen geläutert wissen. Eichendorff hat das Gedicht zur Aufnahme in seine Gedichtsammlung interessanterweise so umgeändert, daß das Gewicht von der irdischen auf die himmlische Geliebte verlagert wurde.

In dem *Gebeth* genannten zweiten Gedicht soll das „süße Bild" wohl auch Maria sein, deren treues Kind er im Innersten geblieben sei (*Jugendandacht, 2, J 18*). Im nächsten Gedicht ist aber das süße Bild auf den mythischen Frühling bezogen:

> ... dieser Farben heimlich Breiten
> Deckt einer Jungfrau strahlend reine Glieder;
> Es wogt der große Schleier auf und nieder,
> Sie schlummert drunten fort seit Ewigkeiten.
>
> (*Jugendandacht, 3, J 19*)

Analog dazu heißt es in der *Frühlingsandacht* (J 55):

> Und aus dem duft'gen Kelch im Glorienscheine
> Neigt sich die ew'ge Jungfrau, hebt den Treuen
> An ihre Mutterbrust mit tausend Küssen.

Diese „ew'ge Jungfrau" ist hier ebensowenig Maria, sondern eine pantheistisch gesehene Frühlingsgöttin. Das vierte, „An Maria" gerichtete Gedicht des Zyklus (J 20) nimmt das Stichwort „Jungfrau" wieder auf, aber mit veränderten Vorzeichen. Ihr liegt das Bild der Geliebten zugrunde, worauf bereits hingedeutet wurde. „Die Eine," „süßes Bild," „Jungfrau" und ähnliche Bezeichnungen trägt das weibliche Wesen auch in den folgenden Gedichten des Zyklus, immer in ihrer Zweideutigkeit schillernd, stets von erotischen Gefühlen begleitet: Sie verursacht Liebesschmerz und schlägt Liebeswunden, sie lockt und ruft und erweckt im Liebenden eine dionysische Todessehnsucht:

War's niemals da, als rief' die eine, deine?
Lockt' dich kein Weh, kein brünstiges Verlangen
Nach andrer Zeit, die lange schon vergangen,
Auf ewig einzugehn in grüne Scheine?

(Jugendandacht, 8, J 24)

Das alles zeigt, daß für Eichendorff, solange er sich von seiner pantheistischen Befangenheit nicht freimachen konnte, Maria als Verkörperung transzendenter Liebe ein Wunschbild bleiben mußte. Das Bild der Geliebten hat entscheidender zu den Gedichten beigetragen. Von konkreten Liebeserlebnissen und den sich daraus entwickelnden Gefühlen zehrt seine dichterische Gestaltung der Liebe auch da, wo verallgemeinernd und mystifizierend das Persönliche überdeckt wird. Am häufigsten drängt sich das Bild einer mythischen Naturgöttin auf. Wie dieses Bild aus einer Verinnerlichung entstanden ist, sollen die folgenden Gedichte zeigen. Indem der Dichter ins eigene Herz lauscht, tut sich ihm eine Traumlandschaft auf, die er mit seiner dichterischen Phantasie belebt. Dem Traum und der Phantasie ist es eigen, in der Wirklichkeit gesetzte Grenzen zu mißachten. In Gedicht J 10 bewegt sich der Dichter in einer solchen Traumwelt. Er vernimmt zunächst ein Waldhorn: „Und wie ich muthig in die Klänge schaue, / Reit't aus dem Wald die wunderschöne Fraue." Sie trägt Züge von Tiecks Märchengestalten, diese Waldschöne mit ihrem glitzernden Schmuck:

Zu weilen, fortzuziehn, schien Sie zu zagen,
    Verträumt blühten in's Grün der Augen Scheine,
Der Wald schien schnell zu wachsen mit Gefunkel.

Aus meiner Brust quoll ein unendlich Fragen,
    Da blizten noch einmal die Edelsteine,
Und um den Zauber schlug das grüne Dunkel.

Während diese Traumgestalt aus Klang und Farbe des Frühlings hervorgetreten ist, löst in *Angedenken* (J 12) ein Mädchen den Traum aus. Bei einem Spiel verbindet sie ihm die Augen:

Nun in der Augen Nacht quoll blühend Träumen,
    Der Mienen Huld, wie Zauberblum'n, erwachte,
    Da endt' das Spiel — in's Aug' Licht wieder lachte,
Doch stehend träumt' ich fort von jenen Träumen.

So stand ich unter holden Farbenbogen,
   Und wie mein ganzes Leben schwellend blühte,
   Dankt' ich dem Frühling solch' zaubrisch Verschönen.

Noch blüht der Lenz, doch Sie ist fortgezogen,
   Nun weiß ich, daß nur Sie den Lenz beglühte,
   Und einsam traur' ich in den Stralen, Tönen.

Dieses Gedicht ist interessant, weil es von einem realen Erlebnis ausgeht und dann die Traumentwicklung aufzeigt, die die Brücke zwischen realer Begebenheit und Frühling schlägt. Daß ein solches Erlebnis verinnerlicht weiterwirkte, macht der folgende Vergleich deutlich:

   Wie in einer Blume himmelblauen
   Grund, wo schlummernd träumen stille Regenbogen,
   Ist mein Leben ein unendlich Schauen,
   Klar durch's gantze Hertz ein süßes Bild gezogen.
                                        (*Jugendandacht*, 2, J 18)

   Diese Verinnerlichung zu pflegen, zu vertiefen und dichterisch zu gestalten, wurde durch herrschende philosophische Ideen gerechtfertigt, ja geradezu hervorgerufen. Der Idealismus lehrte, daß der Mensch das Universum in sich selbst finden kann. „Alles außer ihm ist nur ein anderes in ihm, alles ist der Widerschein seines Geistes, so wie sein Geist der Abdruck von allem ist." [19] Indem die Romantiker das Universum zum Unendlichen hin öffneten, erhielt auch das innere Universum eine unendliche Dimension. Diesem Hang zum Unendlichen entsprach eine religiöse Sehnsucht. Für Schleiermacher ist Religion „das Suchen des Unendlichen" oder „Anschauung und Gefühl des Universums." [20] Die moderne Naturphilosophie bezog auch die äußere Natur in das von einem Geist durchwaltete Universum mit ein und ergab so die dritte Dimension zu dieser neuen Weltanschauung. Dem Künstler, dem Dichter, erwuchs hieraus eine religiöse Aufgabe: in der Kunst, in der Dichtung, ein Symbol des Universums zu schaffen. Dies kommt dem Streben nach einer neuen Mythologie gleich. Den Stoff dazu boten die Natur und die Geschichte.
   Auch der junge Eichendorff nahm an diesem allgemeinen Aufbruch der romantischen Geister teil, die Welt und die Gottheit in Symbolen zu erfassen. Nach seinen Heidelberger Gedichten zu urteilen, scheint das Bild

---

[19] Strich, *Mythologie*, II, 3.
[20] zitiert nach Strich, *Mythologie*, II, 13 und 8.

des Frühlings ihn am meisten gefesselt zu haben. Er wird nicht müde, es in immer neuen Wendungen, in verschiedenen Schattierungen zu evozieren. Regsamkeit, Bewegung, Tätigkeit, Wachsen, zeichnen den Frühling aus. Diese Eigenschaften eignen auch der Jugend und einer aufbrechenden Epoche, für die daher das Bild des Frühlings stellvertretend stehen kann. Wichtiger für die zu besprechenden Eichendorffschen Gedichte ist aber die naturphysische Bedeutung des Frühlings: die zeugende und gebärende Kraft der Natur. Und da es sich immer um symbolische Dichtung handelt, bezieht sich dieser Vorgang auch auf den schöpferischen Geist des Menschen und auf die menschliche Liebesbeziehung. Überall waltet dasselbe Prinzip: der Geist der Liebe, die „Weltseele," oder der Geist Gottes. Diese Symbolik des Frühlings enthält ein sehr frühes Sonett Eichendorffs:

> Es ist ein innig Ringen, Blühn und Sprossen,
> Und träumend Rauschen tief in allen Zweigen,
> Vor großer Wonne wieder seelig' Schweigen,
> Und klarer Liebesglanz drum ausgegossen.
>
> *(In Budde's Stammbuch,* J 9)

Diesem Naturbereich entsteigen die süßen, wirren Lieder, die der Dichter allein vernehmen kann (J 9, 19, 20). Aus solchen Gedankengängen entspinnt sich dann die Vorstellung vom Sänger als dem Geliebten des Frühlings:

> Den Sänger will der Frühling gar umspinnen,
> Daß der Geliebteste nicht möcht' entfliehen,
> Fühlt er ein Lied durch alle Farben ziehen,
> Das ihn so ewig lokend ruft von hinnen.
>
> *(Jugendandacht,* 5, J 21)

Der Frühling wiederum umkleidet die Gestalt einer Geliebten: „Dieser Farben heimlich Breiten / Deckt einer Jungfrau strahlend reine Glieder;" (J 19). Es ist bemerkenswert, daß der Frühling nicht konsequent personifiziert wird, sondern daß sich die Geliebte hinter ihm — oder vielmehr unter ihm — verbirgt, oder daß er aus Farbe und Klang eine Gestalt nur ahnen läßt:

> Und der Frühling will sich bläuen,
> Aus der Grüne, aus dem Schein
> Ruft es lockend: Ewig Dein! —
>
> *(Sehnsucht,* 4, J 30)

27

Dazu kommt das typische, romantisch-religiöse Element der Sehnsucht, das sich nicht auf eine Erscheinung beschränken will — in diesem Falle also auf den Frühling — sondern ihren zeitlichen und räumlichen Rahmen sprengt. So heißt es in dem obigen Gedicht weiter:

> Aus der Minne Zaubereien
> Muß er sehnen sich nach Fernen,
> Denkend der alten Wunderpracht ...

In die Vergangenheit, nach einer „alten Wunderpracht" zieht es ihn, wohin ihn „die eine, deine" ruft, wie es in *Jugendandacht*, 8 heißt. Oder sie zieht ihn in eine räumliche Ferne: „Von fern rief's immer fort: Ich bin die Deine!" (*Rettung*, J 31).

Die Geliebte wird in diesen Gedichten öfters mit dem Bild des Schleiers in Zusammenhang gebracht. Der Schleier hat hier nicht die umfassende Bedeutung wie für Novalis, für den die verschleierte Jungfrau die mythologische Verkörperung seiner gesamten Weltanschauung ist. Aber Eichendorff bleibt auch nicht in der verwässerten Symbolik des novalisierenden Loeben verhaftet. Das Sonett J 13 ist auf dem Symbol des Schleiers aufgebaut und trägt typisch Eichendorffsche Züge. Mit einem konkreten Merkmal des Schleiers wird die Idee des Gedichtes durchgeführt: Es ist die halb verbergende, halb enthüllende Qualität des Schleiers, sein beweglicher und daher unscharfer, duftiger Aspekt. So ist auch das ganze Gedicht aufgelöst in Tanz, Traum, Klang und Duft:

> Wie wenn aus Tänzen, die sich lokend drehten,
> Von müder Augen süßen Himmelsträumen,
> Daß nun Gewährung nicht wollt' länger säumen,
> Verrathend die schamhaften Schleier wehten,
>
> Ein einz'ger in die Nacht hinausgetreten,
> Schauend wie draußen Land und Seen träumen,
> Die Töne noch verklingen in den Bäumen,
> An's Herz nun schwellend tritt einsames Beten: ...
>
> (*Angedenken*, 2, J 13)

Indirekt ausgesprochen liegt den Quartetten ein erotisches Begehren zugrunde: die schamhaften Schleier verraten, daß sie mit der Gewährung nicht länger säumen wollen. Einer löst sich heraus, verliert sich aber im nächtlichen Träumen von Land und Seen. Das Ganze ist nur als Vergleich für die folgenden Terzinen gedacht. Der Dichter bezieht sich auf seine Geliebte: „Also, seit Du erhörend mich verlassen, / Grüßt mich Musik und Glänzen nur von ferne, / Wie Tauben, Botschaft bring'nd durch blaue Lüfte". Der Vergleich hinkt zwar in seiner gedanklichen Durchführung, die Assoziationen sind jedoch aufschlußreich, da sie im Keim den Gedanken für den Venusschleier im *Marmorbild* enthalten. In dem Sonett wird das erotische Begehren noch nicht als Gefahr gesehen, sondern der Dichter überläßt sich ihm gefühlsmäßig, eingehüllt in eine sehnsüchtig melancholische Stimmung, die sich in dem Zwischenraum von Begehren und Erfüllung gefällt.

Etwas von der naiven Unschuld der Schulgedichte haftet diesen Jugendgedichten an, die immer noch die erste Liebe besingen, „Die ewig wollte knien vor der Einen!" In jener „seelgen Zeit," wie Eichendorff sie nennt, „Hob sie den Schleier oft, daß offen bliebe / Der Augen Himm'l, die Auen zu bescheinen" (J 17). Ein Schleier bedeckt auch die mythische Jungfrau, die „drunten" in ihren Dornröschenschlaf versunken ist. Es ist der aus Blumen gewobene Frühlingsschleier, der auf- und niederwogt (*Jugendandacht*, 3, J 19; *Jugendandacht*, 4, J 22). Wer diesen Schleier lüftet, kommt dem Geheimnis der Natur, dem Geheimnis des Lebens näher. Über diesen Vorgang, auf den die Gedichte teils unbewußt, teils überspannt hinweisen, hat sich Eichendorff später immer wieder in seinen theoretischen Schriften geäußert, so in der *Geschichte des Dramas*. „In der Natur aber, in den Träumen der Waldeinsamkeit wie in dem Labyrinth der Menschenbrust, schlummert von jeher ein wunderbares unvergängliches Lied, eine gebundene verzauberte Schöne, deren Erlösung eben die Tat des Dichters ist" (NGA IV, 540). In die reife Überlegung wie in die frühen, ahnungsvollen dichterischen Versuche spielen von Schelling formulierte naturphilosophische Gedanken von der Natur als einem erstarrten Geist, wie auch Görres' geschichtlich gesehener Mythos vom sprossenden, träumenden, schläfrigen Pflanzenleben des Volkes hinein: „Die Natur versteckt Kostbares in vielen Falten ihres weiten Mantels, und nur wer die Wünschelrute hat, der mag zu dem Verborgenen gelangen." [21] Heißt das nicht, daß nur ein Begnadeter — ein Philosoph und ein Dichter — den Schleier zu heben vermag? Einerseits soll der Geist die Natur durchdringen, andererseits tritt ihm aber auch aus der Natur ein ihr innewohnender Geist entgegen.

[21] Görres, *Die teutschen Volksbücher*, Vorwort, S. 3—4.

Die Synthese von Natur und Geist geht aus einem erotischen Akt hervor, oder anders ausgedrückt, die Natur selbst entwickelt sich weiter aus diesen aufeinander wirkenden und sich ergänzenden Kräften. Solches Synthesebestreben, das besonders der Romantik eignet, haben ihre Philosophen und Dichter verschiedentlich formuliert und gestaltet. Schleiermachers Gedanke, daß die Liebe darauf ausgehe, aus zweien eins zu machen, kehrt in einem Fragment Loebens wieder: „Zwei Menschen, deren Seelen sich in den beiden Genien versinnbildlichen, sind im Grunde nur zweifache Verleiblichungen eines einzigen Seins, die Polarisierung einer einzigen Wesenheit, symbolisiert in der Blume." [22]

Für den romantischen Dichter wurde auch die Blume Trägerin einer vielschichtigen Symbolik. Novalis war wiederum wegweisend, indem er philosophische Ideen in ein poetisches Kleid hüllte. War er es doch, der mit der „blauen Blume" ein Symbol für die romantische Lebensauffassung und Dichtung schuf. In *Heinrich von Ofterdingen* schlummert Astralis, die Poesie, in Blumenkelchen, bis sie durch Heinrichs und Mathildens Kuß zum Leben erweckt wird. Ähnliches stellt Runges Malerei dar. Seinen Blumen entsteigen Geister; denn ist nicht die ganze Natur von einem Geist beseelt? Die Idee von Runges allegorischer Malerei findet man in den folgenden Zeilen aus Tiecks *Zerbino* wieder: „Durchsichtig sind die Blumen, / Und ihre Geister steigen heraus / Und wiegen sich und hüpfen sichtbarlich in den Kelchen." [23] Für solche, der romantischen Philosophie und besonders Schellings Hälftenliebe verwandte Ideen war Loeben empfänglich, und er wirkte damit auf Eichendorff ein. Aber hier, mehr noch als bei der enigmatischen Frühlingsgöttin und dem Schleiersymbol, macht sich Eichendorffs Unsicherheit bemerkbar. Ist daran der Loebensche Dilettantismus schuld, der die durchdachte Symbolik seiner Vorbilder verdeckte, oder konnte Eichendorff sich selbst in diesen naturphilosophischen Ideen nicht zurechtfinden? Beides scheint der Fall zu sein. Er verliert sich da, wo er philosophischen Ideen, losgelöst vom eigenen Empfinden, dichterische Gestalt geben will. So versucht er in einem Sonett für Buddes Stammbuch verschiedene Vorstellungen zu verbinden, aber das Ganze bleibt mehr oder weniger Spielerei: Zwei Kindlein, die sich eng umschlossen halten, symbolisieren das Liebesweben des Frühlings. Mit Novalis' poetischem Zauberstab möchte Eichendorff diese bereits ins Allegorische übertragene Frühlingslandschaft auflösen:

[22] Formulierung von Kummer nach einem Fragment Loebens (*Loeben*, S. 34).
[23] *Ludwig Tiecks Schriften*, X, 253.

Wer wollt' nicht schlummern in der Blume mitten inne? —
Ein Kuß wekt dich von unsichtbarem Munde,
Da ist zu duft'gem Land die Blum' zerronnen.

Und Lieder rufen aus dem blühn'den Grunde,
Hat Fabel drum ihr magisch Netz gesponnen —
Das ist das alte ew'ge Reich der Minne.   (J 9)

Eine ähnliche Idee erotischer Vereinigung, aber schwüler und mysteriö-
ser gefaßt, liegt dem vierten Teil des Zyklus *Sehnsucht* zugrunde. Der
unter blauen Wellen schlummernde Knabe wird in die „Ewig Dein"
lockenden Zaubereien des Frühlings verstrickt. Man könte daraus den
Kampf der beiden Geschlechter in der Natur deuten, der in der letzten
Strophe der Glosse zur Versöhnung kommen soll:

> Und der Streit muß sich versöhnen,
> Und die Wonne und den Schmerz
> Muß er ewig himmelwärts
> Schlagen nun in vollen Tönen:
> Ewig's Träumen von den Fernen!
> Endlich ist das Herz erwacht
> Unter Blumen, Klang und Sternen
> In der dunkelgrünen Nacht.   (J 30)

Wie in der Blume das Geheimnis des Zeugens und Gebärens enthalten
ist, wie in ihr Natur und Geist zusammengeschaut werden, und wie sie der
Dichter aus der vorgegebenen in eine höhere Wirklichkeit transponiert,
das geht auch aus den folgenden Beispielen hervor. In der *Frühlingsandacht* (J 55) neigt sich die ewige Jungfrau „aus dem duft'gen Kelch im
Glorienscheine". In der *Jugendandacht, 2* (J 18) ist er, der Dichter, als
Kind der ewigen Jungfrau „Aus dem duft'gen Kelche aufgestiegen". Und
in *Angedenken, 2* (J 13) schließlich hat die in Duft zerrinnende Blumen-
metapher aus Gedicht 9 persönliche Gestalt angenommen: „Als Blume
sprieß ich in die Klänge, Sterne, / Der goldnen Ferne hauchend alle
Düfte". Eine wunderbare Durchdringung des Alls, zu der die Sinne aufge-
rufen werden! Nicht von ungefähr kam dem Dichter der Glaube an seine
zaubrischen Kräfte, da er solche Welten schaffen konnte. Im Glauben an
die Macht des poetischen Wortes dürfte ihn Novalis bestärkt haben.
Manch ein Fragment von Novalis befaßt sich mit solchen Gedanken. „Der

Zauberer ist Poet," heißt es einmal. [24] Dieser Satz ist wohl auch in seiner Umkehrung gültig. Der Poet ist Zauberer, zaubert er doch aus dem Nichts eine Welt hervor, wie Klingsohr sein Fabelreich. Die von Eichendorff geschaffene Welt war für ihn — ebenso wie für Novalis — keine künstliche Welt, sondern hatte die Bedeutung einer höheren Wirklichkeit. Er stand als ihr Schöpfer nicht außerhalb, sondern in ihr, und wurde von ihr in Anspruch genommen. Die Herrschaft seiner Welt über ihn war umso größer, als ihm der Willensakt eines Novalis und dessen philosophisches Rückgrat fehlte. Vielmehr überließ er sich fasziniert den Träumen, die sich da in seinem Innern entspannen, die er wachend weiterträumte und dichtete.

In dem *Traum* (J 50) betitelten fragmentarischen Gedicht treffen wir die vorher besprochenen Motive zusammen an. Wieder breitet sich eine blühende Frühlingslandschaft vor uns aus. Aber nicht in den Frühling draußen, sondern in sich selbst hinein lauscht der Dichter, bestrebt, „Ein selig Wort, das ich nicht konnt' ergründen, / Wie es mich lokt, aus dunkler Brust zu heben." Nicht vor dem äußeren, sondern vor dem inneren Auge — „wie ich so sann in himmlisch süßen Wehen" — sieht er „aus Duft und Dunkelgrün der Bäume" eine Gestalt hervorgehen. „Sie ging und stand, als ob sie selber träume, / Ließ tief den Schleier fall'n und hob ihn wieder." Ihre Gestalt verschwindet, andere, aus alter Zeit bekannte Gestalten treten auf, doch als typische Traumvisionen weiß er sie nicht zu unterscheiden. „Ich rief in Angst und wollt' sie liebend halten, / Doch bleich schien'n sie, und mich nicht mehr zu kennen. / Da war's, als wollten Au'n und Wälder zu mir sprechen, / Und Bangen faßt mich, daß es nicht zu nennen." Mit einem bangen, ängstlichen Gefühl durchstreift der Dichter diese Traumlandschaft, fühlt sich plötzlich „bodenlos einsam und so alleine. / Und ewig schien der Thale Lied zu fragen: / Was denn das Herz so trostlos such' und weine?" Ein Greis, aus Berg und Bäumen hervorgewachsen, deutet an, daß er sich in verbotenes Gebiet verirrt habe. „Tief Grau'n, Ermatten sind des Irrd'schen Rache":

> Da wacht' ich auf und zaubrisch aufgeschlagen
> Sah ich schon Nacht mit ihren goldnen Weiten.
> Demütig kniet' ich hin, wollt' viel noch fragen,
> Und ewig wird mich dieser Traum geleiten.

An diesem Gedicht wird deutlich, wie Eichendorff durch den eigenen Traum romantische Ideen zum Erlebnis wurden, wie er aber ohne äußeren Halt

---

[24] Novalis, *Fragmente*, S. 261.

in das bodenlose Innere stürzte. „Ewig wird mich dieser Traum geleiten," sagt er, und tatsächlich begleitet ihn dieser Blick in die Tiefe auch weiterhin, am prägnantesten dargestellt im *Marmorbild*.

Der Standpunkt, den Eichendorff im *Marmorbild* vertritt, entwickelt sich langsam aus den Heidelberger Gedichten heraus. Nicht eine einmalige Krise, sondern eine Art Krisenkette ist aus diesen Gedichten abzulesen. In einem Auf und Ab ringt sich Eichendorff zu seiner eigenen Form durch, durchschreitet er einen menschlichen und dichterischen Reifeprozeß. Da diese Entwicklung ausschlaggebend für Eichendorffs späteres Dichten ist, soll jetzt den Krisenerscheinungen nachgegangen werden. Eine Krise überkam ihn bereits im Kindesalter, als er erkennen mußte, daß die Wirklichkeit und sein Ideal auseinanderklaffen. Das zeigte sich bei der Analyse der Schulgedichte. Er rettete sich durch eine Flucht ins Innere. Damals tat er es, um sein subjektives Liebesgefühl zu hegen und zu pflegen, und jetzt erneut als Jüngling, um die Harmonie und die Unschuld der Kinderjahre im eigenen Herzen wiederzufinden. Davon handelt sein Gedicht *Rettung* (J 31). Im unbewußten Zustand des Kindseins war er noch eins mit der Natur:

> Ich spielt' ein frohes Kind im Morgenscheine,
> > Der Frühling schlug die Augen auf so helle,
> > Hinunter reisten Strom' und Wolken schnelle,
> > Ich streckt' die Arme nach ins Blaue, Reine.
>
> Noch wußt' ich's selbst nicht, was das alles meine:
> > Die Lerch', der Wald, der Lüfte blaue Welle,
> > Und träumend stand ich an des Frühlings Schwelle,
> > Von fern rief's immer fort: Ich bin die Deine!

Dann kam der graue Alltag mit seinen Forderungen, seinen Nützlichkeitstheorien und seinem poesiezerstörenden Verstand, dargestellt in der Gestalt eines alten Mannes, der das spielende Kind in den Kerker steckt. Daraus befreit er sich durch einen Sprung nach innen:

> Von innen fühlt' ich blaue Schwingen ringen,
> > Die Hände konnt' ich innigst betend heben —
> > Da sprengt' ein großer Klang so Band wie Mauern.
>
> Da ward ich im innersten Herzen so munter,
> > Schwindelten alle Sinne in den Lenz hinunter,
> > Weit waren kleinliche Mühen und Sorgen,
> > Ich sprang hinaus in den farbigen Morgen.

Er empfindet diesen Sprung als Befreiung. Mit Staunen entdeckt er eine neue Welt in sich, die weit über die Erscheinungen der Wirklichkeit hinausgeht. Die großen kosmischen Träume eines Jean Paul dürften ihn begeistert haben, dieses „peintre fabuleux," wie Béguin ihn nennt, „où l'univers se fait musique et couleur, et où le moi se perd voluptueusement dans des espaces infinis." [25]

Im Traum, so sagt Jean Paul, stehen „die Tore um den ganzen Horizont der Wirklichkeit die ganze Nacht offen." [26] Der Traum und die Phantasie öffnen die Tore zum Unendlichen, könnte man ergänzend hinzufügen. Um dieser Eigenschaft willen mußten Traum und Phantasie von ganz besonderer Bedeutung für die Romantiker werden, deren Entdeckungsreise Eichendorff während seiner Heidelberger Zeit nachvollzog. Zusammengedrängt in die Heidelberger Gedichte finden wir Eichendorffs fraglose Hingabe an die damals bereits überwundene romantische Strömung. „Von der ursprünglichen Überschwenglichkeit des ausbrechenden Frühlings, von jenen Wagnissen, Höhen und Abgründen der Seele" weiß auch er zu sagen (NGA IV, 338). Denn unangefochten hat noch niemand die Höhen und Tiefen der Seele durchwandert. Eichendorff scheint auf dieser „Seelenwanderung" in Bereiche vorgestoßen zu sein, die wir heute als die Weiten des Nichts erfahren, wo die Welt der Dinge aufhört und man nur Leere, Schweigen, verspürt. Das meint wohl die „bodenlose Nacht" am Ende der *Jugendandacht*, das Bodenlos-sich-einsam-fühlen in *Traum*.

Der zeitliche und räumliche Vorstoß ins Unendliche entgrenzt auch das Individuum. Die Frage „Woher?" öffnet einmal eine geschichtliche Perspektive, die auf die Jugendzeit, auch auf die Jugend der Menschheit weist, zielt aber noch deutlicher auf eine mythische Ebene, die bei Eichendorff mit den „uralten Erinnerungen" angedeutet wird. Diese „uralten Erinnerungen," die aus chthonischen Tiefen aufsteigen, weisen auf ein Verbundensein mit der ewig sich erneuernden Mutter Erde, die bei Eichendorff die Züge einer Geliebten trägt. Dieselbe Geliebte, die aus den „uralten Erinnerungen" aufsteigt, antwortet auf die Frage „Wohin?" indem sie ihn in den Schoß der Erde niederzieht. In der willigen Hingabe an diese unterirdische Geliebte drückt sich der Wunsch nach einer Entgrenzung im Tod, eine dionysische Todessehnsucht, aus. Bei Eichendorff steigert sich dieses Sich-ziehen und -gehenlassen in eine Sehnsucht nach der Sehnsucht (siehe J 52, 56, 69). In einer solchen krankhaften, pseudomystischen Sehnsucht gefiel sich

[25] Béguin, *L'Âme*, II, 41.
[26] zitiert nach NGA IV, 255.

Loeben, bei dem es aber mehr Spiel war, während es bei Eichendorff tiefere Schichten berührte und zur Krise führen mußte. Ein entgrenztes Leben kann auch als Taumelzustand erfahren werden. Denjenigen, der sich einem solchen Taumel willig überantwortet, ja ihn noch aktiv steigert, nannte Eichendorff später in seiner *Geschichte der poetischen Literatur Deutschlands* ein freiheitstrunkenes Subjekt. Ein warnendes Beispiel ist Romana in *Ahnung und Gegenwart*. Ein solcher Taumel, ein solches Getriebensein, ist nach Eichendorff als „dämonisch" zu bezeichnen (NGA IV, 329). Dem Dämonischen kann der Dichter verfallen, der ein ungebundenes poetisches Leben führt. Am prägnantesten taucht dieser Gedanke im Gedicht *Der Sänger* auf, wo das Lied „dämonisch aufgezwungenes, eingeflüstertes Wort" ist, das den Sänger wie mit Wahnsinnskräften treibt. [27]

Neben demjenigen, der sich einer dionysischen Todessehnsucht hingibt, und dem dämonisch getriebenen Menschen befindet sich auch derjenige in einem Taumelzustand, der autonom und einem Gott gleich in seiner Welt schalten will. Hier könnte man als Beispiel die Gefühlsallmacht Jean Pauls anführen, der „die Gefühlsbewegtheit als Religiosität und Gottesbeweis verstanden" wissen wollte, [28] oder die subjektive Religiosität Novalis', der die unter- und überirdischen Regionen zu durchdringen und zu besprechen strebte (siehe NGA IV, 260). Die Selbstzerstörung einerseits und die Vermessenheit andererseits hat Eichendorff später als Frevel empfunden und damit ethisch dem Bösen zugeordnet. Zu der Erkenntnis, was nun eigentlich selbstzerstörerisch und vermessen ist, mußte er sich aber erst durchringen. Aus den Heidelberger Gedichten ist diese Erkenntnis noch nicht einheitlich und nur an einzelnen Zeilen zu spüren. Was man daraus ablesen kann, ist, daß sich Eichendorff selbst bedroht fühlte. Um der Gefahr nicht zu erliegen, brauchte er einen Halt, den er immer bewußter im positiven Christentum suchte und fand. Das heißt aber nicht, daß er darauf verzichtete, sich in die Regionen des Unendlichen vorzuwagen, hinter die Dinge zu sehen. Sein Leitsatz war und blieb sein ganzes Leben lang, das schlafende Lied in allen Dingen zu wecken (siehe *Wünschelrute*), mit seinem Zauberwort in das Geisterreich vorzudringen. Hierzu hatte Görres den Weg vorgezeichnet:

Das ganze Universum, wie es draußen um uns schwebt, wiederholt in unserem Innern sich. ... Zwingend wirkt die Natur in unsern Geist;

---

[27] Stein, *Dichtergestalten*, S. 126—127.
[28] Müller, *Geschichte der deutschen Seele*, S. 357.

sie webt ein Gewebe von Ereignißen, mit dem sie ihn umstellt, und in dem sich seine Kraft verfängt; die Erscheinungen, die sie in eigner Willkür schafft, sind für ihn höhere Dämone, die von einer unsichtbaren Macht gesandt, in dichten Haufen ihn umlagern, und dieser Macht ihn gehorchen machen wollen...; losgehen soll er auf die Gespenster, die sich furchtbar um ihn drängen, und ihm mit den Ketten drohen, die sie selber schleppen; geometrische Zauberkreise soll er um sich ziehen, sie durch der Formel Zauber in diese Kreise bannen; dann beugen sie dem höhern Zauber sich, und werden dienstbare Geister, sie die, vorher ihn in ihres Meisters Fessel schlagen wollten. [29]

Nach diesem theoretischen Gedankengang soll nun die Dichtung selbst zur Sprache kommen. Von lockenden, verlockenden Stimmen ist schon sehr früh in Eichendorffs Heidelberger Gedichten die Rede. In dem barock anmutenden, noch unselbständigen Gedicht *Der Schiffer* (J 14), mit dem er die „schönste Wunderblume süßer Frauen" anspricht, folgt er noch willig deren Zauber:

> Viel hab' ich von Syrenen sagen hören,
> Stimmen, die aus dem Abgrund lokend schallen
> Und Schiff und Schiffer ziehn zum kühlen Tode.

> Ich muß dem Zauber ew'ge Treue schwören,
> Und Ruder, Seegel laß' ich gerne fallen,
> Denn schönres Leben blüht aus solchem Tode.

Je inniger aber diese Lockung zum Erlebnis wird, desto ambivalenter wird ihr Charakter. Sind es hier Sirenenstimmen, die aus dem Abgrund locken, so ist es ein andermal das „verführend Lied der Quellen" (J 17) oder die „Wirrung süßer Lieder" im Frühling (J 19). Die Gegensätze, die diese Lockung umfaßt, werden durch eine Art masochistischen Genuß auszugleichen versucht. Einmal ist es das „schönre" Leben, das aus einem dionysischen Tode blühen soll. Dann fragt er, „wo Lust und Schmerz so lange ruhten, / Das Herz süß zu verdunkeln und zu hellen" (J 17), oder ihm ist gleichzeitig „so wohl und bang" (J 50). Es handelt sich also nicht nur um die Gegensätze von Leben und Tod, von dunkel und hell, sondern

---

[29] Görres, *Aphorismen über die Kunst*, II, 1. Teil 111 und 117. Vgl. die zweite Strophe von *Der Dichter*, 6 (J 37), die auf die Aufgabe des Dichters verweist:
> Das Leben hat zum Ritter ihn geschlagen,
> Er soll der Schönheit neid'sche Kerker lichten;
> Daß nicht sie alle götterlos vernichten,
> Soll er die Götter zu beschwören wagen.

die Adjektive „schön" und „süß" deuten darauf hin, daß der Tod und das Dunkel bejaht werden. Mit solchen reizsamen Fügungen, sagt Kunisch, habe sich Eichendorff „eine alte, aus Antike und Mittelalter überlieferte Formel" angeeignet. [30] Oxymora wie „süße Schmerzen" sind besonders in der mystischen Literatur, die dem Schlesier Eichendorff nicht fremd sein konnte, beliebt.

In der Glosse 3 des Zyklus *Sehnsucht* (J 29) gefällt sich der Dichter in der eigenen Verstrickung:

> Blüten licht nun Blüten drängen,
> Daß er möcht' vor Glanz erblinden;
> In den dunklen Zaubergängen,
> Von den eigenen Gesängen
> Hold gelockt, kann er nicht finden
> Aus dem Labyrinth der Brust.
> Alles, alles will's verkünden
> In den Wogen süßer Lust.

Er kann nicht, ja er möchte gar nicht aus „dem Labyrinth der Brust" herausfinden. Da läßt der veränderte Grundtenor in dem Gedicht *Das Gebet* (J 46) aufhorchen:

> Wen hat nicht einmal Angst befallen,
> Wann Trübniß ihn gefangen hält,
> Als müßt' er ewig rastlos wallen
> Nach einer wunderbaren Welt?
> All' Freunde sind lang' fortgezogen,
> Der Frühling weint in einem fort,
> Eine Brüke ist der Regenbogen
> Zum friedlich sichern Heimats-Port.

> Hinauszuschlagen in die Töne,
> Lokt dich Natur mit wilder Lust,
> Zieht Minne holde, Frauenschöne
> Zum Abgrund süß die seel'ge Brust —
> Den Tod siehst du verhüllet gehen
> Durch Lieb' und Leben himmelwärts,
> Ein einzig Wunder nur bleibt stehen
> Einsam über dem öden Schmerz.

---

[30] Kunisch, *Freiheit und Bann*, S. 137.

Du seltner Pilger, laß dich warnen!
Aus irrd'scher Lust und Zauberei,
Die Freud- und Leidvoll dich umgarnen,
Strecke zu Gott die Arme frei!
Nichts mehr mußt du hinieden haben,
Himmlischbetrübt, verlassen, arm,
Ein treues Kind, dem Vater klagen
Die irrd'sche Lust, den irrd'schen Harm.

Es breitet diese einz'ge Stunde
Sich über's ganze Leben still,
Legt blühend sich um deine Wunde,
Die niemals wieder heilen will,
Treu bleibt der Himmel stets den Treuen,
Zur Erd' das Irrd'sche niedergeht,
Zum Himmel über die Wüsteneien
Geht ewig siegreich das Gebet.

Dieses Gedicht ist zwar noch nicht ganz frei von früheren Vorstellungen; es ist noch vom „süßen Abgrund" die Rede. Aber ganz deutlich ist darin eine Abkehr von dem Sich-gehen-und-ziehenlassen, eine Hinwendung zum transzendenten, christlichen Gott, der nicht mit der Natur identifiziert wird, ausgesprochen. Es wird vor „irrd'scher Lust und Zauberei" gewarnt. Um der Zauberei nicht zu erliegen, soll man zu Gott beten. Im Gebet wird die Rettung aus der Verstrickung gesehen. Dieser neuen Sichtweise Eichendorffs muß eine innere Erfahrung zugrunde liegen. Auf eine solche Erfahrung läßt — wie oben schon angedeutet — das Ende der *Jugendandacht* (J 25) schließen:

Es wendet zürnend sich von mir die Eine,
Versenkt die Ferne mit den Wunderlichtern,
Es stockt der Tanz — ich stehe plötzlich nüchtern,
Musik läßt treulos mich so ganz alleine.

Das ernüchternde Erwachen aus dem Taumel des Tanzes, aus einem beseligenden Gefühl des Zerfließens in einer mystischen Flut, endet aber nicht mit einem sich Wiederfinden auf dem Boden der banalen, äußeren Wirklichkeit. „Die Eine," die sich von ihm wendet, zeigt nun ihr unheimliches Gesicht, indem sie ihn hinunter in den Abgrund zieht:

> Da spricht der Abgrund dunkel: Bist nun meine;
> Zieht mich hinab an bleiernen Gewichtern,
> Sieht stumm mich an aus steinernen Gesichtern ,
> Das Herz wird selber zum krystallnen Steine.

Amalie Weihe sieht in diesem Sonett eine Parallele zu Novalisschen Gedanken. Das scheint jedoch fehl am Platze. Das Erstarrte harrt hier nicht, wie Weihe meint, „bis die Erlösung naht und das Starre zu blühendem Frühlingsleben und froher Bewegung befreit," [31] sondern die erstarrte Steinwelt wird im Gegenteil gespenstisch lebendig und verschlingt und versteinert das Herz, das sich der Naturgottheit hingab, das dem Rufen der „Einen" folgte, dem brünstigen Verlangen „Nach andrer Zeit, die lange schon vergangen, / Auf ewig einzugehn in grüne Scheine" (J 24). Das Ende der *Jugendandacht* entspricht nicht mehr der Vorstellung Novalis', für den „die Macht der Innerlichkeit ... das Göttliche [ist], das große Weltgemüt, das als ‚heilge Jungfrau' die Getreuen sammelt, als ‚Nacht' die Seele der ihm Geweihten erfüllt und als mystische Flut sie aufnimmt in die große Alleinheit der Natur." [32] Das wird noch deutlicher im letzten Sonett des Zyklus (J 26), das mit Schauer an die zuvor ausgesprochene Erfahrung rührt:

> Durchs Leben schleichen feindlich fremde Stunden,
> Wo Ängsten aus der Brust hinunterlauschen,
> Verworrne Worte mit dem Abgrund tauschen,
> Drin bodenlose Nacht nur ward erfunden.
>
> So ist des Dichters Seele stumm verbunden
> Mit Mächten, die am Volk' vorüberrauschen,
> Daß Sehnsucht wachse an der Tiefe Rauschen,
> Im Tageslicht zu wandeln und gesunden.

Aus der Nacht, aus dem mystischen Zerfließen, verlangt es ihn nach dem Tageslicht. Florios Gebet im *Marmorbild* wird hier vorweggenommen, wenn nun Gott angerufen wird:

> O Herr! du kennst allein den treuen Willen,
> Befrei' ihn von der Finsterniß des Bösen,
> Laß nicht die eigne Brust mich feig zerschlagen!

[31] Weihe, *Der junge Eichendorff*, S. 28.
[32] Ibid., S. 29.

Als Finsternis des Bösen erscheint nun der Abgrund, aus dem vorher die süßen Lieder lockten, aus dem „die Eine" rief. An die Stelle der dionysischen Todessehnsucht tritt das wache, demütige Gebet des sich bedroht fühlenden Geschöpfes. Um aber zu diesem Gebet zu kommen, mußte die Bedrohung zuerst zur Erfahrung werden. Als der Dichter noch ein Kind war, spielte er „goldne, goldne Stunden, / Unbekannt noch mit dem Bösen, / Furchtlos an dem finstern Schlunde" (*Bin ich denn nicht auch ein Kind gewesen?*, J 73). Dann aber wurde dieses Spiel zur autonomen Selbstherrlichkeit, die Eichendorff in diesem Gedicht verurteilt:

> Denn so wild war schon mein Spielen,
> Und es zukten furchtbar munter
> Schon im Aug' die Flammen kühle,
> Die zum Abgrund langten runter.

> Und ich wandt' mich ohne Klage
> Stumm im Zorne von dem Lichte,
> Hinter mir die bunten Tage,
> Wob die Nacht sich um mich dichte.

> Und durch's Dunkel flogen Blitze
> Und die flamm'nden Fahnen wehten;
> Kek sucht ich des Felsen Spitze
> Mußte fluchen nur, statt beten.

Das wilde Spiel, die trotzige Abkehr vom Lichte, von Gott, sind Verhaltensweisen, die manch eine Gestalt in Eichendorffs Werken auszeichnen. Vielleicht hat Eichendorff diese Gestalten aus den Möglichkeiten, die in seiner eigenen Brust wohnten, entstehen lassen. Die im zweiten Teil folgende Analyse der Dianagestalten wird diese Vermutung bestärken.

Hand in Hand mit der existentiellen Gefährdung geht eine echt dichterische Erfahrung. Den Dichter zeichnet ein tiefes Einfühlungsvermögen aus, er durchdringt, er sieht hinter die Dinge. Oder, wie es Bachelard modern ausdrückt, er steht „an der Schwelle des Seins."[33] Er steht damit auf der gefährlichen Kippe zwischen zwei Welten. Davon zeugen Eichendorffs Gedichte. Was Rilke sagt — „Kunstdinge sind ja immer Ergebnisse des In-Gefahr-gewesen-Seins, des in einer Erfahrung Bis-ans-Ende-gegangen-Seins, bis wo kein Mensch mehr weiter kann" —[34] meint im Prinzip

[33] Bachelard, *Poetik des Raumes*, S. 10.
[34] Brief an Clara Rilke vom 4. Juni 1907 (*Rilke, Briefe*, S. 336).

auch Eichendorff in seinem *Gesang* (J 35): „Wer einmal tief und durstig hat getrunken, / Den zieht zu sich hinab die Wunderquelle". Ist der Dichter in diesem Gedicht seinem Wesen nach ein göttlich Begnadeter, die Wunderquelle an und für sich göttlich und gut, so werden in anderen Gedichten Zweifel darüber laut. Da spricht er einmal vom Dichter, der die Sünde in die Unschuld der Kunst gebracht. „Wer unterscheidet, was noch stammt von oben?" (*Der Dichter*, 2, J 33). Aufs Dichterische bezogen verwies Eichendorff in einem Brief an seinen Freund Loeben auf eine Krise. Er fühlte sich „irregeleitet von der herrschenden Idee von Religion . . .":

> Ich wagte nicht mehr, was ich empfand, liebte und dachte, unmittelbar und an und für sich zu geben, sondern bemühte mich, aller ursprünglichen Freiheit unwürdig, meine freien Eingebungen zu Trägern gewisser Ideen zu machen und nach diesen so lange zu verallgemeinern, bis sie mir selber und andern unkenntlich wurden und mein Wesen, einmal sich selber ironisierend, nach allen vier Winden hin verduftete. Ich malte, wie glaub ich Jean Paul sagt, „mit Äther in Äther". Ich fühl es nun, dieser einförmige Selbstmord der Poesie muß aufhören, oder ich höre auf zu sein (HKA XII, 4—5).

Eichendorff glaubte, sich in einer Abstraktion verirrt zu haben. Auf solche, jetzt von Eichendorff verurteilte Gedichte bezog sich wohl auch Loeben, als er an manchen jener Heidelberger Gedichte Eichendorffs das Verwirrend-Unklare bemängelte und ihm riet, „das Dunkel und unzusammenhängend Mystische" zu ändern (HKA XIII, 14). Eichendorff bemühte sich nun, sich selbst wiederzufinden. Das macht sich auch in seinen Gedichten bemerkbar. In der Folge ist eine deutliche Vereinfachung in der Form festzustellen, die sich an der Hinwendung zum Minnelied, zum Volkslied, zur Romanze und Ballade ablesen läßt.

Zusammenfassend läßt sich von Eichendorffs Heidelberger Gedichten sagen, daß sie unter dem Zeichen einer mystisch-mythischen Gestalt stehen. Diese „heilige Jungfrau" meint nach Weihe „die himmlische Poesie, die ewige Liebe und Sehnsucht, die hinter den blauen Bergen wohnt, deren Stimme im Mondlicht vernehmbar wird, die geheimnisvolle Macht, die in Waldhornklängen und Vogelliedern dem schwärmenden Romantiker an die Seele dringt." [35] Es war eine Maria im Sinne von Novalis.

---

[35] Weihe, *Der junge Eichendorff*, S. 88.

Doch immer mehr wurde diese „heilige Jungfrau" für Eichendorff zu einer chthonischen Macht, die in den Abgrund, ins Verderben zieht. Als Verführerin wurde sie gefürchtet und gefährlich, und der ihr angedichtete überirdische Charakter erwies sich als Trug. Mit diesem Bruch beginnt nun ihre Zuordnung zum heidnischen Bereich. Aber dieser heidnische Bereich ist der Urgrund von Eichendorffs Fühlen und Dichten. Im Sinne der modernen Tiefenpsychologie kann man mit diesem Urgrund auch das Unbewußte bezeichnen, dem Eichendorff stark verbunden war. Nachdem er ihn als gefährlichen Bereich entlarvt hatte, versuchte er, ihn im christlichen Sinne zu überwinden. Eine solche Überwindung erfordert stets von neuem einen Willensakt, ein „Gebet," ist also immer Anstrengung. Daher nimmt es nicht wunder, daß Eichendorff sich zeit seines Lebens mit christlichen und heidnischen Elementen auseinandersetzte. Wenn die Forschung wiederholt darauf hingewiesen hat, was für „beträchtliche heidnische Möglichkeiten" in Eichendorffs Seele schlummern, so ist das zwar richtig, ihn aber für einen Venusdiener zu halten, ist schon deswegen falsch, weil er ja diese Möglichkeiten stets bekämpfte. [36] Diesen Kampf spiegelt seine Dichtung wider. Man könnte auch so sagen: Dichtung, als naturhafte, triebhafte Äußerung verstanden, ist, wenn man sie klassifizieren will, heidnisch. Das Heidnische soll aber bewußt überwunden werden. Doch ist es durchaus möglich, daß Eichendorff zuweilen ein Gedicht in seiner ursprünglichen Schönheit stehen läßt, so wie es in seinem Bewußtsein auftaucht, „als direktes Erzeugnis des Herzens, der Seele des Menschen in seiner unmittelbaren Gegenwärtigkeit." [37] Es muß noch hinzugefügt werden, daß Eichendorff nie die Schönheit der Welt, den Zauber der Liebe, für unvereinbar mit dem christlichen Glauben gehalten hat; es kam nur auf die entsprechende Orientierung an.

Diesem Weg der Orientierung soll nun anhand der Gedichte nach 1808 nachgegangen werden, einer Orientierung an äußeren Vorbildern, einem Sich-selbst-finden in der Art, wie er es einmal an Loeben schrieb: „ich bete allein und einzig zu Gott: ‚Laß mich das ganz sein, was ich sein kann!' " (HKA XII, 5). Dazu kommt eine Bereicherung durch zunehmende Lebenserfahrung, durch menschliche Kontakte und tiefgreifende Liebeserlebnisse.

---

[36] siehe Ibel, *Weltschau*, S. 152 f. und 174 f. Ebf. Pfeffer, *Venus und Maria*, S. 25.
[37] Bachelard, *Poetik des Raumes*, S. 11.

2. Die volksliedhaften Gedichte und die Erlebnisdichtung der Jugendzeit

An Eichendorffs Jugendgedichten ist ein allmählicher Wandel zu erkennen. Die mystisch-naturpantheistische Stimmung weicht einem schlichteren Gefühl, gefaßt in eine einfachere Form. Es ist das Ergebnis von Eichendorffs eigenem Wandel, der sich äußerlich und innerlich vollzog, nämlich durch Eichendorffs Befreiung aus der Loebenschen Atmosphäre. Hans Brandenburg hat diese Phase der Eichendorffschen Freundschaft gut erfaßt, wenn er sagt:

> Eichendorff hatte viel Dunkles, Weiches und Unbestimmtes in sich, laue narkotische Abgründe des Gefühls, und nun der Mann zu werden, der sich von der duftschwülen Zaubernacht nicht fangen läßt, und der Sänger, der mit seinen Liedern am jähen Rande sicher wandelt, mußte er eine Zeitlang untertauchen „in der buhlenden Wogen farbig klingenden Schlund". Er verlor sich, um sich zu finden. [38]

Zwar hat die Zaubernacht Eichendorff sein ganzes Leben hindurch nicht mehr losgelassen. Das wird sich im folgenden noch oft genug zeigen. Er setzt sich ihr aber nicht mehr widerstandslos aus. Eichendorffs Hinwendung zum Volksliedhaften war der erste Schritt einer bewußten Befreiung aus dieser schwülen Zaubernacht. Uhland, Kerner, Mayer, sollen nach Hilda Schulhof nun zu seinen Vorbildern geworden sein. Vor allem aber hat er aus *Des Knaben Wunderhorn* Anregungen geschöpft. Eichendorffs neues Interesse an den Volksliedern entsprang nicht nur einem rein individuellen Bedürfnis; es war auch ein zeitgemäßes. So meint Arnim, die Volkslieder seien „nicht ohne Beistand gewesen gegen das damalige Streben zu Krankheit und Vernichtung (die Sentimentalität); es war doch darin ein wahrer Ton wie im derben Lachen aus Herzensgrund." Die lebenden Töne der Volkspoesie, die Brentano und Arnim aufsuchten, grüßen als Regenbogenengel — so heißt es in Arnims Nachwort weiterhin — „versöhnend alle Gegensätzler unsrer Tage und heilen den großen Riß der Welt, aus dem die Hölle uns angähnt, mit ihrem Zeigefinger zusammen. Wo Engel und Engel sich begegnen, das ist Begeisterung, die weiß von keinem Streit zwischen Christlichem und Heidnischem, zwischen Hellenischem und Romantischem." [39]

---

[38] Brandenburg, *Eichendorff*, S. 128.
[39] Arnim/Brentano, *Des Knaben Wunderhorn*, S. 860 und 878.

Dem Thema dieser Arbeit entsprechend interessiert uns, wie das weibliche Element, sei es als Gefühl oder in einer Gestalt verkörpert, in dieser volksliedhaften Dichtung erscheint. Auch für Eichendorffs volksliedhafte Gedichte gilt, was Arnim von der Volkspoesie im allgemeinen sagt, daß nämlich der Unterschied zwischen Heidnischem und Christlichem aufgehoben sei. Von schlichten, allgemein-menschlichen Gefühlen ist in diesen Gedichten die Rede: von Liebesglück und Liebesleid, zuweilen auch mit einer Prise befreienden Humors vermischt. Die durch eine unbestimmte, erotisch-schwüle Sprache evozierte Naturgöttin wird nun durch eine konkret-menschliche Gestalt abgelöst und als Schatz, Kind, Mädchen, Feinsliebchen, bezeichnet. „Grüß dich, mein Schatz, viel tausendmal," ruft der frisch-fröhliche Student im Gedicht *Studentenfahrt* (J 78) und wünscht sich eine heimliche Liebesnacht: „Riegl' auf, riegl' auf bei stiller Nacht, / Weil wir so jung beisammen sind!" Heiter und unbekümmert geht die Fahrt bei Sonnenaufgang weiter. „Der Liebende" im gleichnamigen Gedicht kommt nicht so leicht davon. Er „steht träge auf, / Zieht ein Herr-Jemine-Gesicht / Und wünscht, er wäre tot" (J 86). Aber über seinen Liebeskummer macht sich das Morgenrot lustig. Unschuldiger und zarter ist die Liebe der zwei Ritter, die frühmorgens, von Lerchenliedern begleitet, mit Saitenspiel ihr schönes Kind wecken: „Schließ Fenster, Herz und Äuglein auf"(*Frühmorgens durch die Winde kühl* . . ., J 84). Wie stellt sich nun die Liebe aus der Sicht des Mädchens dar? Im *Herbstliedchen* rufen das Waldvöglein, die grüne Zeit, die Wolken, ein „Ade"; denn des Mädchens Ritter ist weit weggezogen. „Das that Feinsliebchen im Herzen so weh!" (J 72). „Das Mädchen," das morgens am Fenster ihr Haar kämmt, beneidet der Vögel freien Flug, denn „Wie ein Vöglein hell und reine, / Ziehet draußen muntre Lieb', / Lockt hinaus zum Sonnenscheine" (J 79). „Die Stille" wünscht auch, sie wäre ein Vöglein. Sie möchte als Lerche am Morgen dem Lauf ihres Herzens folgen (J 80). Nur zart angedeutet ist der Liebeskummer, das Liebessehnen des Mädchens in diesen Gedichten. Während sie passiv am Fenster steht, im Zimmer wartet, ist der Geliebte stets im Wandern begriffen. Er dringt wie der Student frivol in ihr Zimmer ein, er reist von ihr fort wie der Ritter, oder er kommt mit der Gitarre vor ihr Fenster gezogen. Das häufig anzutreffende Morgen- und Lerchenmotiv gibt den Gedichten etwas Befreiendes. Die einfach-klare Form dieser Gedichte erinnert an die Schlichtheit der Volkslieder.

Für die weibliche Gestalt steht auch manchmal das Bild des Rehs oder Hirschleins, das der Volksliedtradition angehört. In dem Gedicht *Jäger und Jägerin* (J 76) wird die Geliebte zum ersten Mal mit einem Hirschlein verglichen. Der Jäger spricht die Warnung aus: „Hüt', schönes Hirschlein, hüte dich!" Doch die Warnung ist ironisch gemeint. Das Hirschlein läßt sich nicht „in Stall und Haus" locken. „Zum Wald springt's Hirschlein frei und wild / Und lacht verliebte Narren aus". Der *Jägerkatechismus* (J 77) nimmt dieses Thema wieder auf. Des Jägers Jagen wird scherzend befürwortet. Es führt aber nicht zum Tod der Geliebten. In direkter Umkehrung der *Schwarzbraunen Hexe* aus dem *Wunderhorn* endet Eichendorffs Gedicht:

> Mein Schatz ist Königin im Walde,
> Ich stoß' ins Horn, ins Jägerhorn!
> Sie hört mich fern und naht wohl balde,
> Und was ich blas', ist nicht verlor'n!

In dem zwei Jahre später entstandenen Gedicht *Zwielicht* (J 118) wird wieder ganz vorsichtig vor Abgründen gewarnt, die im dämmrigen, träumerischen Zwielicht lauern:

> Hast ein Reh du lieb vor andern,
> Laß es nicht alleine grasen,
> Jäger ziehn im Wald und blasen,
> . . .
> Manches bleibt in Nacht verloren —
> Hüte dich, bleib wach und munter!

War hier das Reh gefährdet, so ist es in einem anderen Gedicht der Jäger, der frisch und mutig bei Sonnenaufgang einem Hirschlein nachspürt:

> Das Hirschlein führt den Jägersmann
> In grüner Waldesnacht,
> Thalunter schwindelnd und bergan,
> Zu nie gesehner Pracht.

Langsam senkt sich die Abenddämmerung über den Wald und verschlingt den Jäger:

Es lockt so tief, es lockt so fein
Durchs dunkelgrüne Haus,
Der Jäger irrt und irrt allein,
Find't nimmermehr heraus.

(Der verirrte Jäger, J 155)

An diesen Gedichten hat sich gezeigt, daß die Bedeutung des Rehs bzw. Hirschleins als Geliebte von der durch die Volksliedtradition konventionalisierten Metapher bis zum ahnungsvollen Symbol reicht, hinter dem sich das Zauberreich der Seele und der Natur verbirgt. Während die Geliebte zuerst als realistische Mädchengestalt, wie sie dem Volkslied eignet, erscheint, und auch im Bild des Rehs ganz da ist, verweist sie schließlich auf eine Gestalt, der wir früher in den Heidelberger Gedichten begegnet sind. Wurde in den vorher besprochenen, volksliedhaften Gedichten die Passivität des Mädchens hervorgehoben, so wird das Hirschlein durch sein freies, ungebundenes Leben ausgezeichnet. Auch dieses ist im Rahmen der Gedichte positiv zu verstehen. Negativ macht sich die in *Zwielicht* angedeutete, im *Verirrten Jäger* teilweise zum Hirschlein kristallisierte Verführung, die zur Verirrung führt, bemerkbar. [40]

In den schlichten Volksliedton fließt nicht zuletzt persönliches Erleben ein:

Liebe, wunderschönes Leben,
Willst du wieder mich verführen,
Soll ich wieder Abschied geben
Fleißig ruhigem Studieren?

(Anklänge, J 40)

Dieses Gedicht steht in einem biographischen Zusammenhang. Der Heidelberger Pfarrer Otto Frey und neuerdings Walter Reiprich haben Eichendorffs Beziehungen zu der Küferstochter Katharina Barbara Forster näher untersucht. Eichendorffs Heidelberger Tagebuchnotizen lassen auf seine Liebe zu einer K. schließen, mit der diese Katharina gemeint ist (Tb 21. 10. 1807; 7. 2. 1808; 3. 4. 1808). Auf sie soll sich das Gedicht *Anklänge* beziehen. Es ist ein heiteres, willkommenes Verführen, das den Verliebten

---

[40] Die vier zuletzt genannten Gedichte — wie eine Reihe von anderen Jugendgedichten — hat Eichendorff später in seinen Roman *Ahnung und Gegenwart*, teilweise in abgeänderter Form, eingebaut. Im Kontext des Romans verändert sich dabei manchmal die Bedeutung eines Gedichts. Darauf hat bereits Kunisch (*Freiheit und Bann*, S. 152) hingewiesen.

aus der Studierstube hinauslockt. Im Gedicht *Erwartung* (J 43) findet der Verliebte draußen in der Natur den Widerschein seines Liebesgefühls:

> Liebe geht durch die Luft,
> Holt fern die Liebste ein;
> Fort über Berg und Kluft!
> Und sie wird doch noch mein!

Gegenüber der dämonischen „Einen" wirkt diese „Liebste" kindlich-unschuldig, wenn er sie so „aus Herzensgrund" grüßt:

> Zwei Augen hell und rein,
> Zwei Röslein auf dem Mund,
> Kleid blank aus Sonnenschein!

Auf diese freie und befreiende Liebesbewegung nach außen meldet sich wieder das Gefühl in seinen verschiedenen Stimmungslagen im eigenen Herzen. Wo immer das Gefühl spricht, macht sich sein oszillierender Charakter bemerkbar. Das hat sich bereits an Eichendorffs Schulgedichten gezeigt. Ein leichtes Erschrecken des Gefühls kann die Freude in Wehmut verwandeln. Auch schwingt bei jeder neuen Liebesbegegnung die ganze Gefühlserfahrung mit, die latent im Dichterherzen schlummert, um sich zu gegebener Zeit nach oben zu drängen. Die Unbeständigkeit und Zweifelhaftigkeit der Liebesempfindung realisiert sich schicksalhaft im Liebesbezug zwischen dem Jüngling und dem Mädchen. Das kann sich im Auseinanderklaffen ihrer beiderseitigen Gefühle als Ergebnis einer Verführung äußern und physisch in einer Trennung sichtbar werden.

Im *Abendständchen* (J 44) läßt sich das Gesagte verfolgen. „Schlafe, schönes Mädchen, schlafe," singt der Jüngling in die Nacht hinein. Während für sie die Welt schweigt und ein Engel ihren Schlaf bewacht, greift er einsam draußen in die Zither, „weil mir gar so schwül und bang." In seinem Lied bringt er den ambivalenten Charakter der Liebe zum Ausdruck, d. h. ein eigenartiges Werben und Sich-zurückziehen, ein Wollen und Nichtwollen zugleich. Er ist es, der Liebestöne in das stille Kämmerlein der Geliebten schickt, sie aber gleichzeitig vor den Tönen warnt:

> Traue nicht der süßen Weise,
> Die so falsch und lieblich rührt,
> Wie Syrenenlied und leise
> Dich aus Herzensgrund verführt.

Denn am nächsten Morgen ist der Sänger fort. Der Sänger erscheint somit als der Verführer, oder vielmehr sein Lied, dessen Töne als wunderschöner, zaubrischer Knabe Gestalt annehmen. Aber dann spricht der Sänger von treuer Liebe, die nicht fest hält, fühlt sich also selbst als Betrogener:

> Meine Lieb hat mich betrogen,
> Zog weit über Land und Meer,
> Und ich sing' in meinen Sorgen,
> Weiß nicht was ich singe mehr —

Diese anscheinenden Unstimmigkeiten sind nur durch ein Zusammenkommen heterogener Gefühlserfahrungen, die den Dichter persönlich berühren, zu erklären. In der überarbeiteten Version des Gedichts, die Eichendorff in seinen Roman *Ahnung und Gegenwart* aufnahm, ist das Persönliche zugunsten einer künstlerischen Durchformung getilgt. Zwischen Eichendorff und Käthchen kam es zu einer gewaltsamen Trennung, worauf auch das Tagebuch zu verweisen scheint (Tb 3. 4. 1808).

Das Lied vom *Zerbrochenen Ringlein* (J 152) wird verschiedentlich als Niederschlag dieses Abschieds bezeichnet:

> In einem kühlen Grunde
> Da geht ein Mühlenrad,
> Mein' Liebste ist verschwunden,
> Die dort gewohnet hat.

Daß dieses Lied auch der Volksliedtradition verpflichtet ist, hat u. a. Josef Nadler nachgewiesen. Das volkstümliche Motiv des zerbrochenen Rades und Ringleins, das für die gebrochene Treue steht, taucht in verschiedenen Mühlenliedern auf. Was wäre aber dieses Motiv, wenn es nicht eine verwandte Saite in Eichendorff selbst zum Schwingen gebracht hätte. Und was nützte das Erlebnis ohne Eichendorffs dichterisches Gestaltungsvermögen. *Das Zerbrochene Ringlein* zeigt die enge Verquickung von persönlichem Erlebnis und literarischer Anregung, wobei die eigene künstlerische Leistung über beides erhaben ist, und die darin ausgesprochenen Gefühle allgemein gültig sind. So konnte dieses Gedicht einen Eigenwert als Volkslied gewinnen. Reiprich mißt Eichendorffs Liebe zu Käthchen zuviel Bedeutung zu, wenn er sagt: „Ihn innerlich aufgewühlt und zum Künstler reifen lassen, hat ihn aber erst das Liebeserlebnis mit K.‟ und wenn er aus den Tagebucheintragungen erahnen will, „wie tief es ihn ergriffen und wie sehr es ihn innerlich bewegt und in Höhen und Tiefen geworfen hat." [41] Eichendorffs Reifeprozeß ist zu komplex, als daß man ihn auf eine bestimmte Situation festlegen könnte. Auffallend ist, daß Eichendorffs Käthchen-Episode in die Zeit seiner Heidelberger Freundschaft mit Loeben fällt, in eine Zeit also, die von seiner naturmagischen Dichtung bestimmt war. Es ist aber kaum anzunehmen, daß Eichendorff den Volksliedton der „Käthchen-Lieder" während seiner naturpantheistischen Periode anschlug. Wie tiefgreifend jedoch Eichendorffs Liebeserlebnisse in sein Leben einwirkten, wie sehr ihn das Phänomen der Liebe beunruhigte, zeigt sich darin, daß er sich stets damit künstlerisch auseinandersetzte.

Daß ihn die Schönheit eines Mädchens bezaubern konnte, daß er ihrem jugendlichen Charm zugänglich war, zeigen seine Tagebucheintragungen. Die „kleine Morgenröte," die er in den Schulgedichten besingt, war „die Blüte aller Blüten" (Tb 26. 3. 1805). In Halle fiel ihm eine „schöne Galathee" auf (Tb 13. 5. 1805; 1. 8. 1806), in Dresden wurde er „von einer lachelnden Kalypso menschenfreundlich gelockt" (Tb 2. 8. 1806). Der „Genius von 1806" war ein gewisses Philippinchen (Tb 21. 9. 1806). Eine Sonderstellung nimmt die 1806 bereits 31-jährige Madame Hahmann ein, die von 1806 bis 1807 oft erwähnt wird. Gegenüber den tändelnden Liebeleien oder den tieferen Liebesregungen zu der kindlichen „Morgenröte," zum naiven Käthchen, stand Eichendorff zu dieser reifen, verheirateten Frau in einer gespannteren Beziehung. So vermerkt er etliche Jahre später, als er sich mit ihr „als ihr heutiger Schatten viel unterhalten hatte," und ihm ihre „schönsten Augen ... noch schöner geworden" vorkamen, in Klammern: „Gott behüte mich vor dem Verlieben!" (Tb 8. 4. 1810). Zu jener Zeit war er bereits mit Louise, seiner späteren Gattin, verlobt. Für den Abschied von Madame Hahmann am Abend vor seiner Abreise nach Heidelberg im Mai 1807 findet Eichendorff ganz melancholisch-poetische Worte: „U. so lebe auch Du wohl, goldner, schöner Abend! Ach! nachdämmern wirst Du mir wohl über ein ganzes Leben, aber wiederkehren vielleicht nie mehr. — Schimmre immer nach, schöne Zeit! Kann ich doch weinen, wenn ich nicht mehr hoffen darf!" (Tb 1. 5. 1807). Das an Madame Hahmann gerichtete Gedicht *Beim Erwachen* (J 1) hält ihr Bild fest, dessen Züge er tief im Herzen bewahrt, das ihm aber „fern nur aus Träumen noch" vorüberdämmert. Die konkrete Person wird zum Erinnerungsbild, das zuweilen wieder in einem ihm ähnelnden Mädchen

---

[41] Reiprich, *Eichendorffs Liebe*, S. 44.

Gestalt annehmen kann. In Heidelberg begegneten ihm ein an Madame Hahmann und den „Genius," und ein anderes an die „Galathee" erinnerndes Mädchengesicht (Tb 14. 6. 1807). Auch der Tagebuchvermerk „Diese Weihnachts-Ferien die Morgenröte eines lichten Tages" (Tb 4. 1. 1808) zeigt, wie Eichendorff das aus einem früheren Liebeserlebnis herübergenommene Bild der Morgenröte auf eine andere Person überträgt.

Brandenburg verweist in diesem Zusammenhang auf „das echt Eichendorffsche Motiv der sehnsüchtigen und erinnerungsseligen Verwechslungen, die den liebestrunkenen Sinn verwirren."[42] Eichendorffs persönliche Erfahrung, daß in der Begegnung mit einem Menschen das Bild eines früher geliebten Wesens wieder auftaucht, mag für das von Brandenburg genannte Motiv entscheidend gewesen sein. Das Motiv der Verwechslungen weist aber in Eichendorffs Dichtung über einen konkret-biographischen Rahmen hinaus. Bei den Schulgedichten wurde darauf hingewiesen, wie Eichendorff durch die Beschäftigung mit dem Liebesgefühl als einer auf ein weibliches Wesen gerichteten Triebkraft schließlich die Gestalt am anderen Pol des Gefühls über ihre menschliche Begrenztheit hinauswachsen ließ, sie zur Göttin, oder sagen wir zur weiblichen Gestalt schlechthin erhob. Sie wurde praktisch zum Idealbild, das der junge Dichter immer wieder an einer menschlichen Gestalt orientierte, das sich für ihn in einem Mädchen vergegenständlichte, und sich doch nie ganz mit ihr deckte. Wo immer sich nun eine solche Anziehungskraft, wie sie zwischen zwei Liebenden besteht, bemerkbar macht, da kann der eine Pol des Magnetfeldes, wo dieses Gefühl hinzielt, oder von wo dieses Gefühl seinen Impuls bekommt, zu einem weiblichen Wesen verdichtet werden. In diesem Sinne ist die Muse als lockende Kraft zum dichterischen Gestalten, und die Schöne als sinnlicher Reiz auf das empfängliche Auge zu verstehen. Ebenso kann das undefinierbare Objekt einer Sehnsucht, die in die Vergangenheit oder Zukunft, in räumliche Höhen und Tiefen eindringt, dichterische Gestalt annehmen. In Heidelberg tritt durch den Einfluß naturphilosophischer Ideen ein äußeres Objektives hinzu: die Entdeckung der äußeren Natur als Analogon zum menschlichen Innenleben. Waren doch Mensch und Natur von derselben Weltseele durchdrungen. Die Frühlingsgöttin der Eichendorffschen Heidelberger Gedichte steht in diesem Zusammenhang. Sie ist durch ihre immanente Zugehörigkeit zu einer Naturreligion zugleich Symbol für die ewige Wiederkehr. Gab diese

---

[42] Brandenburg, *Eichendorff*, S. 116.

Göttin in zeitlicher Perspektive Anlaß zu „sehnsüchtigen und erinnerungsseligen Verwechslungen," so tat es in transzendenter Hinsicht die an Novalis orientierte mystische Zusammenschau von der himmlischen Jungfrau, der Geliebten und der Naturgöttin. Der Mystizismus der Heidelberger Gedichte, der später einer geklärten mystischen Schau wich, und die Übertragbarkeit des Gefühls als etwas hinter der biographischen Person Liegendes, liegt den Verwechslungen in Eichendorffs Dichtung meist zugrunde.

Wenn hier auf den Unterschied zwischen Dichtung und biographischer Wirklichkeit aufmerksam gemacht wurde, so soll damit nicht die Wechselbeziehung zwischen Leben und Dichtung beeinträchtigt werden. Fordert doch das Leben den Dichter zur ständigen dichterischen Auseinandersetzung heraus. Zum Leben gehören auch Menschen, die Begegnung mit Menschen. In diesem Sinne ist Eichendorffs Begegnung mit Frauen für sein Denken und Dichten aufschlußreich. Die biographischen Quellen sind jedoch spärlich. Das Tagebuch weist mehrere Lücken auf und bricht 1812 ganz ab. Die meist lakonischen Aufzeichnungen sind mit Vorsicht zu deuten. Doch bieten sie wertvolle Hinweise für einige Gedichte, wie es die obigen Ausführungen zeigten. Auch wo kein direkter Bezug zu einem Gedicht hergestellt werden kann, haben Eichendorffs Tagebuchnotizen über seine Liebschaften Aussagewert über die Person des Dichters und sein Denken. Während Eichendorffs Wiener Aufenthalt ist ihm eine Dem. Doppler „mit den großen Augen" aufgefallen, wegen der er „oft ins Ofenloch streifte, um die ihr ähnliche Wimberg zu sehen" (Tb 12. 9. 1811; 1. 10. 1811). Am 25. Oktober vermerkt er, „ging ich abends mit der, der Doppler etwas ähnlich sehenden, Choristin vom Wiener Theater, die ich auf der roten Turmstraße fand in ihr schönes Quartier auf dem Mehlmarkte" (Tb 25. 10. 1811). Auffallend ist hier wieder, daß Eichendorff die Ähnlichkeit der einen mit der anderen hervorhebt. Während er, vielleicht die österreichische Galanterie nachahmend, leicht flirtend „der geschminkten Dem. Wimberg ... Liebesdeklarationen gemacht" (Tb 24. 11. 1811), bindet ihn etwas mehr an die Choristin, die er „alle Wochen zweimal um 5 abends" aufsuchte (9. 12. 1811). Einmal, als er wieder bei ihr war, fügte er seinem Vermerk hinzu: „Sehr lieb. Am kleinen eisernen Ofen. Schwarze lange Haare aufgelöst" (Tb 6. 12. 1811). Auch diese Liebschaft Eichendorffs fällt in die Zeit seiner Verlobung mit Louise. Anscheinend vertrugen sich in Eichendorffs Augen diese verschiedenartigen Liebesbeziehungen miteinander.

Brandenburg löst diese Unstimmigkeit auf, indem er zwischen echter Liebe und Liebelei unterscheidet. Nach ihm war Eichendorff „ebenso schnell wieder von einer Rosa oder einer anderen Schönheit entzückt. Aber es ging ihm wie Florentin in Dorothea Schlegels Roman: die ernste Liebe, die er im Herzen trug, war gleichsam der dauernde Grund, auf welchem die bunten Farben eines solchen verliebten Lebens nur wie lose Fäden hin und hergeweht waren." [43] Louise wird im Tagebuch zum ersten Mal am 16. Oktober 1809 erwähnt. Eichendorff befand sich damals in Breslau und hat ihr von dort aus den ersten Brief geschrieben. Durch elterliche Beziehungen muß er sie schon lange vorher gekannt haben, ihr aber erst 1809 näher gekommen sein. Das Tagebuch zeigt 1808/09 eine große Lücke, und so ist über diese Zeit, in die auch Eichendorffs Verlobung mit Louise fällt, nichts Näheres bekannt. Aber eine Eintragung vom 28. 4. 1810 erwähnt gemeinsame „Erinnerungen im Garten an alte Zeiten," mit dem Zusatz: „Der Ritter schläft immer mit. Louise spielt Guitarre." Manchmal schwingen Mißtöne in diesem Liebesverhältnis mit. Da macht ihm Louise Vorwürfe über sein Nichtkommen und Nichtschreiben (Tb 3. 4. 1810). Ein anderes Mal war Eichendorff „die Odergasse hinuntergestrichen, wo ich am Fenster bei Lehmann so etwas sitzen sah, wie Louise, die aber mutwillig kein Zeichen gab. (Tb 3. 7. 1810). Er weiß aber auch von freudigen Stunden und sinnlichen Genüssen zu berichten. So vermerkt er einmal Louisens Freude über sein unerwartetes Kommen (Tb 9. 5. 1810). Am 6. Juni heißt es: „Nach Tisch L. auf m. Schoß. — Soll ich bleiben?"; und am 10. Juli: „Nachmittags ich mit L. über der Rasenbank auf dem Zaune gesessen. L. sehr munter und außerordentlich liebenswürdig. Über den Zaun gestiegen. (nicht hinsehn) Lagerung daselbst. ... Im Korn. ... mit L. ängstlich lange gesessen, oft in Keller etc gegangen." Dann kommt aber eine Eintragung, die Eichendorffs Unterscheidung zwischen seiner Liebesbeziehung zu anderen Mädchen oder Frauen und seiner zukünftigen Frau deutlich macht. So fährt die obige Eintragung fort: „Meine Predigten über Sanftmut, Demut und Weiblichkeit etc wohlbegriffen." Wollte Eichendorff seine Louise zum Ideal einer Ehegattin erziehen? Louise nahm sich die Worte zu Herzen, denn Eichendorff vermerkt weiter: sie „will mir die Pfeife stopfen, in Folge meiner Predigt." Eichendorff hat Louise 1815 geheiratet. In einem Brief, worin Eichendorff seine Vermählung ankündigt, steht folgender Satz: „Ich sehe ordentlich Deinen ironischen

---

[43] Ibid., S. 191.

Glückwunsch auf Deinen Lippen schweben." [44] Ein späterer Brief an Wilhelm gibt ein Bild Louisens und Eichendorffs Stellung zu ihr sehr schön wieder. Er schreibt:

Du darfst meine Frau nicht mehr nach Erinnerungen aus alter Zeit beurteilen. Ihr Hineinleben in mich — sie schreibt z. B., ohne daß ich daran gedacht, jetzt eine Hand, die schon häufig mit der meinigen verwechselt wurde — großer Kummer und das gewaltsame Herausreißen aus dem heimatlichen Boden und Sauerteig haben ihre frühere sinnlich reizende, mutwillig spielende Lebhaftigkeit in die Tiefe versenkt und in eine unendlich milde, stille, lebenskräftige Güte verwandelt, welche ihr unter den kritischsten Menschen Europas, in den Familien Staatsrat Uhden, Mendelssohn usw. zu Berlin, wo sie so lange einsam stand, eine aufrichtige Bewunderung und Liebe verschafft, wie ich bei meiner jetzigen Rückkehr aus Frankreich mit vieler Freude bemerkte. Sonst ist sie jetzt blühender als jemals. Du kannst Dir wohl denken, daß ich sie gegen den sinnlosen, sich selbst nicht verstehenden Applaus oder gegen ein hoffärtig glänzendes Leben der Eitelkeit um Gottes willen nicht austauschen möchte. ... Betrachte sie hinfüro ganz als eins mit mir, denn sie ist es in aller Hinsicht. Mein Kind Hermann schaut aus großen, blauen Augen kurios in die Welt hinaus (HKA XII, 18—19).

Soweit das Biographische. Wenden wir uns nun den Gedichten zu.

Eine Reihe von Gedichten können als „Louise-Lieder" bezeichnet werden. Sie haben teilweise stark biographischen Charakter oder sind in einem verallgemeinernden Volksliedton gehalten. *Erwartung* (J 114) gibt z. B. die Stimmung des Wartenden bis zum Höhepunkt wieder, als „sie" auf ihn zukommt. Oder sie ist umgekehrt die Wartende. Er kommt als Reiter, als Sänger, als heimkehrender Krieger zu ihr. [45] Die Liebe wird vom Dichter als höchstes Glück gepriesen. [46] Zarte Worte findet er für die Umarmung der beiden Liebenden. [47] Natur und Dichtung scheinen im Dienste ihrer Liebe zu stehen. [48] Was die Gedichte aussagen, sind Stimmungs-

---

[44] Brief vom 25. März 1813. Diesen Brief konnte ich an der Universität Breslau einsehen. Eichendorff hatte ihn von Berlin aus geschrieben. Der Adressat war nicht festzustellen. Es könnte sich um seinen Bruder Wilhelm oder Loeben handeln.

[45] Vgl. *Morgenritt* (J 117); *Abschied und Wiedersehen*, 2; *Der Friedensbote*.

[46] Vgl. *Liebeslust* (J 134); *Glück*; *Blumen und Liebe*.

[47] Vgl. *Das Flügelroß* (J 133); *Der Friedensbote*.

[48] Vgl. *Der Poet*; *Die Einsame*.

lagen des Liebesgefühls: das Gefühl der Erwartung, das Gefühl der Beglückung im Liebesbezug. Fern von ihr überfällt ihn das Gefühl der Einsamkeit, der Sehnsucht. [49] Zweifel tauchen auf. [50] Das Lied bekommt Vogelschwingen, um Liebesgrüße durch die Lüfte zu tragen. [51] Nichts in diesen an Louise gerichteten oder auch früheren Geliebten zugedachten Gedichten erlaubt eine einseitige Zuordnung zum heidnischen bzw. christlichen Bereich. Die Geliebte und die Liebe zu ihr bewegen sich in einer menschlich-irdischen Sphäre, die bejaht wird, auch da, wo die Liebe Leid verursacht. Oder ist mit diesem „es ist gut so" doch der christliche Bereich gemeint? Denn auffallend an fast allen diesen Gedichten ist die letztliche Hinwendung zum Morgen, versinnbildlicht in den für Eichendorff echt christlichen Symbolen der aufsteigenden Lerche und der Morgenröte. [52]

Manche Bilder und Symbole haben diese Gedichte mit den naturmagischen Gedichten der Heidelberger Zeit gemeinsam. Aus dem Kontext herausgehoben und für sich betrachtet würde man solche Motive dem heidnischen Bereich zuordnen. Im Zusammenhang gesehen, trifft eine solche Klassifizierung zwar rückblickend für die Heidelberger Gedichte zu, aber nicht für die „Louise-Lieder." Den Grund dafür sehe ich in der konkreten Gestalt, auf die diese Gedichte bezogen sind, in ihrer unschuldigen, demütigen Weiblichkeit, und andererseits in der Haltung des Dichters dieser Liebe gegenüber. Das Beglückende der Liebe reicht von einer zärtlichen Stille — „Und schlaf denn bis zum Morgen / So sanft gelehnt an mich!" (J 133) — bis zur unruhigen, verlangenden und genießenden Sinnlichkeit:

> O sterndurchwebtes Düstern,
> O heimlich stiller Grund!
> O süßes Liebesflüstern
> So innig Mund an Mund!
> (*Das Flügelroß*, J 133)

Manchmal schimmert durch ein zartes Bild die Innigkeit einer nächtlichen Umarmung, wie in dem Tagelied-ähnlichen *Abschied und Wiedersehen, 1*:

---

[49] Vgl. *Der verliebte Reisende, 2* (J 122); *An die Entfernte, 1.*
[50] Vgl. *Der verliebte Reisende, 4* (J 124).
[51] Vgl. *Angedenken* (J 132); *Der verliebte Reisende, 3,* (J 123).
[52] Vgl. *Morgenritt* (J 117); *Das Flügelroß* (J 133); *Glückliche Fahrt* (J 135); *Abschied und Wiedersehen, 2.*

In süßen Spielen unter nun gegangen
Sind Liebchens Augen, und sie atmet linde,
Stillauschend sitz ich bei dem holden Kinde,
Die Locken streichelnd ihr von Stirn und Wangen.

Ach! Lust und Mond und Sterne sind vergangen,
Am Fenster mahnen schon die Morgenwinde:
Daß ich vom Nacken leis die Arme winde,
Die noch im Schlummer lieblich mich umfangen.

Der Vergleich mit einem Traumbild gibt dieser konkreten Geliebten in
der lyrischen Gestaltung etwas Entgrenzendes: „Wie aus Träumen erst
gehoben, / Sah ich still mein Mädchen stehen." Oder es wird eine Traum-
stimmung heraufbeschworen, die sich auf die Natur ausbreitet und diese belebt, wobei sich Traum und Natur mit dem Hauch der Geliebten füllen:

Ein zart Geheimnis webt in stillen Räumen,
Die Erde löst die diamantnen Schleifen,
Und nach des Himmels süßen Strahlen greifen
Die Blumen, die der Mutter Kleid besäumen.

Da rauscht's lebendig draußen in den Bäumen,
Aus Osten langen purpurrote Streifen,
Hoch Lerchenlieder durch das Zwielicht schweifen —
Du hebst das blühnde Köpfchen hold aus Träumen.
                                    (Abschied und Wiedersehen, 2)

Im Unterschied zu den naturmagischen Gedichten ist aber diese Belebung
nicht um ihrer selbst willen da, oder um ein in der Natur verborgenes
Geheimnis zu lüften, noch um das Innere des Dichters zu ergründen,
sondern um das Nahen des ganz konkreten Geliebten anzukündigen.
Selbst das Motiv der altbekannten verlockenden Lieder und des Frühlings
gehören hierher:

Was sind's für Klänge, die ans Fenster flogen?
So altbekannt verlocken diese Lieder,
Ein Sänger steht im schwanken Dämmerschein.

Wach auf! Dein Liebster ist fernher gezogen,
Und Frühling ist's auf Tal und Bergen wieder,
Wach auf, wach auf, nun bist du ewig mein!
                                    (Abschied und Wiedersehen, 2)

Mit dem Lerchen- und Morgenrötemotiv wird die Stimmung des freudigen Ereignisses vorbereitet. Gleich dem Morgen, hat auch der Frühling Symbolcharakter. Er weist auf das Aufblühen der Liebenden in ihrer Wiedervereinigung. Was die verlockenden Lieder anbelangt, so haben auch diese einen realen Bezug auf den Geliebten. Sie verbinden die Erinnerung an ihn mit einem Ahnen auf seine Nähe.

Wie hier Traum, verlockende Lieder und Frühling auf die Person des oder der Geliebten abgestimmt sind, so ist es im *Flügelroß* (J 133) ein anderes naturmagisches Bild, nämlich das des Schleiers:

> Die Nachtigallen locken,
> Mein Liebchen atmet lind,
> Mit Schleier zart und Locken
> Spielt buhlerisch der Wind.

Auch da ist die Geliebte in die beseelte Natur eingebettet. Die lockenden Nachtigallen, sonst oft Boten der gefährlichen Nacht, und der buhlerische Wind, haben keine Verweiskraft auf verführerische Mächte, denn das Liebchen ist in den Armen des Geliebten geborgen: Er wacht für sie. Auch das bange Liebesschauern gehört zu dieser durchaus positiven Liebe:

> Ich halt' die blüh'nden Glieder,
> Vor süßen Schauern bang,
> Ich laß' dich ja nicht wieder
> Mein ganzes Leben lang! —

Es wurde vorher schon darauf hingewiesen, wie das Morgenmotiv in seiner Funktion, das Erwachen anzuzeigen und allem Verschwommenen Gestalt zu geben, ein Entgleiten in die Verirrung aufhält und in der Lerche ein aufstrebendes Gefühl anzeigt. In gleicher Weise kann auch das Treuegelübde verstanden werden, das in vielen dieser Gedichte ausgesprochen ist.[53] Dieses Treueversprechen hat wiederum einen ganz konkreten, ernstgemeinten Bezug auf die geliebte Person, nämlich als Eheversprechen. Während die „ewig dein" rufende Naturgöttin die Auflösung des Geliebten in der Natur, oder seine Verirrung in einer nur erdgebundenen Sinnlichkeit nach sich zieht, hat die Treue der Liebenden einen gestaltbewahrenden Charakter. Sie ist ein Akt des Willens und kann durchaus Selbstbeschrän-

[53] Vgl. *Leid und Lust* (J 115); *Der verliebte Reisende, 4* (J 124); *Der verliebte Reisende, 5* (J 125); *Das Flügelroß* (J 133); *Liebeslust* (J 134); *Abschied und Wiedersehen, 2.*

kung und Opfer verlangen. Sie läßt andererseits auch die Bindung an ein Höheres zu. Wenn auch unausgesprochen, so schwingen doch diese Ideen im Treuegelübde mit.

Wie sehr das Positive, um nicht zu sagen Christliche, und das heidnisch zu Nennende von der Sicht und Stimmung des Dichters abhängig ist, zeigen die Gedichte, in denen der Jüngling seine Geliebte „entführt." In *Glückliche Fahrt* (J 135) lädt er sie aufs Schiff zur Fahrt über das Meer des Lebens ein, im *Flügelroß* (J 133) soll sie mit ihm den Pegasus besteigen, und im *Bräutigam* schließlich ist der wagemutige Ritt ganz explizit:

> Wir reiten so geschwinde,
> Von allen Menschen weit. —
> Da rauscht die Luft so linde
> In Waldeseinsamkeit.
>
> Wohin? Im Mondenschimmer
> So bleich der Wald schon steht. —
> Leis rauscht die Nacht — frag nimmer,
> Wo Lieb' zu Ende geht!

Das Positive ist wiederum, wie beim Treuemotiv, die freudige Zuversicht des Partners auf eine echte Verwirklichung der Gemeinsamkeit. Dieses positiv gestimmte Verführen erscheint aber aus der Sicht des Mädchens in zwei anderen Gedichten als fragwürdig. In *Trennung, 2* wurde das zur Liebe verführte Mädchen verlassen:

> Ein furchtsam Kind, im stillen Haus erzogen,
> Konnt ich am Abendrot die Blicke weiden,
> Tief atmend in die laue Luft vor Freuden.
> Er hat um diese Stille mich betrogen.
> Mit stolzen Augen, fremden schönen Worten
> Lockt er die Wünsche aus dem stillen Hafen,
> Wo sie bei Sternenglanze selig schlafen,
> Hinaus ins unbekannte Reich der Wogen;
> Da kommen Winde buhlend angeflogen,
> Die zarte Hand zwingt nicht die wilden Wellen,
> Du mußt, wohin die vollen Segel schwellen.
>
> Da zog er heimlich fort. — ...

Der Geliebte hat das Mädchen um die Ruhe und Freude ihres kindlichen Lebens gebracht. Nun gedenkt sie der Mahnung des Bruders:

Wie oft, wenn wir im Garten ruhig waren,
Sagte mein Bruder mir vor vielen Jahren:
„Dem schönen Lenz gleicht recht die erste Liebe.
Wann draußen neu geschmückt die Frühlingsbühne,
Die Reiter blitzend unten ziehn durchs Grüne,
In blauer Luft die Lerchen lustig schwirren,
Läßt sie sich weit ins Land hinaus verführen,
Fragt nicht, wohin, und mag sich gern verirren,
Den Stimmen folgend, die sie wirrend führen.
Da wendet auf den Feldern sich der Wind,
Die Vögel hoch durch Nebel ziehn nach Haus;
Es wird so still, das schöne Fest ist aus.
Gar weit die Heimat liegt, das schöne Kind
Find't nicht nach Hause mehr, nicht weiter fort —
Hüt dich, such früh dir einen sichern Port!"

Dem Verführen, das in die Verirrung leitet, wird also die Ehe gegenübergestellt. Die Schlußwendung ist wahrscheinlich ironisch gemeint, denn
Eichendorff widmete das Gedicht Louise, der er ja diesen sichern Port
anbot.

Daß Eichendorff mit diesem unruhigen Verführer selbst gemeint ist,
spricht das Louise zugedachte Gedicht *An die Entfernte* deutlicher aus:

Ich hab es oft in deiner Brust gelesen:
Nie hast du recht mich in mir selbst gefunden,
Fremd blieb, zu keck und treibend dir mein Wesen,
Und so bin ich im Strome dir verschwunden.

Diesem unruhigen Jüngling gegenüber ist sie die Stille, deren ruhigem
Walten er gedenkt. Hier verrät Eichendorff sein eigenes unruhiges Wesen. Vom wilden Spiel des heranreifenden Jünglings war schon im Gedicht *Bin ich denn nicht auch ein Kind gewesen* (J 73) die Rede. Ein trei-
bendes Wesen zeichnet manche Charaktere in Eichendorffs Werken aus.
Man darf wohl annehmen, daß Eichendorff ihren Geist aus sich selbst
schöpfte. Wenn das obige Gedicht biographisch gedeutet werden darf,
dann könnte auch der Schluß noch für Eichendorffs Reifeprozeß aufschlußreich sein:

Dem festern Blick erweitern sich die Kreise,
In Duft ist jenes erste Reich verschwunden —

Doch, wie die Pfade einsam sich verwildern,
Was ich seitdem, von Lust und Leid bezwungen,
Geliebt, geirrt, gesungen:
Ich knie vor dir in all den tausend Bildern.

In Louise hat sich für ihn sein Wesen und seine Liebe gesammelt. Das drückt noch einmal sehr schön das 1816 entstandene Gedicht *An Luise* — jetzt seine junge Gattin und Mutter seines Kindes — aus:

Ich wollt in Liedern oft dich preisen,
Die wunderstille Güte,
Wie du ein halbverwildertes Gemüte
Dir liebend hegst und heilst auf tausend süße Weisen,
Des Mannes Unruh' und verworrnem Leben
Durch Tränen lächelnd bis zum Tod ergeben.

Doch wie den Blick ich dichtend wende,
So schön in stillem Harme
Sitzt du vor mir, das Kindlein auf dem Arme,
Im blauen Auge Treu' und Frieden ohne Ende,
Und alles laß ich, wenn ich dich so schaue —
Ach, wen Gott lieb hat, gab er solche Fraue!

Louise ist diesem Gedicht zufolge das Ideal der christlichen Frau, in ihrem gütigen, liebenden Wesen ergeben bis zum Tod, als Mutter mit dem Kindlein auf dem Arme ein irdischer Widerschein der himmlischen Maria. Trotzdem hat Eichendorff sie selten besungen. Auch in den Prosawerken sind die christlichen Frauengestalten selten, oder vielmehr sie verblassen neben den glänzenden heidnischen Gestalten. Der Grund dafür ist wohl, daß das ruhige, harmonische Walten nicht so sehr zur dichterischen Auseinandersetzung herausfordert. Darauf soll später jeweils bei der Besprechung der einzelnen Gestalten näher eingegangen werden.

3. Die Balladen- und Romanzendichtung

Der Weg, den ich anhand von Eichendorffs Jugendgedichten bis jetzt durchmessen habe, führte von der „naturmagisch" genannten Periode bis zu einer sich abzeichnenden Krisensituation. Die darauffolgende volksliedhafte Dichtung wurde aufgrund der Schlichtheit und Objektivität der Gefühlsäußerung als Überwindung der früheren Richtung verstanden.

Ebenso war die von der früheren mystischen Verschwommenheit befreite subjektive Liebeslyrik, die aus Eichendorffs menschlichen Liebesbegegnungen erwuchs, aufzufassen. Es bleibt noch eine letzte Gruppe von Jugendgedichten zu besprechen, in denen sich das Frühlingssehnen und der Liebeszauber zu Gestalten verdichten: die Balladen und Romanzen. Wie beim Volkslied handelt es sich um eine Verankerung im Traditionsgut. Wie schon einige Male erwähnt, war es ein Bedürfnis der Romantiker, sich an der Vergangenheit zu orientieren. Auf Eichendorffs Balladendichtung mit den ihr eigenen Motiven haben u. a. Arnim, Bretano und Tieck eingewirkt und in gewisser Weise wohl auch Görres, dem Eichendorff persönlich und durch seine Veröffentlichungen und Vorlesungen bereits in Heidelberg nahegekommen war. Eichendorff soll auch selbst während längerer Aufenthalte in Lubowitz in den Jahren 1808—10 Volksüberlieferungen in seiner an Sagen reichen Heimat gesammelt haben. Was uns hier interessiert, ist nicht die Überlieferung an sich, sondern wie Eichendorff eigene Gefühle und Vorstellungen in die Form vorgefundener Gestalten bringen konnte.

Meiner Thematik gemäß werde ich mich bei der folgenden Untersuchung auf Frauengestalten beschränken. Ich werde zunächst von Gedichten mit solchen Stimmungen und Bildern ausgehen, die meines Erachtens die Voraussetzung für die Balladengestalten enthalten und in diese hineinwachsen. Das führt uns zurück in die Heidelberger Zeit, umfaßt aber auch die darauffolgenden Entwicklungsstufen und erlaubt eine schließliche Zuordnung zu einem heidnischen, einem christlichen und einem neutral menschlichen Bereich. Die Grundlage bildet wie immer das Spannungsverhältnis, in das sich der Dichter mit seinen Sinnen, seinen elementaren Trieben und seinem Geist gestellt sieht. Ob es sich um das Verhältnis des Sängers zu seinem Lied, oder des Menschen als einem Naturwesen zur Natur, zum Leben überhaupt und zu seinem Innenleben, des Mannes als Geschlechtswesen zur Frau, etc., handelt, die Spannung wird durch dieselben oder ähnliche Gefühls- oder Gemütserregungen empfunden. Sie wird also auch dichterisch in ähnlichen Stimmungen und Bildern ihren Niederschlag finden. Betrachten wir die in die Worte Liebeszauber und Naturmagie zusammenzufassende Spannung als Konstante, so ergeben die verschiedenartigen Verhaltensweisen ihr gegenüber die Varianten. Der Zauber stellt sich im dichterischen Bilde als der verlockende grüne Wald, die ewig rauschenden Quellen, als Frühling mit seinem sinnenbetörenden Blühen, in dem Zusammenspiel von Klang, Duft und Farbe dar. Wo der Dichter sich diesem Zauber überläßt, wird dessen magische Anziehungskraft als ein auf den Wellen des Stromes Sich-treiben-lassen dargestellt. Oder sie ist einfach ein Sich-tragen-lassen oder Untertauchen in eine schwüle, erotische Atmosphäre, der sich der Dichter passiv hingibt, oder die er selbst heraufbeschwört.

In einigen Gedichten nimmt der Zauber die Gestalt einer Art Waldesbraut an. In *Ballate* (J 68) lockt diese den Dichter, der mit dem lyrischen Ich zu identifizieren ist, in die „Waldeseinsamkeiten." Er bittet sie, die „ewig Ferne," ihm doch endlich nahezutreten. Als die „Himmlische" setzt er sie mit der himmlischen Jungfrau gleich. Das entspricht der typisch konfliktlosen, religiös-pantheistischen Zusammenschau, die wir aus den Heidelberger Gedichten kennen. In der Romanze *Das Bildniß* (J 67) wird die Waldesbraut stärker umrissen. Sie tritt als handelnde und sprechende Gestalt auf. Des Dichters lyrisches Ich ist zum „Knab' im grünen Walde" geworden, den der Frühling dorthin trieb, wo Wald und Quellen „zaubrisch in einem fort" rauschten:

> Dort stand eine Jungfrau milde,
> Mit Kron' und Edelgestein'
> . . .
>
> Himmlische Rosen neigen
> Sich Ihr um Wang' und Brust,
> Sie selber schien zu schweigen
> Vor Wehmuth und vor Lust,
> Wie diese Melodien
> Ihr schlagen an die Brust,
> Als wollt' die Welt Sie ziehen
> Liebend an Ihre Brust. —

Der Knabe spricht sie nun an:

> „O Königin vielsüße,
> Du schöne Waldesbraut!
> Wie Dich auch alles grüße
> Mit holdem Frühlingslaut:
> Mehr kann Dir keiner geben,
> Als ich Dir geben muß,
> Es wird mein ganzes Leben
> Zum blüh'nden Liebesgruß.

> Wo bin ich denn gewesen
> Entfernt von Dir so lang?
> Jetzt bin ich erst genesen,
> In süßer Liebe krank.
> Ach! was ich lieb' und habe,
> Es war ja immer Dein,
> Lassend der Erde Gabe,
> Bleib Du die Geliebte mein!"

Die Königin reicht ihm daraufhin eine Blume mit den Worten:

> „Die Blume wohl bewahre!
> Soll ewig Dich umblühn,
> Zieht Dich nach einem Jahre
> Wieder zu mir in's Grün."

Dann versank die Braut. Doch „wie der Lenz von neuem / Mit tausend Stimmen sang," kniete er hin mit der „Blume an dem Munde, / Die duftend ihn durchdrang."

> Und aus der Blum' erstunde
> Ein Glorificieren mild,
> Und in des Kelches Grunde
> Blühte der Liebsten Bild.

Ringsumher brach der Frühling in ein Glimmen, Blühen und Singen aus. Und

> Die Geliebte sah er schwimmen,
> Als ob Sie zu ihm sprach
> Und dieses Stromes Stimmen
> Zogen den Liebsten nach. —

Was Eichendorff in diesem Gedicht als naturmagischen Vorgang im Sinne des novalisierenden Loeben einfing, ist im Grunde dasselbe, was er in der *Ballate* (J 68) und anderen Gedichten aus jener Zeit subjektiver ausdrückte: ein williges Sich-verführen-lassen vom Zauber der Poesie, der Liebe, der Natur, des eigenen Gefühlslebens. Noch wird der Zauber bejaht, noch ist die Waldesbraut keine gefährliche Verführerin, glaubt er sie doch mit der himmlischen Jungfrau verbunden. Aus der rückblickenden Perspektive können wir jedoch typische Züge der Venusgestalt in ihr entdecken.

Wie Eichendorff einer bestimmten Gefühlseinstellung zufolge dem Venuszauber im *Bildniß* (J 67) huldigte, so folgte er im *Schiffer* (J 14) willig
dem Sirenengesang, ja er bejaht seine todbringende Macht: „Denn schön-
res Leben blüht aus solchem Tode". Oder er gefiel sich in der Verstrickung
des eigenen Liedes: „von den eigenen Gesängen / Hold gelockt, kann er
nicht finden / Aus dem Labyrinth der Brust" (*Sehnsucht*, 3, J 29). In
einem dionysischen Todesrausch endet das Gedicht *Die Wunderblume*
(J 194): „Es wollen brünstig mich die Scheine zünden, / Frisch bluten
alle Liebeswunden; — / Verbrennt mich nur! — Bin euch ja längst verbunden!". Während in *Ballate* und im *Bildniß* durch die Gegenüberstellung einer männlichen und einer weiblichen Gestalt ein Magnetfeld zwischen diesen beiden Polen zum Schwingen kommt, läßt sich in *Romanze*
(J 69) und in *Maria Magdalena* (J 65) die lyrische Person von einem
erotischen Strudel in sich selbst aufsaugen. Ein solches In-sich-selbst-
versenken kennzeichnet zwar schon die Waldesbraut im *Bildniß*, denn
„Sie selber schien zu schweigen / Vor Wehmut und vor Lust." Aber in
Romanze ist es im ganzen Gedicht durchgeführt:

> Felsen, Bäume, Blumen, Sterne!
> Nacht, so zaubrisch aufgegangen!
> Ach! wie schön hinauszutreten
> In die Düft' der Pomeranzen,
> Kennend weiter kein Verlangen,
> Als den Durst nur nach Verlangen!
> Seiden wallende Gewande,
> Edelstein', Rubin, Smaragden,
> Nicht noch lös' ich euch vom Leibe,
> Von den Loken, weißen Armen;
> Denn nicht Zierrath seid ihr mir nur,
> Mit mir scheint ihr aufgewachsen,
> Eine hold verträumte Blume,
> Vor der Tage Stral erblassend, —
> In der Dunkelheit der Nächte
> Mildes Glänzen gern entfaltend,
> Felsen, Bäumen, Blumen, Sternen,
> Wie ich liebe, süß zu sagen.
> Also sprach Viola, die mit
> Goldnen Sternen liebt' zu wachen.
> Denn ein wunderbares Singen
> Wohnte lange in dem Thale.

Diese personifizierte Nachtblume steht, wie man wohl annehmen darf, für Eichendorffs eigenes Gefühlsleben, das sich wie Viola an dem synästhetischen Genuß der durch die Sinne einströmenden Wahrnehmungen weidet. In einer zweiten Bearbeitung der Romanze (J 70) stellt Eichendorff diese Blume aus sich heraus als ein ihm Gegenüber dar, das er anredet. Und sogleich tritt eine markiertere Liebessprache hinzu:

Laß' der Seide Zauberhimmel
Lokend, Süße, dich umwallen,
Der in Düften scheint zu rinnen
Vor des Leibes süßem Stralen.
Nicht noch raube aus den Loken,
Von dem Busen, weißen Armen
Die Karfunkel, Gold, Rubinen,
Edler Steine Zaubergarten,
Welcher süße Nächte träumet,
Von dem Abendroth der Wangen,
Von der Augen Dunkelheiten,
Von des Liebesmunds Korallen,
Von der überirrd'schen Schöne
Wunderbarem süßem Abgrund.

In demselben Ton ist *Maria Magdalena* (J 65) gehalten, nur daß dieses Gedicht eine noch schwülere Atmosphäre verbreitet:

Duftig blühte Abendröthe,
Aus dem prächt'gen Meeres-Schlosse
Trat die schöne Magdalena
Prangend für auf dem Balkone,
Aus der dunklen Nacht des Haares
Edelsteine zaubrisch lokend,
Um der Glieder blühend Schwellen
Buhlend blaue, laue Wogen,
Trunkne Blike, wie aus langen
Schönen Träumen erst gehoben,
Durstig blühend in die Ferne;
Und die Ströme tönend zogen,
Und die Nachtigallen schlugen,
Berge, Auen, Wälder, Bronnen,
Von so überholden, reichen

Sternes Strahlen angesogen,
Tiefe Sehnsucht auszusagen,
Sendend Blike still nach oben,
Standen, Eine glüh'nde Blume
Zart aus Duft und Klang gewoben,
Wie in Träumen ganz versunken,
Aufgericht't im Abendgolde.

Da sprach Sie in holden Tönen
In die Düfte vom Balkone:
Süße Lüste! Süße Lüste!
Kommt ihr wieder angeschwommen
Von dem still erblühten Meere,
Wenn Duft, Sang nicht lassen wollen
Hold zu irren in den Gängen,
Durch die fall'nden Blüthenfloken
Oder an des Stromes Ufer
Einzuschlummern süßverworren
Bey den Nachtigallenliedern
Unter den verträumten Rosen,
Süße, holde, blüh'nde Knaben,
An den Busen fest gezogen,
Süß verführet, zu verführen,
Alles Leben, glüh'nde Wonne
Flüsternd, schmachtend, liebermattet,
Zu versenken in den vollen
Sanfterschloss'nen, Duftberauschten
Busen tief der Zauber-Rose! —
Und doch wieder, wie so eigen
Kommt so wunderbares, großes
Bangen über Flüsse, Palmen
Oft mir an das Herz geflogen,
Daß ich plötzlich in der Freude
Einsam steh' und tiefbeklommen.
Und ach! niemand, wie ich bange
Deutet mir, von wannen kommen
Solche Süße, solches Wehe,
Solche tiefbewegend' Worte,

Und ich muß in Thränen sagen,
Wenn schon goldne Nacht begonnen:
Ach! viel andre hohe Wunder
Ruhn wohl in der Brust verborgen.

Die sinnenbetörende Wirkung von Duft, Klang, Farbe und berauschendem
Rhythmus wird bis zur Ekstase gesteigert. Aber sie bedeutet keine wahre
Erfüllung: Leere und Bangigkeit und ein tiefes Ungenügen bleiben in der
Brust zurück. Selten hat Eichendorff eine so stark erotisierte Stimmung
heraufbeschworen. Selbst die Venus im *Marmorbild*, zu der *Maria Mag-
dalena* hinführt, strahlt eine gedämpftere Erotik aus.

Ich habe diese Gedichte als Vorstufen zu den nun zu besprechenden
Balladen herangezogen. Beiden gemeinsam ist das Element des Zaubers.
Sie unterscheiden sich jedoch in einer verschieden gestimmten künstlerischen und ethischen Sichtweise des Dichters. Diese Verschiedenartigkeit
ist vor allem ein Ergebnis der Krisensituation, auf die ich bei der Besprechung der Heidelberger Gedichte eingegangen bin. Eichendorff mußte
erfahren haben, daß, wenn er sich dem Strudel erotischer Gefühlswallungen überläßt, wenn er dem dionysischen Todesverlangen nachgibt,
er Gefahr läuft, sich selbst zu zerstören. An diesem krankhaften In-sich-
hineinlauschen und wie ein Schwamm durch alle Poren Sich-mit-Stim-
mungen-ansaugen, litten auch Eichendorffs Zeitgenossen. So ist z. B.
William Lovell wohl Tiecks Sprachrohr, wenn er ihn sagen läßt: „Ich
behorchte in mir leise die wehmütige Melodie meiner wechselnden Gefühle." [54] In diesem Sinne ist auch Jean Paul's Roquairol „ein Kind
und Opfer seines Jahrhunderts," [55] und Brentano schildert sich selbst in
einem Brief als ein solcher Roué des Gefühls, indem er sagt, er empfände
stets

eine bestimmte Neigung zu gewissen Bildern und Zusammenstellungen,
zu einer gewissen Färbung, und ich sehnte mich, ein Gedicht zu lesen,
ein Gemählde zu sehen, eine Blume zu riechen, einen Geschmack zu
empfinden, deren Eindruck mir die Wunden hätte schließen, den Schmerz
der Narben hätte stillen können. Die bittersten Arzeneyen, z. B. Quassia,
schmeckte ich mit einer ganz eigenen Lust. Die menschliche Schönheit,
die mich so angelacht hatte und vor mir in Staub zerfallend mein Herz

---

[54] Tieck, *William Lovell*, I, 251.
[55] Jean Paul, *Titan*, III, 262.

so tief betrübt hatte, erschien mir wie ein freudig lachendes Gift, und um mich zu trösten ergötzte ich mich stundenlang, ein reinfarbiges Grünspan anzusehen; die wunderbaren Blüthen der Belladonna und anderer Giftpflanzen machten mir eigene Lust, zugleich aber auch die Granatblüthe, und die Lilie. [56]

Mit Gift ist aber eine Wunde nicht zu heilen. Was Brentano erst spät lernte, wurde Eichendorff schon früh bewußt: daß für ihn ein Entrinnen von diesen dämonischen Mächten nur unter Aufbietung aller sittlichen Kräfte, durch die Zuflucht zu einem positiven Glauben und den Verlaß auf eine höhere göttliche Führung möglich war.

Diese Einsicht hat Eichendorff mehr oder weniger deutlich in den Balladen niedergelegt. Wer dem Zauber nicht zu widerstehen vermag, geht unter, wie Florimund in der *Zauberin im Walde* (J 63), wie „Der Gefangene" im gleichnamigen Gedicht (J 153), der Reiter in *Lorelay* (J 157), das Fräulein im *Zauberischen Spielmann*, oder der Jäger im *Verirrten Jäger* (J 155). Für alle trifft in abgewandelter Form der Verdammungsspruch der Hexe Lorelay zu: „Kommst nimmermehr aus diesem Wald". Nur in der Schlußwendung unterscheiden sich diese Balladen von der Ballade *Maria von Tyrol im Kloster* (J 66). Auch sie, die Nonne, ist den Versuchungen ausgesetzt. Doch ihr gelingt es, durch einen Akt des Willens und des Gebets der Versuchung zu entrinnen: „Schirm', Maria, mich hinieden, / Führ mich ein zum ew'gen Frieden!". Die dämonischen Mächte, die sich im Menschen regen und von außen auf ihn eindringen, werden als wesentlicher Bestandteil dieser unserer Welt betrachtet. Entscheidend ist, auf welche Weise sich der Mensch mit ihnen auseinandersetzt, mit ihnen fertig wird. Anders ausgedrückt ist es die heidnische Schwerkraft, die zur Mutter Erde zieht, der zu folgen die natürliche menschliche Bewegung wäre. Diesem vegetativen, elementaren Prinzip der Natur muß daher der vom Christentum verlangte Willensakt fremd bleiben. Auch mit der einmal erkannten Gefahr des Dämonischen und dem Wissen um den Weg der Rettung ist das Problem noch nicht gelöst. Die heidnische Dämonie der Natur wird sich immer wieder melden, und wird stets neu die christliche Entscheidung verlangen. So ist die Nonne allein durch ihre Flucht hinter die Klostermauer noch nicht gegen den dämonischen Andrang gefeit. Das Dämonische ist bei Eichendorff jedoch nicht gleichzusetzen mit dem

[56] Brief von C. Brentano an den Maler Runge vom 21. Jan. 1810, zweite Fassung, in: W. Schellberg, *Clemens Brentano und Philipp Otto Runge*, VIII, 179.

Negativen, oder auch dem Unchristlichen, schlechthin. Wenn in den Balladen *Der Gefangene* (J 153), *Zauberin im Walde* (J 63), *Lorelay* (J 157), *Der Verirrte Jäger* (J 155), *Der zauberische Spielmann*, das Dämonische als ein Negatives enthüllt wird, so ist hier die Grenzsituation geschildert, wo der letzte Schritt des der Dämonie folgenden Menschen in die Verirrung, ja Vernichtung führt.

Diese Balladen haben gemeinsam, daß die Dämonie in einem mythischen Wesen verkörpert ist, dem ein Mensch gegenübersteht. Die gestaltgewordene Dämonie, sagt Haberland, zeigt sich ihm zuerst in „blendender Pracht, die noch nichts von ihrem dämonischen Charakter enthüllt." Sie wird dem Menschen „durch ihre Unvergleichlichkeit mit jemals Geschautem zu einem berauschenden Erlebnis." [57] Die Hingabe an die Dämonin muß den Untergang des Menschen nach sich ziehen. Denn als mythische Gestalt ist die Dämonin fixiert, d. h. sie hat nicht die Freiheit zur Entscheidung, sie muß den Menschen, der in ihren Bann gerät, notgedrungen zerstören. Die Wandlungs- und Bekehrungsfähigkeit ist dem Menschen vorbehalten. Im *Verirrten Jäger* (J 155) ist das Hirschlein die personifizierte lockende Verführung, welcher der Jäger, der sich zu tief in das „dunkelgrüne Haus" gewagt hat, nicht mehr entrinnen kann. Die Züge des Hirschleins sind denen der Diana-Gestalt verwandt, der wir später noch begegnen werden.

Auffallend an den Balladen ist, daß immer der Wald den Rahmen des Geschehens bildet, oder daß wenigstens vom Wald darin die Rede ist. Darin drückt sich wohl Eichendorffs Liebe zum Wald und zur Jagd aus. Selbst eine von Eichendorff übernommene Sagengestalt wie die Lorelay wird bei ihm zur Waldfrau. Es besteht hier ein deutlicher Zusammenhang mit der immer wieder in Eichendorffs Gedichten auftretenden Waldschönen (z. B. in der Romanze *Das Bildniß*, J 67). „Diese schöne Waldbraut," sagt Ibing, „ist eine der ersten poetischen Gestalten, die der junge Dichter geschaffen hat; sie ist ganz aus persönlichen Elementen, seinem Naturgefühl und erotischen Gefühl entsprungen, eine Verbindung von Waldeszauber und Frauenzauber." [58] Doch sie, die er für seine schöne Braut hielt, entlarvt sich nun als die gefürchtete Hexe Lorelay. Das ist die neue Sichtweise des durch die Erfahrung gereiften Dichters. In dieser Ballade zeigt sich auch Eichendorffs bewußtes Bestreben, seine Vorstellungen in vorgefundenem Sagen-

[57] Haberland, *Dämonie*, S. 40—41.
[58] Ibing, *Volksbrauch*, S. 96.

gut zu objektivieren. So griff Eichendorff zur Lorelay-Sage, als deren Schöpfer Brentano gilt. Im Gegensatz zu Brentanos Lorelay ist es aber bei Eichendorff eine wirkliche Dämonin, die in Liebesbande verstrickt. Er läßt sie wie Brentano auf einem Schloß über dem Rhein wohnen. Ihr Waldfrauencharakter weist auf die böhmische Waldfrauensage, in der eine Hirschreiterin einen Jüngling verlockt. Andere Züge erinnern wiederum an die Schloßfrauensagen. Während die Waldfrauen in der Sage meist feenhaft erscheinen, sind die Schloßfrauen mehr gespenstisch. Letztere sollen der Sage nach ruhelose Geister, unerlöste Seelen sein, vor denen sich die Menschen fürchten.

Die Hexe Lorelay scheint in Eichendorffs Gedicht ein aus Gram über verratene Liebe gestorbenes Mädchen zu sein, das im Grabe keine Ruhe finden kann. Anstatt den Jüngling um Erlösung zu bitten, wie die Schloßfrauen anderer Sagen es tun, warnt Eichendorffs Lorelay vor sich selbst: „O flieh! Du weißt nicht, wer ich bin". Diese bei Eichendorff öfters wiederkehrende Wendung kennzeichnet die Dämonin, die wider ihren Willen zerstören muß. Dieselbe Unfreiheit zeichnet auch die an das tellurische Leben gebundene Dämonin Venus im *Marmorbild*, die Zauberin des Märchens *Zauberei im Herbste*, u. a. aus. An der Gestalt des mit dem Venuszauber konfrontierten Menschen wird deutlich, daß Eichendorff zur Zeit der Entstehung der Lorelay-Ballade noch nicht die reife weltanschauliche Sicht erreicht hatte, die er im *Marmorbild* ins Künstlerische übersetzte. Hier wie dort wird ein Mensch, der im Gegensatz zu den Dämonen die Freiheit der Entscheidung hat, am Krisenpunkt gezeigt. Florio im *Marmorbild* kann sich in einer für Eichendorff später typischen Weise vor der Verirrung retten, nämlich durch einen Akt des Willens und des Gebets. Ein Stoßgebet wie das Florios im Augenblick der Versuchung findet bei Eichendorff formelhafte Verwendung als Zeichen der Errettung. Doch dem Jüngling in der Ballade fruchtet sein Stoßgebet „Gott steh mir bey!" noch nichts. Er kann der Hexe Lorelay nicht mehr entrinnen. Trotzdem markiert das Erkennen der Gefahr gegenüber der früheren arglosen Hingabe an den Zauber einen Wandel in Eichendorffs Anschauung.

Vom Venuszauber umgeben ist auch die *Zauberin im Walde* (J 63). Ihr liegen mährische und böhmische Sagenbestandteile zugrunde. Sidonia ist der Sage nach der unerlöste Geist eines Schloßfräuleins, das sich von Zeit zu Zeit den Leuten zeigt und klagend von dem Schlosse nach einem Burschen ausschaut. Eichendorffs Zutat ist die Einführung des Liebesmotivs, welches allen Volkssagen von Schloßfrauen fremd ist. Sie zeigt sich nach Eichendorff im Frühjahr ..., wenn die erotischen Gefühle stark hervortreten. ... Aus der Sehnsucht nach Erlösung vom Zwange der Wiederkehr an die Oberwelt, der meist durch eine unglückselige Tat verschuldet ist, macht Eichendorff die Liebe des Zauberfräuleins zu schönen Knaben. ... Auch die Liebe der Knaben zu der Zauberin, ist des Dichters Zutat. [59]

Ibing hat weiter nachgewiesen, wie Eichendorff die Sagengestalt mit eigenen Erlebnissen anfüllte, wie in der Ballade eine Entwicklungsstufe in Eichendorffs Gefühlsleben dichterisch dargestellt ist: Die kindliche Liebe zur Poesie — versinnbildlicht in den Perlen, welche die Fee dem Knaben schenkt — verwandelt sich mit Eintritt der erotischen Gefühle in eine sinnliche Liebe zur Fee. Die Tragik Florimunds besteht nach Ibing darin, „daß er diesen Wechsel nicht merkt. ... Er rennt blind in die Arme einer Dämonin, weil er sie für eine gütige Fee hält." [60] Diese Ballade ist wiederum zurück- und vorausdeutend. Im *Bildniß* (J 67) gab die Waldesbraut dem Jüngling eine Blume, mit der sie im Frühling magisch wiedererstand. Und aus den Perlen der Zauberin im Walde sproßte im Lenz „eine Blum' zur Stunde, / Wie ihr Antlitz wunderfeine" (J 63). Auch die Venus im *Marmorbild* muß, wie wir noch sehen werden, jeden Frühling wieder blühen. Die Dämonin bleibt in allen Fällen eine lockende, verführerische Gestalt. Das Unterschiedliche in den drei Beispielen besteht in einer jeweils anderen Verhaltensweise ihrem Zauber gegenüber. Im *Bildniß* wird der Zauber durchaus bejaht. In der *Zauberin im Walde* (J 63) warnt der Vater vor dem trügerischen Zauber der Fee. Aber Florimund schenkt dieser Warnung kein Gehör. Sein Untergang klingt beinahe wie eine Liebeserfüllung:

> Und das Waldschloß war versunken
> Und Sidonia schön' verschwunden;
> Wollte keinen andern haben
> Nach dem süßen Florimunde. [61]

[59] Ibid., S. 26 und 27.

[60] Ibid., S. 20 und 21.

[61] „Sidonia Heidenreich" heißt die adelige Dame der mährischen Sage (siehe Ibing, *Volksbrauch*, S. 21). Eichendorff hat in der späteren Fassung dieser Ballade den Namen Sidonia mit der typisierenden Bezeichnung „Zauberin" vertauscht. Dies entspricht seinem Bestreben, seine Dichtung von persönlichen, historischen oder örtlichen Anspielungen zu befreien.

Florio im *Marmorbild* wird mit der dämonischen Seite der Venus konfrontiert. Die ganze Pracht, von der die Venus umgeben ist, verkehrt sich nach Florios Ernüchterung ins Gespenstische.

Haller bringt die „Zauberin im Walde" mit der Tannhäusersage in Verbindung. Ebenso ist für ihn der namenlose Ritter in der Ballade *Der Gefangene* (J 153) „ein Nachfahre des Tannhäusers und die verführerische Dame eine Zauberin wie die Heidengöttin Venus." [62] Die Ballade ist in einem Ton gehalten, der leise an die Begegnung Florios mit Venus anklingt. Die Verbindungslinie läßt sich auch nach rückwärts verfolgen, zu Gedichten wie *Der Lenz mit Klang und rothen Blumenmunden* (J 10), *Angedenken, 1* (J 12), und besonders zu *Ein Traum* (J 50). Die darin angedeutete Frauengestalt kann die Magie der Natur bedeuten. Sie gewährt dem jungen Dichter einen kurzen Einblick in das Geheimnis der Natur und zeichnet ihn dadurch als Dichter aus (J 10). Sie kann auch für den Liebeszauber stehen, mit dem sich ein inniges Verständnis der Natur verbindet (J 12). Oder sie ist die Verkörperung einer bestimmten Sehnsucht, eines Wortes, das sich aus der dunklen Brust löst (J 50). In der Ballade *Der Gefangene* ist sie jedoch zur personifizierten Erotik geworden. Ihr fehlt die mystifizierende Gloriole, mit der frühere Gedichte die Frühlingsgöttin umgeben. Vielmehr ist sie schon stark vom Venuscharakter geprägt. Wie aus dem Venusberg, so ist aus dem kristallenen Schloß dieses wunderschönen Weibes kein Entrinnen mehr. Den Reiter konnte nichts mehr bringen „Aus böser Zauberei".

In den bis jetzt aufgezeigten Balladen ist die weibliche Gestalt jeweils die Verkörperung einer dämonischen Macht, die durch ihren zerstörerischen Aspekt dem negativ gesehenen heidnischen Bereich zugeordnet werden kann. Im *Zauberischen Spielmann* sind die Rollen vertauscht. Diesmal steht die weibliche Gestalt als Mensch einem mythisch anmutenden Sänger gegenüber, dessen zauberischem Lied sie erliegt. Der Zauber ist über eine in Liebe schmachtende, beseelte Natur ausgebreitet. Die einsam wachende Nachtblume erinnert an die hypnotische Erotik in *Romanze* (J 69). Diesem Zauber, diesen Liedern, konnte das Fräulein nicht widerstehen.

> Alle Blumen trunken lauschen,
> Von den Klängen hold durchirrt,
> Lieblicher die Brunnen rauschen,
> Und sie eilet süß verwirrt. —

[62] Haller, *Balladenwerk*, S. 40.

Der Schluß klingt an das Ende von der *Zauberin im Walde* (J 63) an:

> Und der Sänger seit der Stunde
> Nicht mehr weiter singen will,
> Rings im heimlich kühlen Grunde
> War's vor Liebe selig still.

> (*Der Zauberische Spielmann*)

Während das Fräulein dem Zauber erliegt, kann sich ihm die Nonne in *Maria von Tyrol im Kloster* (J 66) durch ihr Gebet entziehen. Die andersartige Lösung in den beiden Balladen ist natürlich schon durch die verschiedene Thematik gegeben. Im *Zauberischen Spielmann* wird die Verführungskraft des Liedes bzw. der Poesie herausgestellt. Das Thema der Ballade *Maria von Tyrol im Kloster* ist der Widerstreit zwischen irdischer und himmlischer Liebe.

In den Balladen hat Eichendorff einerseits das dämonisch-heidnische Element an den mystischen, in himmlischem und irdischem Licht schillernden Frauengestalten der früheren Gedichte herausgearbeitet. Andererseits hat er auch die pseudomystische Gestalt Mariens zu einer reineren christlichen Form geläutert. Wir haben gesehen, daß Maria in den Heidelberger Gedichten mehr Frühlingsgöttin und irdische Geliebte als himmlische Jungfrau ist. So wurde der Zyklus *Jugendandacht* gedeutet. Ihn „durchwaltet die Sehnsucht nach dem Glück eines andächtigen Naturempfindens, das erhöht wird von einem Liebesverlangen nach einer Jungfrau, die sich in der Natur offenbart." [63] Maria wird zwar noch nicht ihres christlichen Charakters beraubt, wenn sie ein Dichter mit der Schönheit der Natur vergleicht, sie mit Worten aus der Liebessprache preist. In der Mariendichtung begegnen wir oft einer Assoziierung Mariens mit der Natur oder mit einer Geliebten. Muß doch jeder Dichter seinen Stoff und seine Vorstellungen und Empfindungen dieser unserer Welt und auch dem in ihr waltenden Zeitgeist entnehmen. So besingt Balde Maria als „Die Göttin des Frühlings":

> Einzig Holde, Zarte, Schöne,
> deren Glanz die Welt erleuchtet,
> deren Lieblichkeit den Frühling
> wiederbringt mit tausend Blumen
> zarten Blumen, die dir gleichen,
> sei gegrüßet, Frühlingsmutter, Blumengöttin, sei gegrüßt. [64]

---

[63] Kosler, Artikel *Eichendorff*.
[64] in der Anthologie *Deutsche Mariendichtung* von Haufe, S. 246.

Auch Angelus Silesius hat aus dem barocken, mystischen Zeitempfinden heraus Maria gestaltet und sie einen verschlossenen Frühlingsgarten schönster Arten genannt. [65] Nicht selten ist aber solche Mariendichtung ausgeartet und hat eine dem christlichen Geiste widersprechende Vorstellung von Maria vermittelt, die Eichendorff, wie schon früher erwähnt, aus reiferer Sicht an einigen seiner Zeitgenossen und an sich selbst verurteilte. Dem Wandel in Eichendorffs Vorstellung tragen seine Gedichte Rechnung. Dieser Wandel soll an einigen Beispielen verfolgt werden.

In der traditionellen Mariendichtung wird Maria häufig mit einer Rose verglichen. Aus diesem Zusammenhang hat wohl Eichendorff ein paar Mal das Bild der Rose in seine Gedichte herübergenommen. Im *Minnelied* (*Jugendsehnen*, 2, J 58) verwandelt sich dem Dichter in einer magischen poetischen Schau der Garten in eine Rose, aus deren Kelch eine Zauberin ihm ewig zusingt, „Ich, die Liebste, bei dir bin." Diese Rose bewirkt, daß für den Dichter der Frühling schön, sein Lied bedeutungsvoll wird. Obwohl in diesem Gedicht sicherlich die christliche Maria mitgemeint sein soll, ist sie den typischen Heidelberger Gedichten entsprechend doch mehr Geliebte und Naturgöttin. Dasselbe gilt für *Das Bildniß* (J 64), wo sich um die Waldesbraut, die ja auch marianisch gefärbt ist, himmlische Rosen neigen. Bei Maria Magdalena, die nicht umsonst den Namen der biblischen Sünderin trägt, enthüllt sich nun das den beiden anderen Gedichten zugrundeliegende erotische Moment der Rose in seinem liebermatteten, duftberauschenden Aspekt (J 65). Gerade durch das Fehlen der berauschenden erotischen Attribute wird das *Morgenlied* (*Jugendsehnen*, 4, J 60) der himmlischen Maria gerechter. Obwohl Natur- und Liebeszauber auch darin ihren Platz haben, öffnet die frische, freie Morgenstimmung mit den jubilierenden Lerchen den Blick für eine Mariengestalt. So zeigt auch der Schluß dem *Minnelied* (J 58) gegenüber beinahe eine Gebetshaltung:

> Maria, schöne Rose!
> Wie stünd' ich freudenlose,
> Hätt' ich nicht Dich ersehn,
> Vor allen Blumen schön.
> Nun laß den Sommer gehen,
> Laß kommen Wind' und Schneen,
> Bleibt diese Rose mein
> Wie könnt' ich traurig sein?

[65] Ibid., S. 262.

In *Mariä Sehnsucht* (J 71a) und im Gedicht *An den heiligen Joseph* (J 61) findet sich die für Eichendorffs spätere Gedichte typische Darstellung Mariens mit dem Kinde. *Mariä Sehnsucht* steht nach Nadler in der Volksliedtradition. Das Gedicht ist „formell und stofflich im schärfsten Gegensatz zu allem, was Tieck und Loeben je gedichtet, ganz etwas anderes als Novalis' ergreifende Marienlieder." [66] Maria wird zuerst als irdische Gestalt dargestellt und erscheint dann in mythischer Gestalt als himmlische Jungfrau:

> Nun ist wohl das Brautkleid gewoben gar,
> Und goldene Sterne in's dunkele Haar,
> Und im Arme die Jungfrau das Knäblein hält,
> Hoch über der dunkelerbrausenden Welt,
> Und vom Kindlein gehet ein Glänzen aus,
> Das lokt uns nur ewig: nach Haus, nach Haus!

Kosler hebt hervor, „daß Maria hier über der Erde steht, als Mutter erscheint, bei Gott um Aufnahme des Menschen in die ewige Heimat bittet, während in den mystisch-schwärmerischen Gedichten das Bild der Einen, der Süßen, der Reinen u. Stillen, der Wunderschönen aus dem Glanz u. der Schönheit der Erde hervortrat." [67] In dem Gedicht *An den heiligen Joseph* (J 61) wird dieses Verlangen nach Hause als Todessehnsucht präzisiert. Joseph soll bei Maria und ihrem Kind um einen guten und baldigen Tod bitten. Das Gedicht endet in der unmittelbaren Hinwendung an Maria: „Nimm mich auf in Deinen Gnadenschoos!" Während vorher die Todessehnsucht nach unten gekehrt war, als Wunsch nach einem Eingehen in die Natur im dionysischen Sinne, ist jetzt der Blick nach oben gerichtet, nach einem Jenseits, wo nach christlicher Auffassung im Tode die Identität der Person gewahrt bleibt. [68]

Handelte es sich in den Balladen und anderen in diesem Zusammenhang besprochenen Gedichten meist um mythische Frauengestalten, die sich in den heidnischen bzw. christlichen Bereich einordnen ließen, so sollen nun

---

[66] Nadler, *Lyrik*, S. 163 und 164.
[67] Kosler, Artikel *Eichendorff*.
[68] Vgl. letzte Strophe von *Das Bildniß* (J 67), oben S. 62, die nach Weihe die „Vorstellung einer mystischen Flut, die hinüber führt zum Gestade des Jenseits" entsprechend Novalis' Zweizeiler *Land* enthält. Eine solche „mystische Selbstvergessenheit und Auflösung der Individualität in der Vereinigung mit dem Göttlichen" widerspreche jedoch dem dogmatischen Christentum (Weihe, *Der junge Eichendorff*, S. 25 und 73, Anm. 17).

einige Balladen herangezogen werden, die sich einer solchen Zuordnung entziehen. *Der Reitersmann* (J 154) und *Die Hochzeitsnacht* (J 162) sind dem Lenorenmotiv in Volksliedern und -balladen und einem Sagenkreis verbunden und weisen in manchen Zügen auf Brentano und Arnim. In beiden Gedichten tötet der als Gespenst erscheinende tote Geliebte sein Mädchen, das sich einem anderen hingegeben hat. Den Tod des Mädchens darf man nicht als Strafe für eine böse Tat im Sinne eines Schuldigwerdens auslegen. Von einer treulosen Geliebten könnte man nur dann sprechen, wenn man das Treueversprechen als über den Tod hinaus gültig anerkennt. An diesen Mädchen ereignet sich die Liebe als eine den Menschen bindende und in diesem Falle vernichtende, schicksalhafte Macht zwischen zwei Menschen, die auch noch aus dem Grabe heraus ihren Anspruch erhebt. Eichendorff hat diesen Balladen den volkstümlichen Charakter gelassen, ohne das bei ihm sonst übliche Motiv des dämonischen Verführens oder Getriebenseins hinzuzufügen.

Waren im *Reitersmann* und in der *Hochzeitsnacht* die Frauengestalten Personen aus dem Wirklichkeitsbereich, so haben wir es in *Der armen Schönheit Lebenslauf* (J 161) und in der *Wunderlichen Prinzessin* (J 160) mit allegorischen Gestalten zu tun. Die wunderliche Prinzessin kann im Sinne Ibings als Personifikation der Poesie gedeutet werden. Die Ballade hat das Verhältnis von Dichtung und Leben zum Thema. Nach Haller spricht Eichendorff das ihn „damals beherrschende Lebensproblem im Bilde aus. Sein Ziel als romantischer Dichter ist es, die poetische Phantasie als Schein- und Traumwelt wieder in Übereinstimmung mit dem Leben zu bringen, die sie nach dieser Vorstellung in alten Zeiten besaß." [69] Wie in einem Erlösungsmärchen sehnt sich die wunderliche Prinzessin nach Freiern, d. h. nach Dichtern. Eichendorff stellt sie zuerst als eine an die Lorelay und die Waldesbraut erinnernde Verführerin vor:

> Wem sie recht das Herz getroffen,
> Der muß nach dem Walde gehen,
> Ewig diesen Klängen folgend,
> Und wird nimmermehr gesehen.

Wir begegnen hier also wieder dem Motiv des dem poetischen Zauber verfallenen Dichters, der Eichendorff selber ist. Die Prinzessin weist aber in dem Gedicht keineswegs den Charakter einer Dämonin auf, wie die Hexe Lorelay oder die Zauberin im Walde:

[69] Haller, *Balladenwerk*, S. 28.

Frisches Morgenrot im Herzen
Und voll freudiger Gedanken,
Sind die Augen wie zwei Kerzen,
Schön, die Welt dran zu entflammen.
Und die wunderschöne Erde,
Wie Aurora sie berühret,
Will mit ird'scher Lust und Schmerzen
Ewig neu sie stets verführen.
Denn aus dem bewegten Leben
Spüret sie ein Hochzeitsgrüßen,
Mitten zwischen ihren Spielen
Muß sie sich bezwungen fühlen.

Als personifizierte Poesie umfängt die Prinzessin die Natur und das Leben, oder vielmehr sie wird umfangen. Der Natur ist sie „Als die ew'ge Braut der Erde" verbunden. Als Liebende will sie „nicht von fern mit Reden" liebeln, sondern sehnt sich nach echter, warmer Liebe. Ohne das konstituierende Moment der Liebe, ohne die Beziehung zum Leben, wäre die Poesie nur Schein. Mit einem wahren Dichter könnte die Prinzessin ihr Wesen ganz verwirklichen. Da sich aber ein echter, vom Leben erfüllter Liebender unter den Freiern nicht findet, bleibt die Prinzessin unerlöst, „Spielt' die vor'gen Spiele wieder / Einsam wohl noch lange Jahre. —"

Eichendorff hat diese Ballade in seinen Roman *Ahnung und Gegenwart* eingebaut. Wenn man das Gedicht aus seinem Zusammenhang mit *Ahnung und Gegenwart* heraus interpretiert, erscheint *Die Wunderliche Prinzessin* in einem anderen Licht. [70] Diese neue Sichtweise ergibt sich auch aus der Assoziation der Prinzessin mit Romana. Darauf werde ich bei der Besprechung dieser Romanfigur zurückkommen.

Ist es hier die Prinzessin als personifizierte Poesie, so ist es in *Der armen Schönheit Lebenslauf* (J 161) die Schönheit, die erlöst werden möchte. Den moralischen Ton teilt dieses Gedicht mit Arnims *Die arme Schönheit*. Die in einem Mädchen verkörperte Schönheit bekommt erst im Bunde mit wahrer Liebe und menschlicher Wärme ihren Wert:

---

[70] Aus der Kritik, die Eichendorff im Roman auf das Gedicht folgen läßt, kann man ableiten, daß der Inhalt des Gedichts noch der Jugenddichtung entspricht, daß zwar von echter Liebe darin die Rede ist, diese Liebe aber nicht an einem überpersönlichen — und das heißt für Eichendorff immer christlichen — Maßstab gemessen wird. Mit dem Morgen- und Auroramotiv bringt Eichendorff später ein für ihn stets positives Element christlicher Prägung zum Ausdruck.

Nun bist du frei von deinen Sünden,
Die Lieb' zog triumphierend ein,
Du wirst noch hohe Gnade finden,
Die Seele geht in Hafen ein.

Der hier geäußerte Gedanke taucht in ähnlicher Form bereits in dem Schulgedicht Sch 54a auf. Doch jetzt wird klar zwischen ethischen und ästhetischen Werten geschieden. In *Ahnung und Gegenwart* ist Friedrich — das Sprachrohr Eichendorffs — der Verfasser des Gedichts *Der armen Schönheit Lebenslauf*. Es charakterisiert seine und gleichzeitig Eichendorffs Haltung ethischen Fragen gegenüber.

In der um 1811 entstandenen *Götterdämmerung, 1* entfaltet sich zum ersten Mal ein antikes Weltbild Eichendorffscher Prägung. Frau Venus ist Königin im Frühlingsreich. Ihre beflügelten Diener haben Liebende zum fröhlichen Fest geladen. Nun tanzt ein seliger Schwarm von Liebespaaren auf ihren blühenden Auen. Da hält die Musik inne. Der Tanz stockt. Die Liebenden erwachen aus ihrer rauschhaften Selbstvergessenheit. Der Frühlingszauber verblaßt. Die Frauen stehen sinnend. Die Ritter schauen kühn. Der mohnbekränzte Dionysos erscheint mit der Fackel in der Hand. Wenn er sie nach unten kehrt, erlischt ein Menschenleben. Bis hierher handelt es sich um die dichterische Veranschaulichung der Seinsmöglichkeit, die sich im Genuß des irdischen Lebens erschöpft. Dieses Reich der Weltlichkeit fand Eichendorff in der antik-heidnischen Welt verwirklicht vor. So konnte er sich der mythischen Gestalten jenes Weltbildes für seine Vorstellungen bedienen. Aber dieser erste Teil der *Götterdämmerung*, den Eichendorff zuerst *Das Leben. Eine Vision* betitelte und den Loeben als *Trinklied* veröffentlichte, ist doch noch nicht Ausdruck der Vorstellungen, die die reifen Werke des Dichters kennzeichnen. Die Trennung zwischen heidnischer und christlicher Seinsmöglichkeit ist noch nicht vollzogen. Gedanken, die die Heidelberger Gedichte auszeichnen, liegen diesem Gedicht zugrunde. Das Reich der Venus erstrahlt im Morgenrot. Mit diesem dichterischen Bild bekommt die heidnische Göttin eine christliche Färbung. Dionysos ist einmal der Tod in antiker Gestalt, zugleich aber auch Christus in der Gestalt eines Jünglings vom Himmel, der den Menschen „heimwärts" führt. Das „himmlische Sehnen" der Menschen kann als dionysische Todessehnsucht verstanden werden. Die Auflösung der Persönlichkeit wird nur dadurch aufgehalten, daß sich das auf Erden erloschene Leben jetzt in der Form eines funkelnden Sternes am Himmel wiederfindet. Diese Vorstellung gehört ebenfalls zum antik-heidnischen Bereich. Dagegen ist das Gebet an den „Vater" eine Bitte um Aufnahme in den christlichen Himmel. Erst im zweiten Teil der *Götterdämmerung* wird das Reich der Venus dem Reich der himmlischen Königin entgegengesetzt, steht dem dionysischen Versinken in die unerlöste Natur die christliche Heilsbotschaft gegenüber.

Zusammenfassung:

Meine Untersuchung hat den Entwicklungsgang der Eichendorffschen Jugenddichtung aufgezeigt. Während Eichendorffs Heidelberger Zeit war seine Dichtung von mystisch-romantischen Vorstellungen geprägt. Die tragende Gestalt der Heidelberger Gedichte ist eine Naturgöttin, die, mit Zügen einer irdischen Geliebten ausgestattet, auch der himmlischen Maria gerecht werden sollte. Eichendorffs innige Hingabe an das Naturreich, das sich in seinem Innern als Traumreich fortsetzt, führte ihn an den Rand eines Abgrundes, vor dem er mit Schauern zurückschreckte. Zuerst folgte er fasziniert den Lockungen einer zauberhaften Geliebten, die ihn aus räumlicher und zeitlicher Ferne rief. Dann mußte er in ihr die Verführerin erkennen, die ihn dem Abgrund preisgeben wollte. Vor ihrem Andrang konnte ihn eine Besinnung auf die christliche Form des Gebets als demütige Bitte um himmlischen Beistand, und ein Akt der Selbstüberwindung schützen. Die existentielle Gefährdung des Dichters ging Hand in Hand mit einer dichterischen Gefährdung. Eichendorffs Dichten verlor sich in Abstraktionen. Seine volksliedhafte Dichtung kann als Überwindung der vorigen Richtung verstanden werden. Von schlichten, allgemein-menschlichen Gefühlen — von Liebesglück und Liebesleid — ist darin die Rede. Aus seiner mystisch-pantheistischen Verfangenheit löste er sich aber auch dadurch, daß er wieder mit der Wirklichkeit Kontakt fand. Wie früher die „kleine Morgenröte," so forderte ihn jetzt seine Liebe zu Käthchen zur dichterischen Gestaltung heraus. Und dann wurde es vor allem Louise, seine spätere Frau, in der sich sein Wesen sammelte. Sie wurde für ihn zum Ideal der christlichen Frau. Eichendorffs Balladen- und Romanzendichtung bedeutet einen weiteren Schritt auf seinem Entwicklungsgang. Innerhalb dieser Dichtung wird wiederum ein Wandel spürbar. Die früher marianisch gefärbte Waldesbraut wird schließlich als heidnische Dämonin entlarvt und dargestellt.

Wird in diesen Balladen der heidnische Charakter der Dämonin herausgearbeitet, so wird in anderen Gedichten die pseudomystische Mariengestalt zu einer christlichen Form geläutert. Sie erscheint zuletzt als Mutter mit dem Kind und ist von den für Eichendorff typisch christlichen Symbolen der Lerche und des Morgens begleitet. Bis jetzt waren die Frauengestalten in den Balladen meist mythische Wesen. In einigen volkstümlichen Balladen sind es Personen aus dem Wirklichkeitsbereich. In anderen wiederum handelt es sich um allegorische Gestalten, und zwar um die personifizierte Poesie und die personifizierte Schönheit. Allegorische Frauenfiguren tauchten bereits in den Schulgedichten auf. Nun werden sie aber zum bedeutungsgeladenen Gegenstand von Gedichten, die einmal Eichendorffs Ansichten als Dichter, zum anderen seine Stellungnahme zu ethischen Fragen kennzeichnen. In der *Götterdämmerung 1* wird zum ersten Mal ein antikes Weltbild entworfen. Die Vermischung mit christlichen Vorstellungen zeigt aber noch seine Zugehörigkeit zur Jugenddichtung. Erst in der reifen Dichtung, der ich mich in der Folge zuwenden werde, steht das antike Weltbild stellvertretend für die heidnische Seinsmöglichkeit.

KAPITEL III

DIE LYRIK DES REIFEN EICHENDORFF

Am Ende der Novelle *Das Marmorbild* steht ein Gedicht, welches in mythischer Raffung ein in der Folge für Eichendorff typisches Bild der Weltgeschichte und der Mächte, die in und über der Natur und den Menschen walten, wiedergibt. Darin werden die heidnische und die christliche Seinsweise einander gegenübergestellt, wobei die eine im Bereich der heidnischen Göttin Venus vollzogen wird und die andere unter dem Zeichen der himmlischen Königin steht. In der von Eichendorff zusammengestellten Lyriksammlung bildet dieses Gedicht den zweiten Teil der *Götterdämmerung*, welche die Gruppe *Geistliche Gedichte* eröffnet:

Von kühnen Wunderbildern
Ein großer Trümmerhauf',
In reizendem Verwildern
Ein blühnder Garten drauf;

Versunknes Reich zu Füßen,
Vom Himmel fern und nah,
Aus anderm Reich ein Grüßen —
Das ist Italia!

Wenn Frühlingslüfte wehen
Hold übern grünen Plan,
Ein leises Auferstehen
Hebt in den Tälern an.

Da will sich's unten rühren
Im stillen Göttergrab,
Der Mensch kann's schauernd spüren
Tief in die Brust hinab.

Verwirrend in den Bäumen
Gehn Stimmen hin und her,
Ein sehnsuchtsvolles Träumen
Webt übers blaue Meer.

Und unterm duft'gen Schleier,
Sooft der Lenz erwacht,
Webt in geheimer Feier
Die alte Zaubermacht.

Frau Venus hört das Locken,
Der Vögel heitern Chor,
Und richtet froh erschrocken
Aus Blumen sich empor.

Sie sucht die alten Stellen,
Das luft'ge Säulenhaus,
Schaut lächelnd in die Wellen
Der Frühlingsluft hinaus.

Doch öd sind nun die Stellen,
Stumm liegt ihr Säulenhaus,
Gras wächst da auf den Schwellen,
Der Wind zieht ein und aus.

Wo sind nun die Gespielen?
Diana schläft im Wald,
Neptunus ruht im kühlen
Meerschloß, das einsam hallt.

Zuweilen nur Sirenen
Noch tauchen aus dem Grund
Und tun in irren Tönen
Die tiefe Wehmut kund. —

Sie selbst muß sinnend stehen
So bleich im Frühlingsschein,
Die Augen untergehen,
Der schöne Leib wird Stein. —

Denn über Land und Wogen
Erscheint, so still und mild,
Hoch auf dem Regenbogen
Ein andres Frauenbild.

Ein Kindlein in den Armen
Die Wunderbare hält,
Und himmlisches Erbarmen
Durchdringt die ganze Welt.

Da in den lichten Räumen
Erwacht das Menschenkind
Und schüttelt böses Träumen
Von seinem Haupt geschwind.

Und, wie die Lerche singend,
Aus schwülen Zaubers Kluft
Erhebt die Seele ringend
Sich in die Morgenluft.

Das Christentum versteht sich im geschichtlichen Ablauf als Überwindung des Heidentums. In christlicher Sicht folgte auf das immanente, in sich kreisende heidnische Weltbild — wofür im Gedicht die römisch-griechische Antike stellvertretend steht — das linear auf die göttliche Offenbarung ausgerichtete Christentum. Da aber das Heidentum neben seiner historischen Stellung eine weltimmanente Daseinsform ist, wiederholt sich in jedem christlichen Leben dieser geschichtliche Prozeß von neuem. *Götterdämmerung, 2* ist Eichendorffs mythische Gestaltung dieser christlichen Weltanschauung, die bestimmend für sein weiteres dichterisches Schaffen ist und die sich durch alle seine Werke zieht. Wie sehr Eichendorff nach weltanschaulichen Gesichtspunkten wertete, kann man daraus ersehen, daß er an die Literatur im allgemeinen weder ästhetische oder historische, noch rein ethische, sondern religiöse Maßstäbe legte. In diesem Geiste schrieb er seine *Geschichte der poetischen Literatur Deutschlands*.

Hier, wie auch in seinen übrigen literarhistorischen und in den historischen Schriften geht es um den Kampf des Christentums mit dem Heidentum. In der Schrift *Die Wiederherstellung des Schlosses der deutschen Ordensritter zu Marienburg* wird die Christianisierung des im 13. Jahrhundert noch heidnischen Nordens Europas durch den Orden der Deutschen Ritter geschildert: „Aber das Heidentum der kaum gebändigten Preußen brach unwillig immer wieder in die alte Freiheit hinaus und rang in wilder Empörung mit dem neuen Lichte; ... Die alten heidnischen Götter gingen noch immer mahnend und Rache fordernd ringsumher durchs Land." Doch „es bildete sich durch und um die Burg ein fester Kern christlicher Gesittung, an dem die rohe Gewalt keine Macht mehr hatte. — Aber auch die Wogen der Ströme besprach und bändigte Marienburg, denn gleichwie der Löwe den Blick des Menschen nicht verträgt, so erkennen überall die Elemente scheu die höhere Herrschaft des Geistes an" (NGA IV, 952—953). Die Marienburg, Ausstrahlungspunkt des christlichen Geistes, war unter den Schutz Mariens gestellt. „So waltete die heilige Jungfrau von den Zinnen der ihr geweihten Burg segnend über der jungen, christlichen Heimat" (NGA IV, 953). Dieselbe Idee, jedoch in die menschliche Existenz hineinverlagert, finden wir in der Einleitung zur geplanten Schrift über die heilige Hedwig:

> Es walten im Leben der Menschen seit dem Sündenfalle zwei geheimnisvolle Kräfte, die beständig einander abstoßen und in entgegengesetzten Richtungen feindlich auseinandergehen. Man könnte sie die Zentripetal- und die Zentrifugalkraft der Geisterwelt nennen. Jene strebt erhaltend nach Vereinigung mit dem göttlichen Zentrum allen Seins, es ist die Liebe; während die andere verneinend nach den irdischen Abgründen zur Absonderung, zur Zerstörung und zum Hasse hinabführt (NGA IV, 1069).

Da sich dieser Kampf in jedem Menschenleben erneuert, zieht er sich durch die ganze Geschichte: „Der Kampf dieser beiden Grundkräfte, je nachdem im Wechsel der Zeiten die eine oder die andere die Oberhand gewinnt, bildet die Weltgeschichte, deren große Aufgabe eben der endliche Sieg jener göttlichen Grundkraft ist" (NGA IV, 1069).

In den zum größten Teil erst nach 1843 entstandenen theoretischen Schriften hat sich Eichendorffs Altersweisheit, die Summe seiner Erfahrungen und Überlegungen niedergeschlagen. Es können daraus manche Rückschlüsse auf sein eigenes Dichten gezogen werden. Denn auch darin geht es um den Kampf der beiden Grundkräfte und den endlichen Sieg der christlichen über die heidnischen Mächte.

In solcher Kürze und Prägnanz, wie Eichendorff den Mythos vom christlich-heidnischen Gegensatz in *Götterdämmerung, 2* dichterisch gestaltet hat, werden wir ihn sonst in keinem seiner Gedichte mehr finden. [71] Kosler faßt die Essenz des Gedichtes in folgende Worte:

---

[71] Der Begriff „Mythos" wird hier und an anderen Stellen meiner Arbeit im Sinne einer Verlebendigung der überwirklichen Realität, einer bildhaften Veranschaulichung der stets wirksamen Welt- und Seelenkräfte verwendet. Da es sich nicht um eine religiöse, sondern um eine literarische Arbeit handelt, glaube ich, die Anwendung des Begriffs sowohl auf den heidnischen, als auch auf den christlichen Bereich recht-

Unter den Bildern der liebreizenden Venus u. dem der Mutter Christi vermag er [Eichendorff] den Übergang von der einen Welt zur anderen u. in gewisser Beziehung die „Ganzheit" des Lebens auszudrücken. Frau Venus (die unvermählt-jungfräulich erscheinende) ist Sinnbild der heiter erlebten, göttlich beseelten, aber auch zum Unheil verlockenden Schönheit der Natur, der Macht, die die Lust der Sinne über den Menschen ausübt. — Das neue Leitbild, das vor der Menschheit aufleuchtet, ist das einer vergeistigten Liebe, nicht mehr das der sinnlich beglückenden Schönheit der Frau, sondern das der GM [Gottesmutter] mit dem Kinde. Sie zieht den Menschen empor. Maria ist Sinnbild der Gotterfülltheit der Frau, ja des Menschen schlechthin. [72]

Zwischen diesen beiden Welten, der heidnischen Welt der Venus und der christlichen Welt der himmlischen Maria, spielt sich für Eichendorff das menschliche Leben ab, bewegen sich also auch die in seinem Werk auftauchenden heidnischen und christlichen Frauengestalten. Diesen soll nun in der Lyrik des reifen Eichendorff nachgegangen werden. Es ergeben sich dabei dieselben Schwierigkeiten wie bei der Untersuchung der Jugendlyrik: Da das weibliche Wesen in den Gedichten selten ein Eigenleben führt und als Gestalt greifbar wird, muß es aus den ihm zugehörigen oder auf es zielenden Attributen erschlossen werden. Ich werde im folgenden das Hauptgewicht darauf legen, die lyrischen Bilder und Attribute in der reifen Lyrik herauszuarbeiten, welche im Eichendorffschen Sinne der Venus und der Diana einerseits, und der himmlischen Maria andererseits beigegeben werden können.

Während sich anhand der chronologischen Anordnung der Jugendgedichte der Entwicklungsgang von Eichendorffs Ideen aufzeigen ließ, erübrigt sich eine solche Anordnung in der reifen Lyrik. Sie würde zu den am Ende der Jugendlyrik gewonnenen Erkenntnissen nichts wesentlich Neues hinzufügen. Hingegen kann ein Vergleich von Motiven aus der späteren Lyrik mit solchen aus der Jugendlyrik zuweilen aufschlußreich sein. Aus der Gesamtsicht der reifen Lyrik des Dichters ergibt sich ein einheitliches Bild, doch scheinen eine Reihe von Gedichten aus dem Rahmen zu fallen. Dies ist nicht weiter verwunderlich, wenn man bedenkt, daß die einzelnen Gedichte oft eine momentane subjektive Situation, aus der heraus sie ent-

fertigen zu können. In Eichendorffs mythisch-dichterischer Schau „leben" die heidnische Antike und das Christentum. Beide sind, zwar als Antithesen, wahrhaft „da," wie in *Götterdämmerung*.
[72] Kosler, Artikel *Eichendorff*.

standen sind, spiegeln. Bei der folgenden Untersuchung müssen diese Schwankungen berücksichtigt werden, wenn nicht ein zu starres Bild der Eichendorffschen Dichtung entstehen soll.

Die Lyrik des reifen Eichendorff bietet für mein Thema eine viel geringere Ausbeute als die Jugendlyrik, obwohl erstere umfangreicher ist und einen bedeutend größeren Zeitraum umfaßt. Stand hinter der Jugendlyrik die Liebe und als deren Sinnbild das weibliche Wesen fast immer stellvertretend für das Leben, die Natur und das ganze jugendliche und dichterische Sehnen und Streben, so werden jetzt „Leben," „Natur" und die großen Fragen der menschlichen Bestimmung zu den umfassenderen Begriffen. Aus dieser Dichtung werde ich im folgenden die Elemente herausstellen, die der weltanschaulichen Zuordnung der Venus-, Diana- und Mariengestalten dienen. Doch eine Reihe von Liebesgedichten in der reifen Lyrik, in denen es nicht auf diesen heidnisch-christlichen Gegensatz ankommt, passen nicht in diese Gruppierung. Daher soll zur Vervollständigung dessen, was die Analyse der Liebeslyrik innerhalb der Schul- und Jugendgedichte ergab, kurz auf die Liebesgedichte des reifen Eichendorff hingewiesen werden. Einen großen Raum innerhalb der uns hier interessierenden Gedichte nehmen einmal die wehmütigen Erinnerungen an die vergangene Jugend, an den Frühling der Liebe, ein. Darauf folgen solche Gedichte, in denen aus der Erfahrung der Vergänglichkeit allen menschlichen Liebesglücks nach einer Form der Liebe gesucht wird, die beständig bleibt. Eine andere Gruppe von Liebesgedichten läßt sich unter dem Stichwort „Erlebnislyrik" zusammenfassen.

Der alternde Mann evoziert gerne und oft den Frühling der Jugend. [73] In der Jugendzeit schienen die Lichter des Frühlings „hold spielend durchs grüne Gezelt" (Ablösung). In diesem Frühlingsglanz war auch die Liebe getaucht. Da gab es ein „freudiges, erstes Begrüßen / Von Leben und Lieben zugleich!". Dem Jüngling stand die Welt noch offen. Voller Hoffnung und Erwartung blickte er in die Ferne. Er lauschte dem Strom von Tönen, der „Von noch unbekannten Schönen / Und von fernen, blauen Bergen sang" (An Philipp). Doch der Frühling des Lebens mußte dem Sommer, dem Herbst weichen. Wie die Natur, so ist das Leben den harten Gesetzen der Zeit unterworfen. „Vorbei ist das schöne Lieben," seufzt der alternde Mann (Vorbei). Die Erfahrung der Vergänglichkeit führt zur Suche nach

---

[73] Vgl. Ablösung; Vorbei; Bei einer Linde; Verlorene Liebe; Das Ständchen; Nachklänge, 6; Vesper; Dank; Nachtzauber.

bleibenden Werten. Diese werden im Jenseits, im christlichen Glauben gefunden. Früher wurde das jünglinghafte Frühlingssehnen in den Naturzyklus eingebaut. Jetzt richtet sich der Blick des „verspäteten Wanderers" auf den künftigen Lenz, der nach dem Tode beginnt (*Der verpätete Wanderer*). Das Morgenrot, das den Frühling des Lebens beschien, wird zum ewigen Morgenrot. In dem sehr späten Gedicht *Mahnung* wird das Fazit des an die Gunst der Welt verschwendeten Lebens gezogen: „Hätt'st du zu ihm, von dem die Himmel sagen, / Den kleinsten Teil der Liebe nur gewendet, /.../ Du würdest jetzt nicht hoffnungslos verzagen." Denn nur in Gottes Armen, „Da findst du, was die Welt nicht kennt, Erbarmen." Nicht immer aber braucht die irdische in himmlische Liebe umzuschlagen. Manchmal werden die an Zeit und Raum gebundene Liebe und Geliebte aus dem Bereich der Vergänglichkeit in das Land der Ideale hinübergerettet. [74] Der Gärtner im gleichnamigen Gedicht, dem die geliebte hohe Frau als Person unerreichbar bleibt, verwandelt sein Begehren einem Minnesänger gleich in hohe Minne. Denn „Die Liebe nur ohnegleichen / Bleibt ewig im Herzen stehn." In einem anderen Gedicht klagt der an Weib und Kind gebundene Sänger, daß sein Lenz vergangen sei. Er sehnt sich die Geliebte zurück. Dies gelingt ihm kraft seines Gesanges (*Sommerschwüle*, 2). Der Gedanke vom Dichter als Zauberer taucht wieder auf, der in kühnen Bildern die Schönheit ewig festzuhalten vermag (*Sängerglück*). Ja, wenn der Sänger sein Lied erschallen läßt, dann fängt der Frühling an, sich zu regen, die „Wälder und Quellen rauschen" und sein „Liebchen schüttelt die Locken" (*Entschluß*).

Weniger anspruchsvoll ist die Erlebnislyrik. Alte Liebe, im lyrischen Schaffen neu erlebt, oder erneutes Verliebtsein, läßt des Dichters Herz aufjauchzen. [75] Zahlreich sind die Gedichte, in denen einer früheren Geliebten gedacht wird, die inzwischen verheiratet ist oder die ihren früheren Liebhaber nicht mehr erkennt. [76] Oder aber es wird einer verstorbenen Geliebten nachgetrauert. [77] Diese Erlebnislyrik ist in der Schlichtheit der ausgesprochenen Gefühle und in der Form volksliedhaft.

---

[74] Schon der junge Eichendorff versuchte in den Schulgedichten, seine Liebe und den geliebten Gegenstand der Vergänglichkeit zu entziehen durch die Aufstellung eines Idealbildes, das dann der reife Eichendorff bewußt und in der Beherrschung seiner dichterischen Mittel gestaltete. Vgl. die beiden Gedichte *Treue; Fata Morgana; Glückliche Fahrt.*

[75] Vgl. *Neue Liebe; Frühlingsnacht.*

[76] Vgl. *Begegnung; Der letzte Gruß; Nachtgruß; Bei einer Linde.*

[77] Vgl. *Vom Berge; Sonette, 3; Gute Nacht; Verlorene Liebe; Vesper.*

Von einem solchen Gedicht ausgehend meinte Schön, daß sich bei Eichendorff die große Tiefe zu verlieren scheine (HKA I², Anm. S. 736). Diese einzelnen Gedichte darf man aber nicht fürs Ganze setzen, denn sonst läuft man Gefahr, Eichendorff zum biederen Volkslieddichter, zur harmlosen Singvogelnatur zu reduzieren. [78] In vielen von Eichendorffs Gedichten geht es um weit mehr als um die Gestaltung eines banalen Liebeserlebnisses oder um die Darstellung eines subjektiven Gefühls. Es geht um den Dichter, um den Menschen schlechthin, und um Mächte, die in und über ihm walten. Natur und Geschichte werden zur Enträtselung des Lebens herangezogen. In der Überzeugung Eichendorffs ist der Dichter dazu bestimmt, die Aussage zu erhellen, „die im Dasein und Sosein jeden Dinges und jedes Menschen verborgen und dunkel daliegt und, gäbe es nicht das Wort des Dichters, dunkel bliebe." [79] Doch er, dem sich die dunklen Mächte erschließen, ist selbst am gefährdetsten. Nicht umsonst läßt Eichendorff immer wieder den Sänger oder den Spielmann auftreten, der sich verirrt, der sich in die eigenen Gesänge verstrickt, den die verlockenden Sirenen in den „farbig klingenden Schlund" ziehen (*Die zwei Gesellen*). Die Geister, mit denen der Dichter Dialog hält und die er zu besprechen versucht, sind nicht selten die Dämonen in seiner eigenen Brust.

Die zwei gefährlichsten Dämonen, die ihn bedrohen, sind, in die psychologische Sprache übersetzt, ein ungezügelter Freiheitsdrang und eine überreizte Sinnlichkeit. Eichendorff hat ihnen u. a. in Venus und Diana Gestalt verliehen. Sind diese Leidenschaften einmal als verderblich und als todbringend entlarvt, so gilt es, ihnen entgegenzuwirken. Im freiwilligen Sichunterordnen, in einer bewußten Eindämmung der Sinnlichkeit und im karitativen Liebesdienst, der Selbstlosigkeit erfordert, können die Leidenschaften gebrochen, die Dämonen gebändigt werden. Dazu sind Willensstärke und ständige Wachsamkeit nötig. Das Vorbild, dem es nachzustreben gilt, ist die Frau, die sich selbst als die „Magd des Herrn" bezeichnete: Maria. Mit der Hilfe Mariens, der christlichen Frau, soll die Zudringlichkeit der heidnischen Dämoninnen Venus und Diana abgewehrt werden. In der dichterischen Darstellung werden diese Gestalten dadurch charakterisiert, daß sie in einen bestimmten Raum gestellt, von einer bestimmten Atmosphäre umgeben werden. Die hier charakteristischen Attribute und lyrischen Bilder möchte ich nun näher untersuchen.

[78] Ricarda Huch (*Die Romantik*, S. 579) und Theodor Mundt (HKA III, Anm. S. 351) z. B. haben Eichendorffs Dichtung verharmlost.
[79] Stein, *Dichtergestalten*, S. 151.

Dabei muß notwendigerweise eine Auswahl getroffen werden. Es kommen nur die Bilder und Attribute in Betracht, die stets dem heidnischen bzw. christlichen Bereich zugeordnet werden können, und auch davon nur die repräsentativsten. Bilder wie „Frühling," „Nacht," „Mondschein," die nur in einer bestimmten Konstellation als „heidnisch" oder „christlich" zu bezeichnen sind, bleiben hier außer Betracht. Sie erhalten erst in der Wechselbeziehung mit dem Menschen ihre volle sinnbildliche Relevanz. Nur dem Venus-Verfallenen wird der Frühling, nur dem Mondsüchtigen der Mond gefährlich. Dagegen sind Bilder wie „Abgrund," Morgenrot," etc., bei Eichendorff von vornherein fixiert und stehen oft als Ergebnis einer menschlichen Entscheidung oder als deren sinnbildlicher Ausdruck. Auch hier interessiert uns letzten Endes die Bedeutung des Bildes für den Menschen. Die eigentliche Aufspaltung in einen heidnischen und christlichen Bereich ergibt sich jeweils nur aus der Darstellung einer Grenzsituation, in welcher der Mensch vor eine Entscheidung gestellt wird. Er begibt sich da in den heidnischen Bereich, wo ihm die Lockung zur Verlockung wird, wo ihn sein Freiheitsdrang zur Zerstörung führt. Mit einem Gebet, durch einen Willensakt hätte er sich in den christlichen Bereich retten können. Von solchen Grenzsituationen war in den Jugendgedichten ausführlich die Rede. Sie werden in der Besprechung der Prosa einen wichtigen Raum einnehmen. Die nun folgende Heraustellung der „christlichen" und „heidnischen" Attribute aus der reifen Lyrik wird später der Prosauntersuchung zugute kommen.

1. *Die zu Venus gehörenden Attribute und Bilder*

a) *steinern und versteinern, Statuen und Marmorbilder*

In der Novelle *Das Marmorbild* erwacht die Venusstatue aus ihrer Versteinerung und wird für Florio zur gefährlichen Verführerin. Dieses Motiv der lebendig werdenden Statuen oder Marmorbilder ist in den Werken Eichendorffs häufig anzutreffen und daher auch in der Eichendorff-Forschung oft angesprochen worden. Es wurde stoffgeschichtlich bis in die Antike zurückverfolgt. [80] Parallelen zu Werken anderer Dichter wurden aufgezeigt. [81] Man suchte und fand einen Zusammenhang mit den

---

[80] Weschta, *Das Marmorbild*; Mühlher, *Der Venusring*, S. 50—62. Ein kurzer Hinweis findet sich bei Bezold, *Das Fortleben der antiken Götter*.
[81] Weschta, *Das Marmorbild*; Bianchi, *Italien*; Möbus, *Der andere Eichendorff*.

Marmorstatuen in den damaligen barocken Schloßgärten. [82] Es wurde zum romantischen Motiv schlechthin erklärt. [83] Für Kohlschmidt ist im Marmorbild die Chiffre des Dämonischen am konzentriertesten enthalten. „Das Marmorbild ist Einzelmoment der Parkformel, in dem dämonische Vergangenheit und das Geheimnis ihrer hohen Kunst immer wieder die Affinität des Realen zu den Untergründen des Daseins und den in ihnen waltenden einst wirksamen Mächten stichwortartig in Erinnerung bringen." [84] Damit hat Kohlschmidt die eigentliche Bedeutung des Marmorbildes bei Eichendorff erfaßt. Seine Aussage soll im folgenden an Beispielen belegt, gleichzeitig aber erweitert werden, und seine meines Erachtens zu eng gesehene „Formelhaftigkeit" soll einer differenzierten Betrachtungsweise Platz machen.

In Eichendorffs Jugendgedichten ist nur einmal, und zwar in *Die Spielleute* (J 120), von Statuen die Rede. Das ist umso erstaunlicher, als Eichendorff von jung an mit Schloßgärten vertraut war, zu deren unentbehrlichen Requisiten Statuen gehören. Die Vermutung liegt nahe, daß der junge Eichendorff diese Statuen nie anders als in Bewegung gesehen, daß er in sie immer Leben hineingelegt und -geträumt hat, ja, daß sie sich für ihn in Gesang aufgelöst haben. Eine Jugenderinnerung an das Schloß Tost aus den Memoirenfragmenten soll diese Annahme bekräftigen. Da heißt es:

Da in diesem Toster Ziergarten gehe ich einmal als Kind allein in der Sommer-Mittagsschwüle, alles wie verzaubert und versteinert, die Statuen, seltsame Beete und Grotten; da, bei einer Biegung, sah ich eine prächtige Fee eingeschlummert über der Zither — es war wieder die Muse — ich schauerte — . . . Aber ich konnte nicht schlafen die Nacht, das Fenster stand offen, es ging die ganze Nacht ein Singen durch den Garten. . . . Aber das Lied jener Nacht, ich konnt' es nimmer vergessen, alt nun bin ich geworden, doch — so alt ich bin, es erwacht noch oft, als rief es mich in Modenschein-Nächten und senkt mich in Wehmut! — (NGA II, 1077).

Dem reifen Dichter wird das Statuenmotiv, dessen Symbolträchtigkeit er erkannte, zum geeigneten dichterischen Bild für seine Vorstellungen.

[82] vor allem mit dem Schloß Tost. Vgl. Mühlher, *Die Zauberei;* Rehm, *Prinz Rokoko.*
[83] Fassbinder, *Eichendorffs Lyrik,* S. 29.
[84] Kohlschmidt, *Form und Innerlichkeit,* S. 197—198.

Den verzauberten Kindheitsgarten, den Eichendorff in seinen Memoirenfragmenten erwähnt, ruft er im Gedicht *Der alte Garten* ins Gedächtnis
zurück. Mit der Statue des Gedichts erwacht ein Stück Vergangenheit.
Hinter dieser Statue, die eine eingeschlafene Frau mit einer Laute in der
Hand darstellt, verbirgt sich die Muse, deren Lied er nimmer vergessen
konnte. Nicht als toter Stein, sondern als ein beseeltes Du tritt dem sich
besinnenden Ich im Gedicht die Muse, eine Bekannte aus der „alten schönen
Zeit" entgegen: „Mir ist, als hätt ich sie sonst gekannt —." Ihr Lied
ertönt noch wie damals in den Tiefen der Nacht, des Traumes und der
Seele:

> Und wenn es dunkelt das Tal entlang,
> Streift sie die Saiten sacht,
> Da gibt's einen wunderbaren Klang
> Durch den Garten die ganze Nacht.

Die meisten Marmorbilder in Eichendorffs Werken steigen aus dem Hintergrund dieser Jugenderinnerungen auf, sind Symbole der Sehnsucht, des
Liebesverlangens und der ungestillten Wünsche. Wie bei anderen Motiven
(z. B. „Heimweh") gehen die persönlichen Bezüge allmählich in einem
allgemeingültigen Bereich auf.

Noch aus zwei anderen Richtungen glaube ich, Einwirkungen auf die
Konzeption der Marmorbilder und ihre symbolische Bedeutung erkennen
zu können. Bei der Besprechung der Balladen wurde darauf hingewiesen,
daß sich Eichendorff mit Sagen- und Legendenstoffen befaßte und diese
in seiner Dichtung verwertete. Balladen wie *Die späte Hochzeit*, *Das
kalte Liebchen*, *Der Reitersmann* (J 154), *Die Hochzeitsnacht* (J 162), stehen
in diesem traditionellen Zusammenhang. Die Motive dieser Balladen ent-
stammen dem Vampyrismus, den Ibing als „Gipfelpunkt des Gespenster-
glaubens" bezeichnet. [85] Das Reich der Toten wird hier gespenstisch lebendig. Auf ihrem Lager von Stein, also im Grab, gewährt das „kalte
Liebchen" ihrem Schatz eine Hochzeitsnacht. In der schon früher erwähnten
Ballade *Die Hochzeitsnacht* drückt der als Gespenst erscheinende Bräutigam seine Braut „wie mit steinern'n Armen / ... / an die eis'ge Brust."
Des grausigen „Reitersmanns" „steinerner Wille" war es, sein Mädchen
ins Grab nachzuziehen. Die „späte Hochzeit" wird in einem Totenschloß
gefeiert. Grauenerregend ist die Braut in ihren eisigen, roboterartigen
Bewegungen. Sie sitzt auf einem dimantenen Sitz,

---

[85] Ibing, *Volksbrauch*, S. 45.

Von ihrem Schmuck tut's durch den Bau
Ein'n langen roten Blitz. —

Blass' Knaben warten schweigend auf,
Still' Gäste stehn herum,
Da richt't die Braut sich langsam auf,
So hoch und bleich und stumm.
Sie schlägt zurück ihr Goldgewand,
Da schauert ihn vor Lust,
Sie langt mit kalter, weißer Hand
Das Herz ihm aus der Brust.

Die Braut trägt Züge von Vampyrgestalten, die im Aberglauben der Bevölkerung noch zu Eichendorffs Zeiten ihr Unwesen getrieben haben sollen.

Gespenstersagen scheinen auch nach Eichendorffschen Tagebuchnotizen beliebter Unterhaltungsstoff gewesen zu sein. Die Trivialliteratur des ausgehenden 18. Jahrhunderts ist voll von Gespenstergeschichten. Daß Eichendorff diese Geister-Romane gekannt hat, darauf verweisen Mühlher und Seidlin. Eichendorff verbindet die Gespenster, die ja dem Totenreich angehören, einmal mit dem Begriff des Versteinerns, dann auch mit den Attributen „bleich" und „stumm." Die ganze Umgebung der Braut in der „späten Hochzeit" ist blaß und in Schweigen gehüllt. Die Braut selbst wirkt in ihrer Haltung wie aus Stein. In ihrem reichen Schmuck — nach Haller „ein Hinweis auf die Erstarrung des Lebens im anorganischen Bereich" [86] — liegt der gleiche Widerspruch von Faszination und Kälte, der auch ihren Körper anziehend und abstoßend zugleich macht. Den Bräutigam „schauert ... vor Lust." Den Genuß dieses Körpers muß er mit dem Leben bezahlen. In einen solchen, im Gedicht allerdings ganz in balladeske Form gekleideten Liebesbezug setzt die Eichendorffsche Venus ihre Verehrer, die sich von ihrer Schönheit betören lassen. Das Erstarrte und Gespenstische der Vampyrgestalt eignet auch der Marmorstatue.

Einer anderen Vorstellung, die der Verbundenheit der Toten mit den Lebenden Rechnung trägt, hat Eichendorff in dem bereits 1810 entstandenen Gedicht *Heimkehr* (J 104) ein ganz persönliches Gepräge gegeben. In einer Art Friedhofvision sieht der Dichter seine Ahnen tot aufrecht sitzen. Streng und steinern ist das Gesicht des Vaters. Es kommt dem Heimkehrenden so entsetzlich still und bleich vor. Diese Vision ging wohl

---

[86] Haller, *Balladenwerk*, S. 48.

aus einem nächtlichen Traum hervor, in dem die Grabmäler des Friedhofs die Gestalt der Ahnen annahmen. Das Morgenleuchten gibt den Gegenständen wieder ihre wirkliche Form zurück: „Steine, wie es lichte worden, / Standen da im Hof verstreut." Zwei Momente in diesem Gedicht verdienen noch erwähnt zu werden: Zunächst, daß der Sohn bei der geträumten Heimkehr das väterliche Schloß wüst und verfallen vorfindet. Das Verwildern und die Ruinen deuten darauf hin, daß der elementare Naturbereich alles Materielle zu sich zurückholt und seinen Naturgesetzen unterwirft. Dieser elementare Naturbereich ist es, in den die venushaften Gestalten in Eichendorffs Werken eingebettet sind. Bedeutungsvoll ist weiter, daß der versteinerte Vater ein Schwert in der Hand hält. Dieses Schwert — ein Symbol für die Pflicht, den Geist des Vaters zu bewahren — nimmt der Sohn vom Traum hinüber in die wache Wirklichkeit. In Eichendorffs Dichtung stoßen wir öfters auf Traumvisionen, die über das Erwachen hinaus in die gelebte Wirklichkeit hineinragen, ja diese entscheidend verändern. Auch im *Marmorbild* wird die Wirklichkeit vom Traum geprägt, wenngleich der moralische Zusammenhang ein anderer als in dem Gedicht *Heimkehr* ist.

Im Gedicht *Auf einer Burg* (J 128) sind wiederum historisch-legendäre Vergangenheit und Gegenwart in dichterischen Bildern nebeneinandergestellt. Der auf der Lauer eingeschlafene alte Ritter weist auf den Barbarossa der Kyffhäusersage.

> Eingewachsen Bart und Haare
> Und versteinert Brust und Krause,
> Sitzt er viele hundert Jahre
> Oben in der stillen Klause.

Während die im Ritter verkörperte Vergangenheit auf der Burg oben schläft, zieht unten im Tal eine Hochzeit vorbei. Die Hochzeit soll wohl nicht nur die lebendige Gegenwart der schlafenden Vergangenheit entgegensetzen, sondern auch das organische Weiterwirken der Geschlechter andeuten. Wie das Leben des Einzelnen, so ist die Geschichte eine in die Gegenwart hineinragende Vergangenheit. Die schlummernde alte Zeit hat u. a. Görres mit seiner Volksbüchersammlung wieder erweckt. Nicht auf die historisch-wissenschaftliche Erforschung des Mittelalters und des Altertums, sondern auf den „Geist", der diese Zeiten erfüllte, kam es den Romantikern an. Diesen Geist nahmen sie in den Ruinen, in den Kunstwerken und Denkmälern, als den sichtbaren Zeugen der Vergangenheit wahr.

Von einer solchen, den Legenden Rechnung tragenden Rekonstruktion der Geschichte bis zur Vision einer versteinten Märchenwelt ist es nur ein kleiner Schritt. Im Gedicht *In Danzig* sind es Statuen, vom Mond gespensterhaft beleuchtet, von denen des Dichters Blick weitergleitet in ein untergegangenes Reich, das allerdings durch die einleitende als-ob-Konjunktion von der konkreten Wirklichkeit losgelöst wird. Im Gedicht sollen solche verhaltene Hinweise und Vergleiche jedoch die hinter den Dingen verborgene eigentliche Wirklichkeit enthüllen oder auf eine solche mögliche Wirklichkeit aufmerksam machen.

> Dunkle Giebel, hohe Fenster,
> Türme tief aus Nebeln sehn,
> Bleiche Statuen wie Gespenster
> Lautlos an den Türen stehn.

> Träumerisch der Mond drauf scheinet,
> Dem die Stadt gar wohl gefällt,
> Als läg zauberhaft versteinet
> Drunten eine Märchenwelt.

> Ringsher durch das tiefe Lauschen,
> Über alle Häuser weit,
> Nur des Meeres fernes Rauschen —
> Wunderbare Einsamkeit!

> Und der Türmer wie vor Jahren
> Singet ein uraltes Lied:
> Wolle Gott den Schiffer wahren,
> Der bei Nacht vorüberzieht!

Es handelt sich hier um eine echt Eichendorffsche Vision. Die zauberhaft versteinte Märchenwelt, mit der sich der Dichter ein vergangenes Reich vergegenwärtigt, ist eine gefährlich-schöne Welt. Damit aber die Gefahr gar nicht mehr offen ausbrechen kann, singt der Türmer am Ende des Gedichts sein uraltes Lied: „Wolle Gott den Schiffer wahren, / Der bei Nacht vorüberzieht!" Das Gedicht weist dieselbe Dreiteilung auf wie *Götterdämmerung, 2:* ein versunkenes Zauberreich, in seiner Versteinerung noch sichtbar, wird schließlich durch christliche Frömmigkeit in Bann gehalten. Die so dargestellte Weltgeschichte ist aber gleichzeitig die Geschichte, die sich auf dem Urgrund der Seele abspielt. Das Gedicht *In*

Danzig objektiviert, projiziert praktisch nach außen einen Vorgang, wie er an den Jugendgedichten bereits aufgezeigt wurde.

Kindheiterinnerungen, Gespenstersagen und ein organisch-mythisches Geschichtsdenken wurden in den bisherigen Ausführungen mit dem Statuenmotiv in Verbindung gebracht. Es soll nun die Statue in ihrer Wechselbeziehung zum Leben, zum Menschen, gezeigt werden. In seine zeitkritische Schrift *Der Adel und die Revolution* hat Eichendorff das Gedicht *Sonst* eingefügt, gleichsam als Illustration zu seiner Kritik an den nach französischem Muster zugeschnittenen Ziergärten, in denen sich die „in Schnürleib und Reifrock" gezwängte Kunst und das damalige gesellschaftliche Leben spiegelte (NGA II, 1029). Im Gedicht fängt der in der ersten Strophe skizzierte Ziergarten mit seinen zwischen Taxus stehenden Statuen gleichsam an, ein Menuett zu tanzen. Die schöne Chloe und ihr Kavalier sind die notwendige Staffage solcher Gärten und leibhafte Ebenbilder der Statuen, die in diesem „Irrgarten der Liebe" ihr tändelndes Spiel treiben. Doch dieser wohl parodistisch gemeinten Szene fehlt das Hintergründige. Eine kokette Rokokofigur wie Chloe strahlt nicht den verführerischen Zauber aus, dem Eichendorffs Jünglinge erliegen. Schwül duftender Flieder dagegen, Wasserkünste und weiße Statuen im Garten, den eine schöne Frau bewohnt: das bedeutet Versuchung. An diesem Garten kommen „die Spielleute" (J 120) vorbei. Ihr Verhalten dem Garten gegenüber läßt auf ihre innere Verfassung schließen: Sie schauen nur durchs Gittertor, gehen weiter „und singen / In der stillen Morgenzeit." Was sie der Versuchung als Widerstand entgegenzusetzen haben, ist ein morgenfrisches Gemüt. Im Gedicht *Sehnsucht* lassen zwei Gesellen in ihrem Gesang eine solche verführerische Landschaft erstehen:

> Sie sangen von Marmorbildern,
> Von Gärten, die überm Gestein
> In dämmernden Lauben verwildern,
> Palästen im Mondenschein,
> Wo die Mädchen am Fenster lauschen,
> Wann der Lauten Klang erwacht
> Und die Brunnen verschlafen rauschen
> In der prächtigen Sommernacht.

Oskar Seidlin kommen die lauschenden Mädchen „wie Herauslösungen aus den Marmorstatuen" vor. [87] Entsprechendes könnte man auch im Ge-

---

[87] Seidlin, *Versuche*, S. 65.

dicht *Die Spielleute* (J 120) zwischen den weißen Statuen und der schönen Frau sehen. Im Gedicht *Sehnsucht* droht die Gefahr dem Ich, das da einsam am Fenster steht und in die Ferne hinausträumt. Diese geträumte Ferne ist eine Dimension seines Innern. Das Lied, das die beiden Gesellen singen, singt sich in Wirklichkeit das Ich selbst. „Das Lied von der Welt taucht empor aus Ahnung oder Erinnerung." Die Vision — „wir kennen sie hinlänglich aus dem ,Marmorbild,' " sagt Seidlin — läßt „die verführerischen und ängstigenden Tiefenschichten der Seele erahnen." [88] Am Ende des Gedichts steht die Sehnsucht des Ich; es bleibt bei dem Wunschtraum, der sich in dem Ausruf entlädt: „Ach, wer da mitreisen könnte / In der prächtigen Sommernacht!".

Eine andere Darstellungsweise erfuhr die Venusstatue im Gedicht *Frau Venus*. Sie wird nicht mehr von außen her durch einen Menschen, wie die Muse im Gedicht *Der alte Garten*, beseelt. Ihr ist auch keine lebende Gestalt zur Seite gestellt, wie in den Gedichten *Die Spielleute* und *Sehnsucht*. Vielmehr tritt sie selbst als sprechende Person auf. Doch nicht freiwillig ist sie aus ihrer Erstarrung erwacht, sie wurde geweckt: vom Frühling, den sie mit „du" anredet, und von Menschen — verliebten Jünglingen — die sie „aus dem stillen Hause" rufen. Frau Venus ist weder der Frühling — denn von ihm wurde sie ja geweckt — noch die Erde, wohl aber Tochter der Erde, der schönen Mutter, „Die, wieder jung, im Brautkranz süß zu sehen." In *Götterdämmerung, 1* ist Venus Königin im Frühlingsreich, in *Götterdämmerung, 2* wird ihr Reich als versunkenes Reich bezeichnet, das aber in jedem Frühling neu ersteht:

> Da will sich's unten rühren
> Im stillen Göttergrab,
> Der Mensch kann's schauernd spüren
> Tief in die Brust hinab.

Aus diesem stillen Göttergrab steigt auch Frau Venus auf. Dem „stillen Göttergrab" entspricht im Gedicht *Frau Venus* das „stille Haus." Ihr Reich ist einmal ein geschichtlich fixiertes, dann ein der Natur innewohnendes, das seine Entsprechung im Menschen hat. Über den Zusammenhang von Natur, Mensch und Götterbild sagt Rehm:

> Ihre [der Natur] elementarischen Mächte verwandeln und verdichten sich in Göttern und Dämonen. Sie wirken und lauern auch im Menschen,

---

[88] Ibid., S. 71.

vorzüglich auch in seinen Werken. . . . Das Venusreich dauert an, vor allem im heidnischen Venusgarten. Ein schönes marmornes Venusbild „versinnlicht" die verführerischen Mächte und Begierden, die in diesem Garten wohnen. Das Bild kann lebendig werden. Die diabolisierte und vermaledeite Heidengöttin durchwirkt mit ihrem untilgbaren elementarischen Wesen „Zauberpalast" und „Lustgarten." [89]

Die sichtbare Statue, ein von Menschenhand geformtes steinernes Kunstwerk, kann so als Chiffre für unterirdische Mächte, die sowohl in der Natur als in der Menschenbrust schlummern, verstanden werden. [90] Die Wirkung der Statue auf den Menschen hängt aber schließlich von dessen Ansprechbarkeit auf ihre Verführungskünste ab.

b) Sirenengesang, Wehmut

Eichendorff spricht einmal von der Baukunst als einer gefrorenen Musik (NGA IV, 958). [91] Mit gleichem Recht könnte man die Eichendorffsche Marmorstatue ein zu Stein gewordenes Sirenenlied nennen. Sowohl das Marmorbild als auch das Sirenenlied sind Symbole für den irdischen Zauber und die sinnliche Schönheit, beide sind der immanenten Sinnenwelt verhaftet und damit im Eichendorffschen Sinne dem heidnischen Bereich zugehörig. Das Sirenenmotiv kommt in Eichendorffs Dichtung weit häufiger vor als das Statuenmotiv. Das liegt in Eichendorffs dichterischer und menschlicher Eigenart begründet. Nicht plastische Formen, sondern Duft, Klang und Farbe, also das Formlose, sind Eichendorffs charakteristische Stilmittel. Diese seine künstlerische Ausdrucksweise entspricht in erster Linie einem inneren, persönlichen Bedürfnis. Die Analyse der Jugendgedichte hat gezeigt, wie empfänglich Eichendorff für alle sinnlichen

---

[89] Rehm, *Prinz Rokoko*, S. 198—199.

[90] Das marmorne Venusbild im *Marmorbild*, das „nächt'ge Marmorbild" im *Julian* und die Marmorbilder im *Lucius* belegen in anschaulicher Weise diesen Eichendorffschen Grundgedanken. Damit widersetzt sich Eichendorff dem von der Klassik aufgestellten Schönheitsideal, das sich an der griechischen Antike orientierte. Die „harmonische" Schönheit der griechischen Götterbilder, die Winckelmann hervorhebt, verkehrt sich bei Eichendorff ins Dämonische. Der Griechenkult der Klassik und im besonderen die von ihr postulierte Verherrlichung des Menschen, der sich selbst Mitte sein will, steht im Gegensatz zum christlichen Menschenbild. Der klassische Geist setzt dem Christentum eine andere Religion entgegen, weckt die heidnische Seele im Menschen zu neuem Leben und Wirken. Dagegen mußte sich ein Eichendorff wehren.

[91] Der Ausdruck wurde von Friedrich Schlegel geprägt.

Wahrnehmungen war. Unter den Gedichten fanden sich Beispiele, wo die sinnlichen Eindrücke bis zur Sinnestrunkenheit gesteigert sind. Ein solcher Sinnestaumel wurde von Eichendorff schließlich als gefährlich entlarvt, da er zur Zerstörung des Menschen führen kann. Im Sirenenlied schwingt neben dem Lockruf zur Hingabe an die sinnlichen Reize stets die Warnung vor der drohenden Gefahr mit. Diese Doppeldeutigkeit von Lockung und Verführung macht den Gesang der Sirenen zum geeigneten Attribut der Venusgestalten.

Wie auf das Motiv der Marmorstatue, so haben auf das Sirenenlied-motiv eine Reihe von Vorstellungen eingewirkt. In dem oben zitierten Memoirenfragment hält Eichendorff eine Kindheitserinnerung fest, die ihn sein ganzes Leben lang begleitet hat. Es ist der Anblick der über der Zither eingeschlafenen prächtigen Fee und das mit ihr in Verbindung ge-brachte Singen, das die ganze Nacht durch den Garten geht. „Das Lied jener Nacht," sagt Eichendorff, „es erwacht noch oft, als rief es mich in Mondenschein-Nächten und senkt mich in Wehmut!" (NGA II, 1077). Es besteht eine Wechselbeziehung zwischen dem Lied und dem Dichter: Ihm ist, als riefe es ihn. Auch hat es eine bestimmte Wirkung auf ihn: Es senkt ihn in Wehmut.

Die Gedichte, in denen Eichendorff seiner Heimat gedenkt, rufen diesen wehmütigen Gesang in Erinnerung. „Kennst du den Garten?", heißt es in dem an seinen Bruder gerichteten Gedicht *Die Heimat*:

> ... Wenn sich Lenz erneut,
> Geht dort ein Mädchen auf den kühlen Gängen
> Still durch die Einsamkeit
> Und weckt den leisen Strom von Zauberklängen,
> Als ob die Blumen und die Bäume sängen
> Rings von der alten schönen Zeit.

Diese alte schöne Zeit ist die in dem evozierten Zaubergarten verbrachte Kindheit. Die Zauberklänge lassen selbst den Erwachsenen nicht mehr von diesem Bild loskommen: „Ach, dieses Bannes zauberischen Ringen / Ent-fliehn wir nimmer, ich und du!". Im *Nachruf an meinen Bruder* sind diese Zauberklänge zu Sirenenstimmen geworden, die er zum Schweigen bringen möchte. „Nicht immer," sagt Walter Rehm, „nicht in jeder Lebens-lage wollte Eichendorff diese Zauberlieder aus der alten Zeit ... wecken oder geweckt haben. Denn sie können ihm, als Erinnerung an die alte, verlorene Heimat, schneidendes, unnennbares Weh erregen, das er fürchtet." [92] Die Zauberlieder erwecken Heimweh im wörtlichen Sinne, zugleich aber auch das dionysische Verlangen nach einer Auflösung in der Natur. Die lockenden und verlockenden Stimmen steigen aus der Natur auf:

> Ein wehmütig Singen
> Tief unter den Quellen
> Im Schlummer dort hält
> Verzaubert die Welt.

(Nachruf an meinen Bruder)

Dieses Singen aus den Tiefen der Natur ist es, das den Dichter ruft. Er kann in zweifacher Weise auf den Ruf antworten. Er kann die Natur erlösen, wenn er sich ihr mit einem frommen Sinn nähert. Dann trifft er „Den rechten Grundton, der verworren anklingt / In all den tausend Stimmen der Natur!" Das Singen, das der Dichter vernimmt, ertönt draußen in der Natur, zugleich aber auch im Labyrinth der Menschenbrust, als irrer Klang, wortlos, als Ausdruck eines unbestimmten Sehnens, Träumens und Begehrens. Auch dieses gebundene Lied kann erlöst werden von dem, der das richtige Zauberwort trifft (siehe *Wünschelrute*). In den theoretischen Schriften hält Eichendorff immer wieder diesen Gedanken fest, so in der *Geschichte des Dramas:* „In der Natur aber, in den Träumen der Waldeinsamkeit wie in dem Labyrinth der Menschenbrust schlummert von jeher ein wunderbares unvergängliches Lied, eine gebundene verzauberte Schöne, deren Erlösung eben die Tat des Dichters ist" (NGA IV, 540). Der Dichter kann jedoch den verlockenden Stimmen erliegen, wenn er sich von ihrem Zauber umstricken, wenn er sich gehen und sich von ihnen „In der buhlenden Wogen / Farbig klingenden Schlund" ziehen läßt.

Es hat sich gezeigt, daß die Stimmen, die an des Dichters Ohr dringen, aus der Ferne der Heimat, aus den Tiefen der Natur und aus dem Innern der Menschenburst aufsteigen können. Nicht immer darf man diese Stimmen als Sirenenstimmen deuten — wenn man mit „Sirene" eine verführerische, in die Vernichtung lockende Kraft meint — doch können sie stets in Sirenenstimmen umschlagen. Zuweilen haben diese Klänge ambivalenten Charakter, nicht nur für die lauschende Gestalt im Gedicht, sondern für den Dichter selbst. Damit wird eine Problematik des Dichte-

---

[92] Rehm, *Prinz Rokoko*, S. 113.

rischen bei Eichendorff berührt, auf die kurz eingegangen werden soll. Eichendorff hat Dichtung immer mit Religion in Verbindung gebracht. Für ihn spiegelt sich das Wesen der Religion in der Kunst, besonders aber in der Poesie, ab, „deren Aufgabe ... offenbar mit jenem Grundwesen der Religion zusammenfällt, also in ihrem Kern selbst religiös ist" (NGA IV, 25). Als Grundwesen der Religion bezeichnet er „ein unabweisbares Gefühl von der Ungenüge des irdischen Daseins, und daher das tiefe Bedürfnis, dasselbe an ein höheres über diesem Leben, das Diesseits an ein Jenseits anzuknüpfen, Vergangenheit und Gegenwart beständig mit der geheimnisvollen Zukunft zu vermitteln" (NGA IV, 24—25). Diesem Streben gibt nach Eichendorff die romantische Kunst Ausdruck. „Das eigentliche Wesen aller romantischen Kunst ... ist das tiefe Gefühl der Wehmut über die Unzulänglichkeit und Vergänglichkeit der irdischen Schönheit und daher eine stets unbefriedigte, ahnungsreiche Sehnsucht und unendliche Perfektibilität" (NGA IV, 41—42). [93]

In immer neuen und oft wiederholten Formulierungen durchzieht diese Kunstauffassung, -forderung und -bewertung Eichendorffs theoretische Schriften.

Die Poesie ist ... die indirekte, d. h. sinnliche Darstellung des Ewigen und immer und überall Bedeutenden, welches auch jederzeit das Schöne ist, das verhüllt das Irdische durchschimmert. Dieses Ewige, Bedeutende ist aber eben die Religion, und das künstlerische Organ dafür das in der Menschenbrust unverwüstliche religiöse Gefühl (NGA IV, 26).

An Calderons Dichtung schätzt er, daß diesem „das Irdische ..., die ganze Natur, gottestrunken in Stern und Baum und Blumen mitredend, zum Symbol des Übersinnlichen wird" (NGA IV, 531). Auch Eichendorffs

---

[93] Nicht die ungestillte Sehnsucht, die der Unzulänglichkeit des alltäglichen Lebens entspringt, ist das die Romantiker von Vertretern anderer Geistesrichtungen unterscheidende Merkmal, sondern die Richtung, die der Romantiker — und in unserem Falle der christlich denkende Romantiker — dieser Sehnsucht gibt. Den Gedanken, den Eichendorff vor einem Jahrhundert ausarbeitete, formuliert ein moderner katholischer Theologe in ähnlicher Weise: „Die Unruhe und Ungestilltheit der Existenz ist aber der Beweis des Anderen, ja des Absolut-Anderen. Und so stehen wir vor der Paradoxie, daß der Mensch nur er selbst sein, nur dann zu seinem eigenen Wesen zurückfinden kann, indem er über sich hinauslebt, indem er erfährt, daß seine Erfülltheit gerade in der Unerfülltheit liegt. Da die eigentliche Befriedigung, die restlose Stillung der Sehnsucht unmöglich ist, entstehen Wehmut und wiederum Sehnsucht, tiefes Heimweh mit dem Bewußtsein, daß der Mensch von sich aus das Eigentliche gar nicht erfüllen kann" (Boros, Im Menschen Gott begegnen, S. 54).

dichterische Symbolik will, dem romantischen Geist entsprechend, „die Vermittlung ... der sichtbaren Natur" mit „der Welt des Unsichtbaren" (NGA IV, 447). Gemütsbewegungen wie Heimweh, Wehmut, Sehnsucht, können demgemäß eine vermittelnde Funktion zwischen diesen beiden Welten haben. Es entspricht Eichendorffs christlicher Konzeption vom Dichterischen, wenn das Heimweh nach dem irdischen Zuhause zum Symbol für ein Heimweh nach der ewigen Heimat wird, wenn das triebhafte Verlangen nach dem Einswerden mit der Natur in eine Todessehnsucht nach dem Himmel verwandelt wird, wenn die irren Klänge in der Brust sich in einer demütigen Gebetshaltung zur Melodie eines christlichen Liedes ordnen. Die natürlichen, triebhaften Bewegungen sollen also geläutert werden. Das ursprüngliche Gefühl widersetzt sich aber oft einer solchen Forderung, so daß diese meist nur in einem beständigen Ringen erfüllt werden kann. Das Ergebnis der dichterischen Entwicklung Eichendorffs, wie ich es bei der Besprechung der Jugenddichtung aufzeigte, muß vom reifen Dichter in einem andauernden Lebenskampf stets neu errungen werden. Der beständige „Kampf zwischen himmlischer Ahnung und irdischer Schwere" (NGA IV, 27), der nach Eichendorff durch die physische Welt und das Reich der Geister geht, ist auch des Dichters Kampf, den sein Werk spiegelt.

Welch starke Anziehungskraft die irdische Schwere selbst auf den reifen Dichter ausübte, zeigt das Gedicht Nachtzauber:

> Hörst du nicht die Quellen gehen
> Zwischen Stein und Blumen weit
> Nach den stillen Waldesseen,
> Wo die Marmorbilder stehen
> In der schönen Einsamkeit?
> Von den Bergen sacht hernieder,
> Weckend die uralten Lieder,
> Steigt die wunderbare Nacht,
> Und die Gründe glänzen wieder,
> Wie du's oft im Traum gedacht.
>
> Kennst die Blume du, entsprossen
> In dem mondbeglänzten Grund?
> Aus der Knospe, halb erschlossen,
> Junge Glieder blühend sprossen,
> Weiße Arme, roter Mund,

Und die Nachtigallen schlagen,
Und rings hebt es an zu klagen,
Ach, vor Liebe todeswund,
Von versunknen schönen Tagen —
Komm, o komm zum stillen Grund!

Der Lockruf in diesem Gedicht ist unwiderstehlich. Hier leuchtet der ganze Zauber der Natur auf. Nichts weiter wird verlangt, als sich der irdischen Schwere zu überlassen, „zum stillen Grund" zu kommen. So lockt eine Venus, so singen die Sirenen. Eichendorff hat diesem Gedicht den irdischen Zauber gelassen, er hat ihn weder ins Überirdische zu wenden, noch seine Kehrseite, die Entzauberung, anzudeuten versucht. Das Gedicht zeigt, wie groß die Versuchung für Eichendorff war, den Stimmen der Natur zu folgen und sich den irdischen Bildern hinzugeben.

In *Der Götter Irrfahrt* gelingt es der Sirene „Erde," selbst die Götter zu verlocken. Auch einem christlichen Dichter wie Eichendorff fiel es schwer, ihr zu widerstehen. Im Gedicht *Gebet* bekennt er: „Gott, inbrünstig möcht ich beten, / Doch der Erde Bilder treten / Immer zwischen Dich und mich." Eichendorff ist aber seiner Aufgabe, das Irdische mit dem Überirdischen zu verbinden, nie untreu geworden. Setzt man seine lyrischen Gedichte wie ein Mosaik zusammen, so ergibt sich das Bild seiner Theorie, dem auch seine epischen und dramatischen Werke entsprechen. Eichendorff hat das Ausgesetztsein des Dichters immer wieder betont, die Gefahr, die der Dichter läuft, sich zu verlieren. Ja, er hat geradezu vom Dichter gefordert, zwischen Scylla und Charybdis hindurchzugehen, wenn er das Ufer des Jenseits erreichen wolle. „Graut dir," sagt er zum Dichter, zu sich, oder zum Menschen überhaupt,

... weil im falschen Meer
Draußen auf verlornem Schiffe
Mancher frische Segler sinkt?
Und vom halbversunknen Riffe
Meerfei nachts verwirrend singt?
Wagst du's nicht draufhin zu stranden,
Wirst du nimmer drüben landen!

(Spruch)

Wie und ob man der verwirrend singenden Meerfei oder Sirene widerstehen kann, um dieses Thema kreist Eichendorffs Dichtung immer wieder.

Daß Eichendorff manch eine dichterische Gestalt dem Zauber verfallen und scheitern läßt, beweist, wie tief er die Gefahr selbst empfunden hat. Dieses Schicksal ereilt oft den Sänger in seinen Gedichten, [94] ihm erliegt der eine der „zwei Gesellen", der in die „klingenden, singenden Wellen ... des vollen Frühlings" hinauszieht und den verlockenden Sirenen folgt. Ihm wird „die tragende Lebenswelle des blühenden Frühlings zur Woge, die verschlingt, die Lockung zur Verlockung. ... Das ist die Größe und das Ergreifende seiner Tragödie," sagt Seidlin, „daß das Versprechen der Jugend sich als tödlich erweist, nicht dadurch, daß es sich nicht erfüllt, ... sondern dadurch, daß es ihn nie mehr losläßt, daß Ahnung, Hoffnung, Erwartung — aller Verweis auf Fülle und Macht des Lebens — ihm zu elementarer Mächtigkeit, zur Mächtigkeit des Elementaren, werden." Die Welle des Lebens trägt ihn „in seinen Grund, Urgrund und Abgrund, dort wo es letzte Wirklichkeit ist und — als letzte Wirklichkeit — Mythos. Sicher nicht ohne tieferen Sinn erscheinen hier die Sirenen, mythische Urbilder des Verführt- und Verschlungenwerdens." [95]

Die Sirenen locken in die räumliche Tiefe, mit der gleichzeitig eine zeitliche Dimension verknüpft wird. Ihr Lied von der alten, schönen Zeit steigt verworren wie aus Träumen auf. Es deutet darauf hin, daß die Natur eine Geschichte hat. Nur aus einer christlichen Weltsicht heraus läßt sich die Naturansicht erklären, die hier zum Ausdruck kommt. Wie der Leib der Venus — das heidnische Weltbild — zu Stein wurde, als das Christentum erschien, so schlug damals der Gesang der Sirenen in unsägliche Wehmut um, denn erst jetzt wurde die Unerlöstheit der Natur ins Bewußtsein gerückt. „Im Christentum wird alles verworrene Träumen der voraufgegangenen vereinzelten Religionsformen ‚erst zum Selbstbewußtsein gebracht und abgeschlossen,' " sagt Mühlher. [96] Im Bild der Märchenwelt, die das wehmütige Singen der Sirenen „tief unter den Quellen" im Schlummer verzaubert hält, stellt Eichendorff die unerlöste Natur dichterisch dar. Auch die kreisförmigen Bewegungen, die magischen Ringe, das einförmige Plätschern eines Springbrunnens, gehören zu diesem Bild. Dem räumlichen Insichkreisen entspricht der zeitliche Ablauf des Naturzyklus. So ist die Wehmut der Venus darüber, daß sie jeden Frühling von neuem geweckt wird, ein Zeichen des irdischen Verhaftetseins. Die Wehmut an

[94] Vgl. *Die zwei Gesellen; Der Sänger; Der Verirrte; Der irre Spielmann; Der zauberische Spielmann.*
[95] Seidlin, *Versuche*, S. 174—175.
[96] Mühlher, *Die Zauberei*, S. 61.

sich ist für Eichendorff kein Attribut des Heidnischen; sie ist vielmehr gerade dem christlichen und insbesondere dem romantischen Menschen bekannt. Aus dem Gefühl der Wehmut über die Unzulänglichkeit aller irdischen Schönheit wird die Sehnsucht nach Erlösung im christlichen Sinne geboren. Der wehmütige Sirenengesang wird dadurch ins Negative gekehrt, daß er an die Vergänglichkeit alles Irdischen gebunden bleibt. Der Mensch, der diesem Gesang verfällt, wird seiner Individuation beraubt. Er wird von den elementaren Mächten verschlungen, während die Natur über ihm ihr altes und ewig neues Spiel weitertreibt.

In dem Gedicht *An eine Tänzerin* wird eine menschliche Gestalt mit dem Sirenengesang in Verbindung gebracht und so in den heidnischen Bereich einbezogen. Das Heidnische gewinnt aber erst durch die Wirkung der Tänzerin auf den Mann an Bedeutung. Das rhythmische Spiel ihrer schönen Glieder erweckt in ihm ein sexuelles Verlangen: „Liebesnacht / Süß erwacht, / Wollüstig erklingen Lieder." Es sind die Lieder der Sirenen, die in seiner eigenen Brust wohnen. Da der Sirenengesang für ihn und sie verhängnisvoll werden kann, warnt er sie:

> Wecke nicht die Zauberlieder
> In der dunklen Tiefe Schoß
> Selbst verzaubert sinkst du nieder,
> Und sie lassen dich nicht los.

Die ganze Atmosphäre und der Rhythmus des Gedichts vibrieren von dem verführerischen Zauber, mit dem die Tänzerin ihren Partner an sich zieht.

Seidlin hebt bei der Besprechung des Gedichts *Die zwei Gesellen* „die Leitvorstellung des Weiblichen ... als das Verführerische, Arme der Sirenen, die den Liebenden buhlend umschlingen," hervor. Dem einen der zwei Gesellen wird das Erlebnis der Frau „zur endlosen Versuchung, dem Girren tausender Stimmen, zügellose Erotik, die den Widerstandswillen lähmt — Sirenen sind's — und den Menschen zu einem ‚Körper' reduziert, der ‚fällt.' " Die Frau wird zur „Elementargewalt des Sexuellen, des Verzehrenden." [97] Das Gesagte trifft auch auf das oben genannte Gedicht zu, ja es ist darin noch konkreter gestaltet. Wir erinnern uns an Jugendgedichte wie *Maria Magdalena* (J 65) und *Romanze* (J 70) und deren zehrende und verzehrende erotische Beschwörungskraft. Im Gedicht *An eine Tänzerin* ist diese Erotik stärker auf die negative Seite des Sexuellen konzentriert. Ihr wird nun nicht mehr in genußfreudigem Sinnen-

[97] Seidlin, *Versuche*, S. 179 und 180.

spiel gehuldigt. In einem verzweifelten Sichwehren gegen etwas, wovon die Sinne doch nicht lassen können, zeichnet sich die elementare Mächtigkeit der sexuellen Triebe ab. Eichendorff spricht einmal von der Geschlechtsliebe als der eigensüchtigsten aller menschlichen Leidenschaften, die bekämpft und „über allen sinnlichen Genuß hinaus ... vergeistigt" werden soll (NGA IV 514). Diese Leidenschaft ist sündhaft, weil sie egoistisch, und verderblich, weil sie ohne Bestand und dem Untergang geweiht ist. Mit dieser Betrachtung schließt das Gedicht:

> Tödlich schlingt sich um die Glieder
> Sündlich Glühn,
> Und verblühn
> Müssen Schönheit, Tanz und Lieder.

Es ist die Tragik aller irdischen Schönheit, daß sie unbeständig ist. Weit tragischer aber ist es, daß ihre unwiderstehliche Anziehungskraft ins Verderben führt. Die Frau, die Tänzerin des Gedichts, verkörpert die irdische Schönheit in ihrer ganzen Tragweite. Sirenenstimmen locken, drängen zur Besitzergreifung. Wer kann ihnen widerstehen? Das Dilemma Eichendorffs ist es, daß er „aller irdischen Erscheinung eine höhere Bedeutung und Schönheit [verleihen]" will (NGA IV, 487), daß ihn die irdische Schönheit aber zu sehr im Banne hält, als daß er die Verknüpfung des Diesseits mit dem Jenseits ohne Anstrengung erreichen könnte. [98]

2. Attribute der Eichendorffschen Diana
Abgrund, Jäger und Jagd

Wie „Marmorbild" und „Sirenengesang" die Eichendorffsche Venus charakterisieren, so kann mit den Bildern von „Abgrund," „Jäger" und „Jagd" die Dianagestalt näher definiert werden. Diana und Venus gehören

---

[98] Wenn man der Schlußfolgerung von Bollnows Aufsatz *Das romantische Weltbild bei J. v. Eichendorff* auch nicht ganz beistimmen kann, so berührt sie doch einen wunden Punkt in der Dichtung Eichendorffs, den hervorzuheben es sich lohnt: „Das letzte Ergebnis [der dichterischen Welt Eichendorffs], die Wendung in die christliche Religiosität, ist viel zu erregend und erfordert eine klare Auseinandersetzung, denn sie scheint nichts anderes zu bedeuten als eine Selbstaufhebung der Romantik, ja eine Selbstaufhebung der Dichtung überhaupt zugunsten des religiösen Bezugs. Es ist hier für ihn ein klares Entweder-oder, denn die Wendung zum Religiösen in der christlich-katholischen Form wird für ihn nur in einer klaren Abkehr von der Lebensauffassung vollzogen, aus der seine dichterische Welt allein lebte. Die ganze zauberhafte Schönheit, die Eichendorff in seinen Gedichten entfaltet, wäre letzlich als Glied einer teuflisch-verführerischen Welt zu verurteilen" (S. 521—522).

dem heidnischen Bereich an und sind daher wesensverwandt. In ihren Äußerungsformen sind jedoch Unterschiede zu erkennen. Das Venushafte äußert sich als Verführungsmächtigkeit der irdischen Schönheit, noch mehr jedoch als erotische Saugkraft, die zur Frau als Geschlechtswesen, in die Blütenpracht des Frühlings, in den stillen Grund, nach zeitlichen und räumlichen Fernen hin- und hinunterzieht. Dieser Bereich ist in ein Meer von Wehmut getaucht, das zuweilen bis zu einem unsäglichen Weh anschwillt. In diesem Meer versinkt derjenige, dem das Gefühl der Wehmut den Blick nicht nach oben öffnet, sondern der sich der irdischen Schwerkraft überläßt.

Während der Venusbereich das ganze tellurische Leben umfaßt und den Menschen als Naturwesen in seiner Abhängigkeit von und seinem Ausgeliefertsein an die untergründigen Naturmächte zeigt, ist das Diana-hafte im typisch menschlichen Bereich zu suchen, und zwar als Ausdruck schrankenloser Subjektivität und zügellosen Freiheitsdrangs. Den Diana-gestalten mangelt es an Maß und Bescheidung. Sie scheitern an ihrem unbändigen Selbstbehauptungswillen und Unabhängigkeitsdrang. Solche Charakterzüge eignen mehr dem Mann als der Frau. Eichendorffs Werk enthält daher auch mehr männliche als weibliche Gestalten dieser Prä-gung. Auffallend ist, daß Eichendorff eine mythische Verkörperung des Venushaften, aber kein Äquivalent für das Dianahafte geschaffen hat. Eichendorffs dianahafte Gestalten spielen stets in den Venusbereich hinüber, sind dem Urgrund, dem tellurischen, vegetativen Leben, das ja weiblicher Natur ist, irgendwie verbunden.

Das eigentlich Dianahafte scheint Eichendorff von seiner männlichen Empfindungsweise auf diese Gestalten übertragen zu haben. Meine Ver-mutung wird durch eine Stelle aus Loebens Brief an Eichendorff unter-stützt, worin es heißt, zu der — dianahaften — Romangestalt in *Ahnung und Gegenwart* müsse Eichendorff „leiblich irgend ein weibliches Wunder-wesen gesessen" haben, und er habe „bestimmt die Idee dazu in irgend einem Abenteuer empfangen." Eichendorff machte dazu die Randbemer-kung: „Nein, sondern in mir selbst" (HKA XIII, 62). Sucht man nach einer Darstellung des Dianahaften in der Lyrik, so findet man es fast aus-schließlich als Emanation eines männlichen Wesens. Es tritt in einem bestimmten Motivkreis auf, in den auch die weiblichen Dianagestalten in den epischen Werken gestellt sind. Die gemeinsamen Motive: „Abgrund," „Jäger" und „Jagd" sollen jetzt aus einigen Gedichten erschlossen wer-den. Die Handlungsweise der dichterischen Gestalten Eichendorffs wird weniger psychologisch motiviert, als vielmehr in Bilder übersetzt, in einer symbolischen Landschaft aufgefangen. Die felsige Landschaft mit den unheimlichen Abgründen und schwindligen Schlünden, reißenden Strömen und wilden Stürmen, ist in diesem Sinne zu interpretieren. Entlang der Höhenzüge und Felsenklippen geht die Lebensjagd des kühnen Jägers. Der Symbolik des Abgrundes in Eichendorffs Werk geht Zernin nach. „The poet places his characters on exposed heights as an indication of an impetuous temperament and a symbolic prefiguration of the violent end to which these demonic characters generally come. ... Dizziness seems to be the normal reaction of the ordinary observer to the intoxicating heights at which such characters move." [99] Die Höhe gewinnt erst durch den steilen Abgrund ihre Bedeutung. Denn der „ ,Abgrund' suggests the imminent fall into the abyss." [100] Wenn also Eichendorff seine Gestalten an solche Abgründe führt, wird motivisch auf die bevorstehende Gefahr hingedeutet, die allerdings im entscheidenden Augenblick abgewendet werden kann. Nun ist aber die Landschaftssymbolik Eichendorffs, soll sie auf eine Dianagestalt deuten, mitgeprägt von der Hybris, von der Selbstherrlichkeit dieser Gestalt. Die Felsenlandschaft verweist nur in einer bestimmten Konstellation auf ein dianahaftes Wesen. Wo diese Interdependenz gegeben ist, da trifft es zu, daß „the symbolism of the abyss ... strikingly similar, indeed evn stereotyped" ist. [101] Aber der Begriff des Abgrundes ist bei Eichendorff weiter gespannt. Der stille Grund, zu dem die Sirenen — Stimmen der Venus — mit ihrem „Komm herab, hier ist's so kühl" verlocken, und der dem Hörigen zum Abgrund werden kann, ist nicht der Abgrund, in den sich eine Dianagestalt stürzt. [102]

Vom Abgrund, dem sich eine Dianagestalt aussetzt, ist nirgends in den Gedichten die Rede, wohl aber von Abgründen, die sinngemäß zum Dianabereich gerechnet werden können und auf ihn verweisen. Bei der Besprechung der Jugendgedichte habe ich aus einigen Beispielen Rückschlüsse auf den Dichter gezogen, der sich eines kecken, treibenden und auch aufbegehrerischen Wesens bezichtigt. Eine Reihe von anderen Jugendgedichten,

---

[99] Zernin, *The Abyss*, S. 281—282.
[100] Ibid., S. 281.
[101] Ibid., S. 290.
[102] Der Abgrund in *Jugendandacht* wie in *Lockung* und *Nachtzauber* gehört zum Venusbereich. Der „Abgrund" der Seele in *Der Pilger*, 4 und *Gebet* tendiert zum Dianahaften. In der *Geschichte der poetischen Literatur Deutschlands* spricht Eichendorff in christlich-mystischem und daher positivem Sinne vom „Abgrund der göttlichen Geheimnisse" (NGA IV, 92).

die keinen unmittelbaren biographischen Aussagewert haben, enthalten Bilder von Felsen und Klüften, an denen einige auserwählte Menschen ihre Kühnheit messen und die ihrem Freiheitsdrang entsprechen: es sind Krieger, Ritter, Sänger und Wanderer. [103] Adlerflug und stürzende Felsbäche gehören zu diesem Bildkomplex. [104] Diese Gedichte, deren Entstehungszeit zwischen 1809 und 1812 liegt, sind allerdings beeinflußt von der zeitlich bedingten patriotischen Kriegsstimmung Eichendorffs und von seiner damaligen Beschäftigung mit Volks- und Heldensagen. Aber deren Grundstimmung deckt sich mit der von anderen und späteren Gedichten. Es ist ein Ausbrechen aus den inneren Schranken, das in dem frühen Gedicht *Sonette, 4* als dichterische Saturnale gefeiert wird: [105]

> Es wächst sehnsüchtig, stürzt und leuchtet trunken
> Jauchzend im Innersten die heil'ge Quelle,
> Bald Bahn sich brechend durch die Kluft zur Helle ...

und vor dem im späteren *Memento* als vor einem dämonischen Vorgang gewarnt wird:

> Doch wenn die Kräft', die wir „Uns selber" nennen,
> Die wir mit Schaudern raten und nicht kennen,
> Gebundne Bestien, wie geklemmt in Mauern,
> Die nach der alten Freiheit dunkel lauern, —
> Wenn die rebellisch sich von dir lossagen,
> Gewohnheit, Glauben, Sitt' und Recht zerschlagen
> Und stürmend sich zum Elemente wenden:
> Mußt Gott du werden oder teuflisch enden.

Aus den frühen Gedichten spricht oft jugendlicher Übermut. Der Held und der Sänger spielen sich als Weltverbesserer auf. Der erfahrene Eichendorff weiß um die Gefahren solcher Anmaßung. Während in den

---

[103] Vgl. *Der Dichter, 4* (J 35); *Die Freunde, 1* (J 89); *An Fouqué, 2* (J 148); *An A.* (J 93); *Nachtfeier* (J 101); *Zorn* (J 102); *An die Tiroler* (J 109).

[104] Vgl. *Sommerschwüle, 1; Trost* (J 71 b); *Der Dichter, 4* (J 35); *An die Tiroler* (J 109).

[105] In der älteren Fassung dieses Sonetts, das Pissin in die Sammlung der Jugendgedichte unter dem Titel *Der Dichter* (J 35) aufgenommen hat, fehlt dem zweiten Quartett das Ungestüme:

> Am Ufer träumen Wald und Berge trunken;
> Schauend den tiefen Himmel in der Welle
> Zieht süßes Weh' auch sie zur kühlen Stelle,
> Es stäubt der Strom geheimnisvolle Funken. —

frühen Gedichten dem Heldenmütigen der göttliche Beistand garantiert ist, verlangen die späteren Gedichte eine freiwillige Unterordnung unter den göttlichen Willen oder unter ein höheres Gesetz. [106] Selten wird der Wagemut auf einen bestimmten Gegenstand gerichtet, an dem er sich bewähren kann. Eichendorff geht bei der dichterischen Gestaltung vielmehr dem Faszinierenden oder Beunruhigenden dieser menschlichen Triebkraft an sich nach. Mit Wagemut ist der Lebensmut überhaupt gemeint. „Fahre zu! Ich mag nicht fragen, / Wo die Fahrt zu Ende geht!" (Frische Fahrt). [107] Das ist eine Aufforderung, die in Eichendorffs Dichtung motivisch wiederkehrt. Auch andere dichterische Bilder drücken die Lust aus, sich ins Leben zu stürzen, mit dem Leben zu ringen:

> Faß, Leben, wieder mich lebendig an!
> Mit deiner Woge will ich freudig ringen,
> Die tief mich stürzt, hebt mich auch himmelan.
>
> (Sommerschwüle)

Hier sind die Meereswogen, dort der Sturm — „Mich faßt der Sturm, wild ringen Licht und Schatten" (Entschluß) — oder die Jagd — „Bald Länder und Seen / Durch Wolkenzug / Tief schimmernd zu sehen / In schwindelndem Flug" (Jagdlied) — Metaphern und Bilder einer Lebenshaltung, die bejaht wird. Aber die nach außen projizierte Kühnheit hat ihren Ursprung in der inneren Unruhe, in einem dämonischen Getriebensein. Daher kommt es, daß das, was in einigen Gedichten bejaht, in anderen wieder zurückgenommen oder von einem „Hüt dich!" überschattet wird. [108] Es wurde schon einmal auf das Ausgesetztsein gerade des Dichters hingewiesen. Von der irdischen Schönheit mehr als andere versucht, von den inneren Dämonen stärker getrieben, bewegt er sich ständig an Abgründen. „Gar viele da im Felsgrund sich versteigen," heißt es von den Dichtern, die sich in die Muse — im Gedicht Schlimme Wahl als eine loreleiähnliche

---

[106] Vgl. Auf offener See; Der brave Schiffer; Ein Eiland, das die Zeiten nicht versanden ...

[107] Dem Schluß dieses Gedichts entspricht der Schluß von Bräutigam: „... frag nimmer, / Wo Lieb' zu Ende geht!" (siehe oben S. 57). Diese Zuversicht leitet der Dichter von Sängerfahrt von einer entsprechenden seelischen Disposition ab: „Ein rechter Strom bricht immer / Ins ew'ge Meer hinein." Wagemut und Kühnheit als männliche Verhaltensweisen werden von Eichendorff bejaht, solange sie nicht in Hybris und Maßlosigkeit umschlagen. Bei einer Frau jedoch werden sie als unweiblich verurteilt (siehe unten, Anm. 166).

[108] Vgl. Klang um Klang, 2; Zwielicht (J 118).

Fei dargestellt — verlieben. Nur der ist ein wirklicher Dichter, der „sich schonungslos dem zügellosen Blick der Fei aussetzt und sich von ihm zu Asche brennen läßt." [109] Seidlin geht auf dieses Dichterlos näher ein:

Es ist dieses Sich-Preisgeben, das Preisgegebensein dem Unbändigen und Ungebändigten, das aus zahllosen Eichendorffschen Liedern uns entgegenklingt als immer wiederkehrende Melodie des ausgesetzten Menschen, verführt zu einer Freiheit, die alle Grenzen und abschirmende Ordnungen aufhebt, anarchisch im eigentlichen Sinne, weil sie sich aller Satzung, allem Gesetz entzieht. [110]

Diese Lebensspannungen sind keineswegs nur dem Dichter bekannt, sondern sind Existenzprobleme der Menschen, als deren eigentlicher Repräsentant sich aber der Dichter fühlt: „Für alle muß ich leiden, / Für alle muß ich blühn" (Dichterlos). Was der Dichter leidet, was der Dichter gestaltet, „ist des Lebens wahrhafte Geschichte" (Der Dichter, 5, J 36). Die Gefahren, die ihm von innen und von außen drohen, sind die Gefahren, denen auch andere Menschen ausgesetzt sind. „Hüte jeder das wilde Tier in seiner Brust, daß es nicht plötzlich ausbricht und ihn selbst zerreißt!" (NGA IV, 367). Das ist ein Warnruf an alle Menschen, der umso eindringlicher ist, weil Eichendorff diese Bedrohung selbst zutiefst empfunden hat. In welchen Abgrund zügelloser Freiheitsdrang und schrankenlose Subjektivität führen können, zeigen eine Reihe von Gestalten in Eichendorffs Werken. [111]

In einigen Gedichten wird der Seelenzustand eines solchen zerrissenen Menschen bloßgelegt, wird die dämonische Zerstörungswut durch den schwindelerregenden Rhythmus und die Beschwörungskraft der Bilder intensiviert. Das Ich in Abend kommt einer anarchischen Auflösung ganz nahe:

Von üppig blühenden Schmerzen
Rauscht eine Wildnis im Grund,
Da spielt wie in wahnsinnigen Scherzen
Das Herz an dem schwindligen Schlund. —

Die Felsen möchte ich packen
Vor Zorn und Wehe und Lust

[109] Seidlin, Versuche, S. 199.
[110] Ibid.
[111] z. B. Rudolf und Romana in Ahnung und Gegenwart, Ezelin in Ezelin von Romano, Diana in Die Entführung.

Und unter den brechenden Zacken
Begraben die wilde Brust.

Der Abgrund, in den der Sprecher zu stürzen droht, tut sich in seinem eigenen Herzen auf. Sein zorniges Aufbegehren wirft ihn typischerweise auf sich selbst zurück. Von diesem selbstzerstörerischen Wirbel werden der „irre" und der „verirrte" Spielmann erfaßt (vgl. *Der irre Spielmann* und *Der verirrte Jäger*). Ihre rasende Jagd endet im Ausweglosen. In *Der irre Spielmann* ist der Umschlag von Freiheit in Anarchie und die darauffolgende Jagd der Furien mit einer unheimlichen Eindringlichkeit dargestellt:

Aus stiller Kindheit unschuldiger Hut
Trieb mich der tolle, frevelnde Mut.
Seit ich da draußen so frei nun bin,
Find ich nicht wieder nach Hause mich hin.

Durchs Leben jag ich manch trüg'risch Bild,
Wer ist der Jäger da? Wer ist das Wild?
Es pfeift der Wind mir schneidend durchs Haar
Ach Welt, wie bist du so kalt und klar!

Du frommes Kindlein im stillen Haus,
Schau nicht so lüstern zum Fenster hinaus!
Frag mich nicht, Kindlein, woher und wohin?
Weiß ich doch selber nicht, wo ich bin!

Von Sünde und Reue zerrissen die Brust,
Wie rasend in verzweifelter Lust,
Brech ich im Fluge mir Blumen zum Strauß,
Wird doch kein fröhlicher Kranz daraus! —

Ich möcht in den tiefsten Wald wohl hinein,
Recht aus der Brust den Jammer zu schrein,
Ich möchte reiten ans Ende der Welt,
Wo der Mond und die Sonne hinunterfällt.

Wo schwindelnd beginnt die Ewigkeit,
Wie ein Meer, so erschrecklich still und weit,
Da sinken all' Ström' und Segel hinein,
Da wird es wohl endlich auch ruhig sein.

„Wer wie der ‚irre Spielmann,‘ " sagt Stein, „mutwillig die äußere Bindung abschüttelt, ohne sie durch eine innere zu ersetzen, ist nicht lange wirklich frei; frei werden nur die unbekannten Mächte in der Tiefe. Sind diese entfesselt, so hat es mit der Freiheit des ganzen Menschen ein Ende." Er, der die Richtung seines Lebens zu bestimmen glaubte, wird nun „von seinen wilden Begierden getrieben." [112] Im Paradox des jagenden und gejagten Jägers ist die Ziel- und Sinnlosigkeit dieser wahnsinnigen Jagd enthalten.

In seinen theoretischen Schriften sieht Eichendorff das Grundübel dieser zerrissenen Menschen als religionsgeschichtliches Phänomen in einem großen Zusammenhang. Der Protestantismus der menschlichen Natur — prometheischer Trotz und faustischer Hochmut — hält die Weltgeschichte schon seit je in Bewegung. Nach Eichendorff „geht durch die ganze Geschichte, neben der unabweisbaren Sehnsucht nach Erlösung, eine Opposition des menschlichen Trotzes und Hochmuts, ein uralter, mehr oder minder verhüllter Protestantismus, der selbst und aus eigener Kraft und Machtvollkommenheit das Erlösungswerk zu übernehmen sich vermißt" (NGA IV, 75). Die Reformation habe „diesen Protestantismus nur vollendet und zum allgemeinen Volksbewußtsein gebracht." Sie habe „die revolutionäre Emanzipation der Subjektivität zu ihrem Prinzip erhoben" (NGA IV, 93).

Im Sturm und Drang habe sich die emanzipatorische Revolution erneuert. Die „übermütige Prometheusjugend" versuchte, „alle Schranken der Kultur und Konvenienz tumultuarisch vor sich [niederzuwerfen]. ... Der Mensch wurde nicht an einem Höheren über ihm gemessen, sondern die Welt an dem genialen Individuum, das sein eigenes Ideal war" (NGA IV, 428—429). Bei der Besprechung von Goethes *Faust* greift Eichendorff diesen Gedanken, der thematisch seine Literaturgeschichte durchzieht, wieder auf:

Die einsame Freiheit und Überhebung des Menschlichen, das nun sich selbst die einzige Autorität und Offenbarung sein soll, weckt den Hochmut und die natürliche Gier, sich demgemäß nach allen Richtungen hin ganz selbständig und „reinmenschlich" herauszubilden, und mithin auch das in ihm schlummernde Dämonische, „den Löwen, der nach Unersättlichkeit brüllt", zu entfesseln (NGA IV, 590).

[112] Stein, *Dichtergestalten*, S. 149.

Das, was Eichendorff als „faustisch" bezeichnet, ist eine dem Dichter und den Dichtern wohlbekannte dämonische Macht, mit der jene sich auseinanderzusetzen haben. Von Kleist sagt Eichendorff, daß es dessen „Unglück und schwer gebüßte Schuld [gewesen sei], daß er diese, keinem Dichter fremde, dämonische Gewalt nicht bändigen konnte oder wollte, die bald unverhohlen, bald heimlich-leise, und dann nur um so grauenvoller, fast durch alle seine Dichtungen geht" (NGA IV, 367).

Während nach Eichendorff der Mann und vorzüglich der Dichter die Tiefen und Abgründe des Lebens zu erfahren vermag, spricht er der Frau diese Fähigkeit ab. „Denn das Verhältnis der Frauen, wie es nun einmal ist und wohl auch niemals anders wird, ihre Erziehung und äußere Stellung zur Welt, wehrt den Anfall des ganzen, vollen Lebens von ihnen ab, und sie wissen von den großen Kämpfen und Abgründen desselben glücklicherweise nur vom Hörensagen und aus Büchern (NGA IV, 931). Die Frauen, die der aufgestellten Regel widersprechen, seien, wie Bettina von Arnim, eine „anomale Erscheinung" (Ibid., S. 930). In seiner Dichtung scheinen ihn aber gerade diese Ausnahmen zu fesseln. Fasziniert zeichnet er solch dämonisch getriebene Frauen, um sie dann zu verurteilen. Die Vermutung liegt nahe, daß er sein eigenes männliches Wesen auf sie übertrug und mit der Fülle des weiblichen Reizes umgab, um sich so als männlicher Widerpart an ihrer diamantenen Härte und Leuchtkraft zu messen. Doch oft gleichen sie mehr einer gestaltgewordenen Idee als einer realen Person.

In einigen Gedichten haben sie allegorische Bedeutung. So wird eine Stadt als stolze Braut dargestellt, welche der Krieger zu bezwingen versucht. [113] Solche Allegorien kennt ebenfalls die Volkstradition, wofür die Volksliedsammlung *Des Knaben Wunderhorn* Beispiele bietet. [114] Die Geschichte weiß aber auch von wirklichen oder legendären Heldinnen, von Amazonen und Walküren, zu berichten. Ihrem Geist ist Eichendorffs „deutsche Jungfrau" verwandt, die ein Zwischending zwischen germanischer Heldin und Allegorie ist, und im Kontext von *Ahnung und Gegenwart* und von *Hermann und Thusnelda* gleichzeitig Symbolcharakter hat. Während in der Ballade die heldenmütige Haltung des Fräuleins durchaus Be-

---

[113] *Die ernsthafte Fastnacht 1814.* In *Ezelin von Romano* redet Boso die Stadt Padua mit den Worten an: „Dort funkelt's wie 'ne Braut im Festgeschmeide. / Gebt meine Reiter mir! Will's Gott, ich hole / Das stolze Lieb mir heute noch zur Nacht!" (NGA I, 657).

[114] z. B. *Die vermeinte Jungfrau Lille; Halt dich, Magdeburg!*

wunderung erregt, wirft sie auf die Gestalten Romana und Thusnelda ein negatives Licht. Die Ballade wird aus einer zeitgeschichtlichen Situation heraus verständlich. Sie ist nach Haller „ein Produkt der Spannung zwischen Deutschen und Franzosen während der Befreiungskriege." Die „unweibliche Handlungsweise" des Fräuleins werde „durch den Nationalstolz gerechtfertigt, ja offenbar vom Dichter als vorbildlich ausgegeben."[115] Zur Deutung der Dianagestalten trägt sie daher kaum bei. Dazu ist die männliche Verhaltensweise, der ich anhand einiger typischer Beispiele aus der Lyrik nachgegangen bin, sehr viel aufschlußreicher. Die Lebensjagd entlang eines schwindligen Abgrundes, der Taumel, der den Jäger ergreift, der sich zu hoch und zu weit verstiegen hat, diese Bilder und Symbole lassen sich ganz oder teilweise auf die dianahaften Gestalten Romana und Diana, Juanna und die Königin der Wilden, von denen im zweiten Teil die Rede sein wird, übertragen.

3. Attribute Mariens

Die Dianagestalten stehen im krassen Gegensatz zum Eichendorffschen Ideal der Weiblichkeit, das in der himmlischen Jungfrau kulminiert. Der dianahaften Verselbstung und schrankenlosen Subjektivität wird unter dem Zeichen Marias weibliche Selbstentäußerung, Demut und Tugendhaftigkeit entgegengehalten. Als Symbol der Unschuld, der Reinheit und des Mütterlichen bildet Maria in der reifen Lyrik Eichendorffs auch einen Gegenpol zu den Venusgestalten, von denen sie sich in der Jugendlyrik noch nicht unterscheidet. Der Dichter der Heidelberger Zeit glaubte, der mystisch-pantheistischen Liebesauffassung der frühen Romantik entsprechend, die himmlische Jungfrau in jeder Geliebten anbeten, und sein Liebesgefühl, das sich an den sinnlichen Reizen und der erotischen Anziehungskraft des Weiblichen entzündete, an ihr heiligen zu können. Dieser Glaube wurde durch eine Krise, auf die ich bei der Untersuchung der Jugendlyrik einging, erschüttert. Von da an orientierte Eichendorff sein Marienbild an der christlichen Tradition. Die positive Bedeutung Mariens für die christliche Auffassung von der Liebe und ihren Einfluß auf die Stellung der Frau weist Eichendorff vor allem im Mittelalter, an der mittelalterlichen Minne und dem Frauendienst der mittelalterlichen Ritter nach. Darüber schreibt er in der *Geschichte der poetischen Literatur Deutschlands:*

[115] Haller, *Balladenwerk*, S. 22.

Der Frauendienst, in seiner ersten ungetrübten Blüte, wuchs vielmehr lediglich aus der christlichen und also idealeren Auffassung der irdischen Schönheit, — die Natur mit ihren Bergen, Wäldern, und Vogelsang mit eingeschlossen, — und aus dem daraus folgenden Gefühle der unsichtbaren Gewalt, welche die Unschuld und Reinheit dieser Schönheit, die im Weibe ihre höchste Blüte hat, über das zerfahrene Treiben und die verworrenen Leidenschaften des Mannes ausübt. Es ist, wie Gervinus richtig bemerkt, mehr die Verehrung des weiblichen Geschlechts als einzelner Frauen. Daher sehen wir diese Verehrung überall kühn an das höchste Ideal geistiger Schönheit, an die Verherrlichung der Jungfrau Maria geknüpft, als des himmlischen Symbols weiblicher Milde und Reinheit, das seinen überirdischen Glanz verklärend auf alle irdischen Frauen herniederstrahlte. Vergeblich suchen wir in allen anderen Sprachen einen Ausdruck für unsere deutsche Minne, für jene höhere Liebe, „die alle Enge und Weite umspannt, die auf Erden und im Himmel thront, die überall, nur in der Hölle nicht, gegenwärtig ist" (NGA IV, 67).

Eichendorffs Mariendichtung lebt aus diesem Geiste. Wenngleich es Eichendorff darin gelingt, der irdischen Schönheit Symbole für Maria und für die himmlische Liebe abzugewinnen, so zeigt sich doch auch die Schwierigkeit, diesen Symbolbezug durchzuhalten. Die Gefahr, in den Bann der Erde und der irdischen Schönheit zu geraten, ihnen zu huldigen anstatt sie zu läutern, taucht auch hier auf. Wo immer Maria mit der Natur in Verbindung gebracht wird, stellt sich diese Schwierigkeit ein. Inwieweit Eichendorff sie zu lösen vermochte, soll an den folgenden Beispielen von Gedichten, in denen Maria in irgendeinem Bezug zu den Blumen steht, verfolgt werden.

a) *Das Blumenmotiv in seinem Zusammenhang mit Maria*

Es entspricht Eichendorffs Naturverbundenheit und der romantischen Naturauffassung, wenn die Natur in allen ihren Äußerungsformen in Beziehung zum menschlichen Leben gesehen wird. So stößt man überall im romantischen Sprachgebrauch, selbst in theoretischen Abhandlungen, auf Bilder und Vergleiche aus dem Bereich der Natur. Wie innig Eichendorff die Beziehung von Mensch und Blume dachte, hat die Analyse von einigen Jugendgedichten gezeigt (oben S. 30 f.). In der Blume offenbart sich vor allem das weibliche Wesen. Eichendorff hat seine Empfänglichkeit für ihren sinnlichen Reiz dichterisch in der Erotisierung des schwül duftenden

Flieders, der Nachtblume, der Rose, bekundet. [116] Solange die Rose nur die Sinne berauschte, blieb sie Lockmittel des Venushaften. Erst als Eichendorff das Rosenmotiv von seiner erotischen Umhüllung befreite, konnte sie ihm im traditionellen Sinne zum Symbol für die himmlische Maria werden. Wie die Rose, so ist auch die Lilie christliches Sinnbild für die heilige Jungfrau, die als die „reine Jungfrau" verehrt wird, worauf Worbs eingeht:

> Sinnbild der Reinheit war sie [die weiße Lilie] von jeher im Judentum und Christentum. Bekannt ist ja, wie die weiße Lilie, die Madonnenlilie, als Attribut der Jungfrau Maria bei der Darstellung der Verkündigung erscheint, und daß bei Prozessionen Kinder Lilien in den Händen halten. ... Auch Eichendorff wird die sakrale Blume zum Symbol des Lichten, des Reinen. Im Gedicht „Blumen und Liebe" spricht er es deutlich aus. [117]

Worbs bezieht sich auf folgende Zeilen aus dem genannten Gedicht:

> Hoch und einsam in nächtlichem Garten sah ich
>   dich leuchten,
> Lampe der Vesta, klar, himmelwärts hauchend den
>   Duft,
> Und ich selber gebannt stand vor dir in Andacht
>   versunken,
> Lilie, Jungfraue schlank, schneeweiße, himmlische
>   Braut!

Das Preisen der Lilie bildet den Höhepunkt des Gedichts *Blumen und Liebe*. Die Lilie soll hier Bindeglied zwischen Vesta und Maria sein und auf deren gemeinsame Tugenden der Reinheit und Keuschheit verweisen. Der Symbolbezug zur himmlischen Braut Maria ist gegeben. Es könnte sich aber die Frage aufdrängen, ob diese Verse als Mariengebet gelten dürfen, oder ob hier nicht doch die irdische Schönheit in der Gestalt der Lilie um ihrer selbst willen verehrt wird. Meines Erachtens hat dieses Gedicht genügend Verweiskraft, um im Eichendorffschen Sinne als christlich gelten zu können. Die Lilie haucht ihren Duft „himmelwärts" und nicht dem andächtigen Betrachter entgegen, noch berauscht sie sich narzistisch an ihrem eigenen

---

[116] Vgl. *Die Spielleute* (J 120); *Romanze* (J 69, J 70); *Maria Magdalena* (J 65).
[117] Worbs, *Kaiserkron' und Päonien rot*, S. 68.

Duft, ein Unterschied, der gegenüber den frühen katholisierenden Gedichten hervorgehoben zu werden verdient.

Der Zusammenhang zwischen Maria und den Blumen entspricht zuweilen dem Verhältnis einer Mutter zu ihren Kindern, wie in dem Gedicht *Herbst,* wo „eine wunderschöne Frau" durch die Felder geht, „die Blumen in den Schlaf singt u. dazu von ihren langen Haaren goldene Fäden, ‚Marienfäden', spinnt." [118] Kosler nennt die Frau mit Recht eine „teils irdische, teils himmlische Gestalt." [119] Sie ist es im mythischen Sinne, als Mittlerfigur zwischen Himmel und Erde, die in diesem Gedicht ganz ohne Spannung eine kosmische Einheit bilden. Diese teilt sich in dem Gedicht *Auf meines Kindes Tod, 1* wieder in zwei Bereiche auf. Der Mutter Erde, die das tote Kindlein unter Blumen und Moos bettet, entspricht im Paradiesesgarten die himmlische Mutter, die zwischen goldenen Blumen stehend ihr Kind an die Brust drückt. Beiden ist das Mütterlich-Umfangende und Wärmende im positiven Sinne eigen. Verschieden aber ist ihr Verhältnis zu den Blumen. Während die Mutter Erde — wie auch die Frau in *Herbst* — organisch mit den Blumen verbunden ist, dienen die goldenen Blumen des Paradiesesgartens der himmlischen Frau zum Schmuck, der ihre Schönheit mehr aufleuchten läßt. Diese Mutter Gottes, als die schönste und mildeste aller Frauen, zugleich menschliche Gestalt und ideale Überhöhung des Menschlichen ins Göttliche, steht über der Natur. Die Natur als eine ihr untergeordnete Kreatur ist allenfalls dazu geeignet, sie zu preisen und ihr aufzuwarten.

Eichendorffs Mariendichtung reiht sich am reinsten da in die Geschichte der katholischen Marienverehrung ein, wo Maria einmal in ihrer Eigenschaft als Mutter mit dem Kind, und dann mit die Erde überragenden kosmischen Bildern wie „Regenbogen" und „Morgenröte" dargestellt ist, wie wir im folgenden sehen werden.

b) *Maria als Mutter mit dem Kind*

Es ist ihre Mutterrolle, die uns Maria menschlich nahebringt. Bereits die früheste uns bekannte Darstellung Marias zeigt sie als Mutter. Als eines der ersten deutschen Mariengedichte, das Maria diesen menschlichen Zug verleiht, nennt Haufe die um 1190 entstandene Mariensequenz aus dem Schweizer Kloster Muri. Neu daran ist nach Haufe der innige Gebetston

[118] Kosler, Artikel *Eichendorff.*
[119] Ibid.

und das ganz persönlich geschaute Bild. „Maria mit dem Christuskinde, wie es mit den kleinen Händen nach der Brust der Mutter greift, — das ist ganz neu, weil ganz lebendig, ganz menschlich und innig gesehen, das eröffnet den ganz persönlichen Zugang zur Gottesmutter." [120] Die Mutter des Gottessohnes wird zur Mutter der ganzen Menschheit. Jedem Menschen schenkt sie ihre mütterliche Liebe, gilt ihr himmlisches Erbarmen. Hierin liegt das spezifisch Christliche, das dann Eichendorff in *Götterdämmerung, 2* dem antiken Gottesbild entgegensetzt:

> Ein Kindlein in den Armen
> Die Wunderbare hält,
> Und himmlisches Erbarmen
> Durchdringt die ganze Welt.

Maria ist das Ideal der selbstlos liebenden Mutter, die allen egoistischen Liebesgenuß zurücksteckt und nur auf das Wohl des geliebten Kindes bedacht ist. An ihr großes Mutterherz kann sich der Mensch in allen Sorgen und Schmerzen flüchten:

> O Maria, meine Liebe!
> Denk ich recht im Herzen dein:
> Schwindet alles Schwer' und Trübe,
> Und wie heller Morgenschein
> Dringt's durch Lust und ird'schen Schmerz
> Leuchtend mir durchs ganze Herz.

Maria ist das „himmlische Erbarmen" selbst:

> Deinen Jesus in den Armen,
> Übern Strom der Zeit gestellt,
> Als das himmlische Erbarmen
> Hütest du getreu die Welt,
> Daß im Strom, der trübe weht,
> Dir kein Kind verlorengeht.
>
> *(Kirchenlied)*

Im *Marienlied* wird Maria als „heil'ge Nacht" angesprochen, die den müden Wanderer liebevoll mit ihrem Sternenmantel zudeckt.

Während für Haufe im *Kirchenlied* und im *Marienlied* Maria „noch in sehr romantischen Tönungen," wenn auch „bereits als ‚advocata' und

---

[120] *Deutsche Mariendichtung*, S. 359.

‚mater misericordiae', sogar schon als ‚regina coeli et terrae'" erscheint, zeigt für ihn „erst das Mariensonett des 51jährigen Dichters ... das Bild der Gottesmutter restlos befreit von allen romantischen Formeln und Requisiten." Dieses Gedicht setzt mit „dem uralten Bilde des menschlichen Lebens als einer großen Irrfahrt auf ‚wüstem Meer'" ein. [121] Auf dieser Lebensfahrt vertraut sich der Dichter seiner himmlischen Mutter an:

> Und auf dem Fels die mildeste der Frauen
> Zählt ihre Kinder und der Schiffe Trümmer,
> Stillbetend, daß sich rings die Stürme legen.
>
> Das sind die treuen Augen, himmelblauen —
> Mein Schiff versenk ich hinter mir auf immer,
> Hier bin ich, Mutter, gib mir deinen Segen!
>
> *(Die heilige Mutter)*

Nach Haufe greift dieses Gedicht auf die ältesten Bilder, auf den katholischen Urgrund der Marienverehrung zurück. Demgegenüber ist die Gottesmutter in dem Jugendgedicht *Mariä Sehnsucht* (J 71a) „reichlich unverbindlich, nur aus dem romantisch verstandenen Geiste des Volksliedes erfaßt." [122] Doch von der Gestalt Marias her gesehen reiht sich *Mariä Sehnsucht* in die Marienlyrik des reifen Dichters ein. Dies macht ein Vergleich mit der noch früher entstandenen *Frühlingsandacht* (J 55) augenfällig. Von den erotischen Zügen der „ewigen Jungfrau," die den Treuen „An ihre Mutterbrust mit tausend Küssen" zieht, ist die Mariengestalt später ganz befreit. In ihrer selbstlosen Mutterliebe liegt der entscheidende Gegensatz zur Geschlechtsliebe einer Venus. Die Bezeichnung „Jungfrau," die Eichendorff in seiner Jugenddichtung allzu willig einer Geliebten gab, fehlt in den Mariengedichten. Dafür ist nun die Reinheit als das Wesen der Jungfrau in der Muttergestalt Mariens immer, wenn auch unausgesprochen, enthalten.

c) *Das Regenbogen- und Sternenmantelmotiv im Zusammenhang mit Maria*

In *Götterdämmerung*, 2 steht Maria sinnbildlich auf dem Regenbogen, als Zeichen dafür, daß sie über die Welt hinausgehoben ist in den — kos-

---

[121] Ibid., S. 378.
[122] Ibid.

misch gesehenen — himmlischen Bereich, von wo aus sie die Welt mit ihren liebenden Blicken umfangen kann. Auch im *Marienlied* blickt Maria segnend vom Regenbogen herab. Dasselbe Bild nimmt das *Kirchenlied* auf, wo im Bundesbogen unschwer der Regenbogen zu erkennen ist:

> Auf des ew'gen Bundes Bogen,
> Ernst von Glorien umblüht,
> Stehst du über Land und Wogen;
> Und ein himmlisch Sehnen zieht
> Alles Leben himmelwärts
> An das große Mutterherz.

Das Regenbogenmotiv taucht bereits in einem Jugendgedicht auf *(Jugendsehnen,* 1, J 57), wo es in einem schwer zu entwirrenden Zusammenhang mit dem „himmlischen Bild" wahrscheinlich einer unerreichbaren Geliebten steht. Der Verweischarakter des Regenbogens auf den christlichen Bereich geht in der romantisch-mystischen Vorstellungswelt dieses Gedichts unter, während er in dem Jugendgedicht *Das Gebet* (J 46) in dem Bild der Brücke, die „zum friedlich sichern Heimats-Port" führt, deutlich ist.

In dem um 1813 entstandenen Gedicht *Aufbruch* neigen sich Regenbogen erbarmend über die gefallenen Soldaten. Der Regenbogen ist hier sinnbildlich als Eingangstor zum Himmel gedacht:

> „Also über Graus und Wogen
> Hat der Vater gnadenreich
> Ein Triumphtor still gezogen.
> Wer da fällt, zieht durch den Bogen
> Heim ins ew'ge Himmelreich."

Dieselbe Idee liegt folgendem nach 1830 entstandenen *Spruch* zugrunde:

> Laß nur die Wetter wogen!
> Wohl übers dunkle Land
> Zieht einen Regenbogen
> Barmherzig Gottes Hand.

> Auf dieser schönen Brücke
> Wenn alles wüst und bleich,
> Gehn über Not und Glücke
> Wir in das Himmelreich.
>
> *(Sprüche, 3)*

Wenn Maria auf dem Regenbogen erscheint, so deutet dieses Bild wohl auf ihre Mittlerrolle zwischen Diesseits und Jenseits, zwischen Erde und Himmel.

Der Sternenmantel ist ein weiteres, Maria adäquates kosmisches Bild, das die bergende Liebe der himmlischen Mutter veranschaulicht. Mit ihrem Sternenmantel deckt sie den müden Wanderer zu:

> O Maria, heil'ge Nacht!
> Laß mich nimmer wie die andern,
> Decke zu der letzten Ruh'
> Mütterlich den müden Wandrer
> Mit dem Sternenmantel zu.
>
> *(Marienlied)*

Dem Sternenmantel entspricht in *Der Umkehrende, 5* das Sternenkleid:

> Die Mutter Gottes wacht,
> Mit ihrem Sternenkleid
> Bedeckt sie dich sacht
> In der Waldeinsamkeit,
> Gute Nacht, gute Nacht!

Peter Schwarz bezeichnet das Bild des Sternenmantels als eines der ausgeprägtesten unter den Motiven des christlichen Nachtbereichs bei Eichendorff:

> Der dem Mantelmotiv immanente Sinngehalt bergender Liebe, der bei Novalis, Wackenroder und Görres deutlich anklingt, leitet über zur Bedeutung dieses Bildes bei Eichendorff. Auch hier ist der Sternenmantel vornehmlich Ausdruck bergender und behütender Liebe, daher fast immer dem Bild der Mutter zugeordnet. Himmlische und irdische Liebe, Mutter- und Marienbild sind aufeinander bezogen und teilen sich in das Attribut des Sternenmantels, so daß diesem der Charakter des Formelhaften weitgehend genommen wird, der ihm in der literarischen Tradition, von Novalis abgesehen, eignete. [123]

Nach Mühlher hat Eichendorff mit dem Motiv des Sternenmantels ein traditionelles mythologisches Bildsymbol in einen christlichen Bezug gesetzt. [124] Diese Tatsache mindert keineswegs den christlichen Symbol-

---

[123] Peter Schwarz, *Tageszeiten*, S. 122 und 123.
[124] Mühlher, *Der Poetenmantel*, S. 185. Allerdings verdeckt Mühlher durch die willkürliche Nebeneinanderstellung des Sternenmantelmotivs aus Werken verschiede-

wert des Sternenmantelmotivs. Sie zeugt vielmehr davon, daß auch der späte Eichendorff mit gutem Gewissen mythische Vorstellungen mit dem christlichen Geist vereinbaren konnte, wo immer sie dem christlichen Weltverständnis entgegenkamen.

d) Das Motiv der Morgenröte

Die bildliche und sinnbildliche Verknüpfung der Gottesmutter mit dem Regenbogen und mit dem Sternenmantel konnte an einigen dichterischen Beispielen belegt werden. Eine solch enge Verbindung zwischen der Morgenröte und Maria ist in den Gedichten nicht festzustellen. Dennoch soll die Morgenröte als Motiv in diesem Zusammenhang besprochen werden, da ihr stets die Idee der Erhebung, der Sehnsucht und der Freude beigemessen wird, und somit die Frauengestalten, die in ihrem Licht erstrahlen, ein positives, um nicht zu sagen christliches Gepräge erhalten. Da die Morgenröte Teil der Morgenmotivik ist, gewinnt sie ihren Platz im christlichen Weltbild Eichendorffs, in dem der Morgen „bedeutungsmäßig den ganzen Umkreis des christlichen Kosmos, Weltanfang und eschatologischen Ausblick" einbegreift. [125]

In der Morgenröte als Naturphänomen leuchtet die irdische Schönheit auf, welcher der Dichter eine höhere Bedeutung verleihen soll. Eichendorff erkennt bereits in der Natur „ein verhülltes Ringen nach dem Unsichtbaren über ihr" (NGA IV, 446). Des Dichters Aufgabe ist es, dieses Ringen wahrzunehmen und dichterisch zu gestalten. Wo in Eichendorffs poetischer Bildersprache eine Wechselbeziehung von oben und unten, von Himmel und Erde als sichtbarem Bereich besteht, muß ein religiöser Bezug in Betracht gezogen werden. Nicht nur der räumlichen, sondern auch der zeitlichen Dimension ist dieser Verweischarakter beigegeben. Das Motiv der Morgenröte ist vor allem in einem zeitlichen Bezug zu sehen. Es hat u. a. eine zukunftweisende Funktion, die ins Jenseits hinüberreicht. Peter Schwarz ist den möglichen geistesgeschichtlichen und literarischen Einwirkungen auf Eichendorffs Morgenrötemotiv nachgegangen. Er zog die Verbindungslinie von Böhmes theosophischer Idee einer progressiven Entwicklung der Menschheit zum Licht und der Vorstellung der Romantiker von einer pro-

---

ner Autoren den von Werk zu Werk verschiedenen Symbolcharakter des Motivs. Er verwischt damit die Wertgrenzen zwischen „heidnisch" und „christlich", auf die es mir bei der Interpretation des Eichendorffschen Motivs ankommt.

[125] Peter Schwarz, *Tageszeiten*, S. 243.

gressiv-religiösen Dichtkunst, die beide im Zeichen der Morgenröte bzw. Auroras stehen. Den drei für Böhme entscheidenden Sonnenaufgängen, nämlich am Weltschöpfungstag, bei Christi Erscheinen und in der Endzeit, fügten die Romantiker die „Aurora der neuen Zeit," den Anbruch ihrer Epoche hinzu. [126] Sie wollten die heilsgeschichtliche Entwicklung in die zum göttlichen Licht strebende Poesie hineinverlegen. Eichendorffs Dichtung zehrt von diesen romantischen Ideen, lenkt aber durch eine Rückbindung an christliches Gedankengut wieder in traditionelle Bahnen ein.

Das Motiv der Morgenröte erscheint bereits in Eichendorffs Schulgedichten, worauf ich bei deren Analyse eingegangen bin. Sein Bedeutungsgehalt läßt sich an dem für Eichendorff damals zugänglichen Erfahrungs- und Bildungsgut ablesen, und auf des Dichters innige Erlebnisfähigkeit und Naturverbundenheit schließen. Die verschiedenen Bedeutungsebenen des Motivs in der späteren Dichtung sind in den Schulgedichten im Keim vorhanden, erfahren allerdings mit Eichendorffs fortschreitender dichterischer Entwicklung Akzentverschiebungen und Bedeutungserweiterungen.

Das Bild der Morgenröte kann einmal aus der Bedeutung des Morgenerlebnisses für Eichendorff verstanden werden. Mit dem Morgen verbindet sich die Vorstellung von Frische und Kühle. Es ist die Zeit des Aufbruchs: Aufbruch zur Jagd, zum Wandern. Der sich lüftende Nebelschleier und das Farbenspiel der aufgehenden Sonne verleihen der Morgenstunde die ihr eigene Schönheit. Frische, Aufbruchstimmung, Schönheit: das sind die Elemente, die im Morgenrötemotiv sinnbildlich überhöht werden und dort „das Element der Begeisterung und inneren Erhebung" konstituieren. [127] Der Morgen gewinnt aber auch seine Bedeutung als Zeit des Erwachens und erfährt von hier aus seine ethisch-religiöse Funktion als Befreier aus bösen Träumen, aus der Dunkelheit der Versuchung in die Helle, in die Nüchternheit der ins wirkliche Licht gerückten Gegenstände.

Wird einerseits der Einfluß des morgendlichen Naturvorgangs auf die menschliche Verhaltensweise dichterisch ausgewertet, so wird andererseits das sichtbare Naturereignis auf analoge Vorgänge übertragen. Der Morgen als Beginn eines Tages wird zum Morgen des Lebens und der Natur, bedeutet also Jugend und Frühling. Von hier aus deutet er zurück auf den Morgen der Schöpfung und der Menschheit und voraus auf den Morgen des Lebens im Jenseits. An die Stelle des Morgens kann hier je-

---

[126] Ibid., S. 251—261.
[127] Ibid., S. 245.

weils die Morgenröte treten, denn sie ist bei Eichendorff die bildliche Veranschaulichung des Morgens, wobei in ihrer Licht- und Farbwirkung ein Schönheitsideal aufgestellt, und in ihrem Aufstieg die Begeisterung, „eine seelische Dynamik, die den unbedingten Willen zur Höhe und Steigerung in sich trägt," aufgezeigt werden soll. [128]

Für die Thematik meiner Arbeit ist das Morgenrötemotiv da von Bedeutung, wo es auf eine Frauengestalt hinweist oder zu ihrer Charakterisierung beiträgt. Von der „Morgenröte" in den Schulgedichten über die in den Jugendgedichten bis hin zu der „Morgenröte" in der späteren Lyrik besteht meines Erachtens eine Verbindungs- bzw. Entwicklungslinie. Bei der Besprechung der Schulgedichte wurde darauf hingewiesen, daß das aus dem Naturerlebnis und dem literarischen Einfluß gewonnene Bild der Morgenröte in Eichendorffs erster Jugendliebe Gestalt annahm, daß ihm dieses Mädchen im Licht der Morgenröte und als Morgenröte selbst erstrahlte. In den Schulgedichten ist die Morgenröte meist metaphorisch auf die Geliebte bezogen. Sie ist „die schöne Morgenröthe," die ihm „den schönsten Tag" verheißt (Sch 45), sie ist wohl der Inhalt seiner „Rosenträume," die „schöner Hoffnung Morgenroth umlacht" (Sch 36), und die ihm „des gantzen Lebens Bahn in Morgenroth / gehüllt" zeigen (Sch 60a). Die Morgenröte wird zum Inbegriff menschlichen Glückerlebens, aus dem Sehnsucht und Hoffnung auf noch größeres Glück erwachsen. Auch diese zukunftgerichtete Bewegung der Hoffnung, ja gerade sie, ist mit dem Morgenrot gemeint. Sie kann selbst das Endziel mit umfassen: eine intensive Liebeserfahrung, oder die Gunst der Musen, die ihm einen Platz im „Heiligthum der Grazien" (Sch 39) gewähren.

In den Jugendgedichten wird die dynamische Bewegung mit dem idealen Ziel verschmolzen. Es ist romantisches Ideengut, das damit anklingt: Das Motiv der Sehnsucht, das wesensmäßig zur romantischen Kunst gehört, ist auf die zeitliche oder räumliche Ferne ausgerichtet, auf ein Ziel hin, welches verspricht, die Sehnsucht zu stillen. Das Ideal oder der Gegenstand der Sehnsucht realisieren sich zuweilen in der Kunst dadurch, daß sie künstlerisch festgehalten und so verewigt werden. Diese Bewegung und gleichzeitige Fixierung hat Novalis als poetisches Programm aufgestellt: „Nichts ist poetischer als Erinnerung und Ahndung oder Vorstellung der Zukunft. ... Die gewöhnliche Gegenwart verknüpft Vergangenheit und Zukunft durch Beschränkung ... Es gibt aber eine geistige Gegenwart, die beide

[128] Ibid.

durch Auflösung identifiziert, und diese Mischung ist das Element, die Atmosphäre des Dichters."[129] Einige aus der Heidelberger Zeit stammende Jugendgedichte Eichendorffs haben Novalis direkt oder indirekt zum Vorbild. Sie kreisen meist um das Dichterische und den Dichter. Der Dichter ist der Liebende, der göttlich Begnadete, der Seher und Offenbarer. Die Liebe wird jetzt nicht mehr auf eine konkrete Mädchengestalt bezogen, sondern sie ist ein mystisches, weltbeseelendes Element, das als treibende Kraft des Kosmos und als eine vom Sichtbaren ins Unsichtbare transzendierende Potenz verstanden wird. In diesem Gedankenkreis taucht auch die Morgenröte auf. Als neue Poesie begrüßt und mit der romantischen Sehnsucht assoziiert wird die Morgenröte, als deren Verkünder Novalis explizit gemeint ist, in der Sonette *An Isidorus Orientalis* (J 5):

> „Zu den Sonetten an Novalis."

> Erwartung wob sich grün um alle Hertzen
>   Als wir die blaue Blume sahen glühen,
>   Das Morgenroth aus langen Nächten blühen, —
>   Da zog Maria ihn zu ihrem Hertzen.

Eichendorff hat jedoch eine dauernde und befriedigende Erfüllung nicht in der dichterischen Magie selbst finden können. Er suchte und fand sie in einem außerpoetischen Bereich, im christlich gesehenen Jenseits. In seinen theoretischen Schriften polemisiert er später gegen die Literaturtheorie, die Poesie mit Religion gleichsetzt. Poesie ist für ihn nicht Religion, sondern sie veranschaulicht sie, sie ist „ein geheimnisvolles Organ zur Wahrnehmung wie zur Mitteilung der göttlichen Dinge" (NGA IV, 472). Unter dieser neuen Sichtweise sollen die folgenden Gedichte betrachtet werden.

In dem Sonettenzyklus *Der Dichter* wird der Gedanke vom auserwählten Dichter ausgesprochen, der als Liebender die Schönheit der Welt erstrahlen lassen kann:

> Tritt erst die Liebe auf die blüh'nden Hügel,
>   Fühlt er die reichen Kränze in den Haaren,
>   Mit Morgenrot muß sich die Erde schmücken;
>
>   *(Der Dichter, 6, J 37)*

---

[129] Novalis, *Blütenstaub (109)*, IV, 287—288.

In einer anderen Sonette des Zyklus erschaut der Dichter das Wunderland, von wo ihn „die heil'gen Lieder" berühren. Er folgt diesen Tönen, bis er das Ziel erreicht. Aller irdischen Schwere entrückt, kniet er „ewig betend einsam nieder / Verklärt im ew'gen Morgenroth der Liebe" (*Der Dichter*, 3, J 34).

Während das Gedicht *An Isidorus Orientalis* ganz von Erwartung und Sehnsucht erfüllt ist, und in dem Sonett No. 6 die Verwirklichung des Ziels zum Programm des begnadeten Dichters erhoben wird, verbinden sich in dem zuletzt genannten Sonett Sehnsucht und Erfüllung. Der Dichter umreißt hier zunächst das Land der Sehnsucht:

> Ein Wunderland ist oben aufgeschlagen,
>> Wo goldne Ströme gehn und dunkel schallen,
>> Und durch das Rauschen tief' Gesänge hallen,
>> Die möchten gern ein hohes Wort uns sagen.
>
> Viel goldne Brücken sind dort kühn geschlagen,
>> Und drüber alte Brüder sinnend wallen —
>> Und seltsam' Töne oft herunter fallen —
>> Da will tief' Sehnen uns von hinnen tragen.
>>> (*Der Dichter*, 3, J 34)

Es ist ein Land, das des Dichters Phantasie entspringt. Kraft seines Dichtertums versucht er nun, sich dort anzusiedeln. In diesem Jugendgedicht will es ihm auch gelingen. In seinem Wunderland fühlt er sich „verklärt im ew'gen Morgenroth der Liebe."

Eichendorff nimmt die Vorstellung vom Wunderland mit in seine spätere Schaffensperiode hinüber, gibt ihr aber eine etwas veränderte Ausdeutung. Dem Wunderland entspricht in dem Gedicht *Eldorado* die Vorstellung eines vergangenen goldenen Zeitalters:

> Es ist von Klang und Düften
> Ein wunderbarer Ort,
> Umrankt von stillen Klüften,
> Wir alle spielten dort.

Dieser Ort taucht noch manchmal aus Träumen auf und ruft den so Träumenden mit jedem Morgenrot neu:

> Nun jeden Morgenschimmer
> Steig ich ins Blütenmeer,

Bis ich Glücksel'ger nimmer
Von dorten wiederkehr.

Die typisch romantische Vorstellung von einem untergegangenen Gottes-
reich, das in den irdischen Träumen des Menschen aufleuchtet und ihn
mit Sehnsucht erfüllt, pflegt Eichendorff in seiner reifen Lyrik mit dem
Gedanken einer Wiederkehr des Paradieses nach dem Tode im Jenseits
zu verbinden.

Was in *Eldorado* mit dem vergangenen, täglich sich erneuernden und
zukünftigen Morgenrot angedeutet wird, erscheint in *Der Maler* in
mythischer Raffung:

> Aus Wolken eh im näcth'gen Land
> Erwacht die Kreaturen,
> Langt Gottes Hand,
> Zieht durch die stillen Fluren
> Gewaltig die Konturen,
> Strom, Wald und Felsenwand.
>
> Wach auf, wach auf! Die Lerche ruft,
> Aurora taucht die Strahlen
> Verträumt in Duft,
> Beginnt auf Berg und Talen
> Ringsum ein himmlisch Malen
> In Meer und Land und Luft.
>
> Und durch die Stille, lichtgeschmückt,
> Aus wunderbaren Locken
> Ein Engel blickt. —
> Da rauscht der Wald erschrocken,
> Da gehn die Morgenglocken,
> Die Gipfel stehn verzückt.
>
> O lichte Augen, ernst und mild,
> Ich kann nicht von euch lassen!
> Bald wieder wild
> Stürmt's her von Sorg' und Hassen —
> Durch die verworrnen Gassen
> Führ mich, mein göttlich Bild!

Der mythische Charakter wird durch die Nennung der Göttin der Morgenröte verstärkt. In visionärer Überhöhung steht der Sonnenaufgang hier zugleich für den kosmogonischen Vorgang der Weltschöpfung. Das Gedicht deutet weiterhin den — christlich gesehenen — weltgeschichtlichen Ablauf an, der von der Antike über das Christentum führt, und gipfelt in einem wegweisenden Zeichen auf eine Zukunft hin. In der Reihenfolge „Aurora" — „Engel" kommt das Nacheinander von Antike und Christentum zum Ausdruck. In der dichterischen Zusammenschau sind jedoch beide — Aurora und Engel — Teile desselben Morgenereignisses, das sich auf der Leinwand des göttlichen Malers vollzieht. Der Engel bzw. das „göttliche Bild" ist einmal, ebenso wie Aurora, Versinnbildlichung des Morgens, [130] läßt aber durch den persönlichen Bezug in der letzten Strophe noch andere Assoziationen erahnen. Das „göttliche Bild" kann durchaus mit persönlichen Reminiszenzen des Dichters verbunden sein. Vielleicht taucht in dem Morgen- und Morgenröte-Erlebnis die Gestalt der „kleinen Morgenröte" aus Eichendorffs Schulzeit am Horizont auf. Es braucht aber gar keine konkrete Gestalt zu sein, die dem Dichter vorschwebt. Im „Engel" mag sich ein sublimiertes, aus erstrebenswerten Eigenschaften zusammengesetztes und mit Liebeskraft ausgestattetes Bild und Vorbild verdichten, das schließlich Leitbildcharakter annimmt: „Führ mich, mein göttlich Bild!" Das göttliche Bild soll ihn schutzengelhaft durch das Leben und hin zu Gott führen.

Ein anderes erinnerungsgesättigtes Bild ruft aus einem außermenschlichen Bereich das Ich im Gedicht *Treue*. Das Bild nimmt zwar keine Engelsgestalt an, wird aber durch einen Vergleich aus dem himmlischen Bereich zu einer lichten Erscheinung. Solche Leitbilder verwehren sich dem Zugriff. Als Ideale sind sie im Eldorado und im Jenseits beheimatet, können daher immer nur Gegenstand des Begehrens sein und den Menschen, der ständig bestrebt ist, sich seinem Ideal zu nähern, zur Vervollkommnung anregen. Grüßt das „göttliche Bild" vom christlichen Himmel, so die „wunderliche Prinzessin" vom Himmel der Poesie, dem Musensitz. Das Wechselspiel zwischen Himmel und Erde wird an einer Stelle dieses Gedichts zu einer Brautwerbung:

> Frisches Morgenroth im Herzen,
> Und voll freudiger Gedanken,
> Sind die Augen wie zwei Kerzen,

---

[130] Vgl. Peter Schwarz, *Tageszeiten*, S. 82.

Schön die Welt dran zu entflammen.
Und die wunderschöne Erde,
Wie Aurora sie berühret,
Will mit ird'scher Lust und Schmerzen
Ewig neu sie stets verführen.
Denn aus dem bewegten Leben
Spüret sie ein Hochzeitsgrüßen,
Mitten zwischen ihren Spielen
Muß sie sich bezwungen fühlen.

(Die wunderliche Prinzessin, J 160)

In der Metapher „frisches Morgenroth im Herzen" ist der ewig jugendliche Geist der Poesie angesprochen. Es ist die wunderliche Prinzessin, die gestaltgewordene Poesie, die frisches Morgenrot im Herzen trägt, was ihre Liebes- und Begeisterungsfähigkeit betont. Wo immer wir das Morgenrötemotiv in Eichendorffs Werk antreffen, ist seine primäre Bedeutung ein jugendlicher Elan. Dementsprechend beantwortet Eichendorff in seiner autobiographischen Schrift *Erlebtes* die Frage, was denn überhaupt die Jugend sei (NGA II, 508), worauf Schwarz näher eingeht:

> Die Aurora des Sonnenaufgangs ist hier Sinnbild der Jugend und diese wiederum transparent auf das schlechthin Ewige im Menschen, den religiösen Bezug, den sie unbedingt zu verwirklichen trachtet. In dieser ihrer Ausrichtung auf das Unendliche ist sie in religiösem Sinne progressiv und kann mithin ... als die „Poesie des Lebens" bezeichnet werden. Bereits hier deutet sich demnach „Aurora" im Bilde des Sonnenaufgangs als Zeichen progressiv-religiöser Poesie an. — Ist die Jugend die „Poesie des Lebens" in jenem umfassenden Sinne romantischer Naturpoesie, so ist es die Liebe im Verband mit ihr nicht weniger. [131]

In den oben zitierten Versen wird die wunderliche Prinzessin, die „ewig Schöne," zur Aurora, die hier Jugend, Liebe und Poesie bedeutet. Häufig wird mit dem Zitieren Auroras auch nur eine Aufbruchstimmung oder eine jugendliche Begeisterung formelhaft unterstrichen. Dabei ist auffallend, daß Aurora in den Jugendgedichten nach der Heidelberger Zeit oft in Verbindung mit Hörnerklang, also einem Aufbruch zur Jagd — sei sie Lebens-, Liebes- oder Kriegsjagd — genannt wird. [132] Noch einmal

---

[131] Ibid., S. 264—265.
[132] Vgl. *Jugendsehnen,* 3 (J 59); *Frische Fahrt* (J 116); *Der verirrte Jäger* (J 155); *Klage* (J 96); *Appell.* Die Bezeichnung „Aurora" tritt zum ersten Mal in J 59 auf.

128

wird in einem späteren Gedicht die Jägerlust in antiken Göttergestalten, u. a. auch in Aurora, überhöht. Er, der Jäger,

> ... Weckt die Götter alle,
> Von dem Berg Aurora lacht,
> Venus folgt dem mut'gen Schalle,
> Doch Diana, sie vor allen
> Stürzt hervor aus Waldespracht.
>
> *(Wenn die Bergesbäche schäumen ...)*

Diese Götter bzw. Göttinnen bleiben aber unverbindliche, rokokohafte Gestalten und sagen über die wesenhafte Bedeutung der Eichendorffschen Aurora, Venus und Diana nichts aus.

In einem anderen Gedicht aus Eichendorffs reifer Schaffensperiode wird Aurora einem Auf- und Durchbruch beigesellt:

> Laß dich die Welt nicht fangen,
> Brich durch, mein freudig Herz,
> Ein ernsteres Verlangen
> Erheb dich himmelwärts!
>
> Greif in die goldnen Saiten,
> Da spürst du, daß du frei,
> Es hellen sich die Zeiten,
> Aurora scheinet neu.
>
> Es mag, will alles brechen,
> Die gotterfüllte Brust
> Mit Tönen wohl besprechen
> Der Menschen Streit und Lust.
>
> Und eine Welt von Bildern
> Baut sich da auf so still,
> Wenn draußen dumpf verwildern
> Die alte Schönheit will.
>
> *(Durch)*

Für Schwarz wird Aurora hier „zum Zeichen für den von der Dichtung zu leistenden Durchbruch in den Bereich des Transzendentalen. [133] Dieser

---

[133] Peter Schwarz, *Tageszeiten*, S. 245.

transzendentale Bereich ist der Bereich der Poesie, der in die religiöse Sphäre hinüberspielt. Im Namen „Aurora" wird stets ein Stück Antike vergegenwärtigt. Doch die Göttin gibt sich nie dämonisch-heidnisch, im Gegensatz zu Venus, in der Eichendorff das Heidnische — wie im *Marmorbild* — zur Gestalt erhob. Das mag daher rühren, daß Eichendorff mit der antiken Aurora immer den christlich geprägten Morgenröte-Begriff verbindet. Es überrascht jedoch, wenn Eichendoff im ersten Teil der *Götterdämmerung* Venus mit Morgenröte umgibt. Auf diese Diskrepanz habe ich schon bei der Besprechung der Jugendgedichte hingewiesen und dazu bemerkt, daß Eichendorff in diesem Gedichtteil noch nicht die für ihn später geltende Trennung zwischen heidnischer und christlicher Seinsmöglichkeit vollzogen hat. Da diesem Gedicht eine weltanschauliche Bedeutung zukommt, ist die Venus / Morgenröte-Antinomie besonders relevant.

Peter Schwarz hat diesen Sachverhalt bereits untersucht und Parallelen zu Novalis aufgedeckt. Für Novalis erscheint die Antike im Licht des Morgens, während die christliche Welt im Zeichen der Nacht steht. Diese Konzeption, die in der fünften *Hymne* von Novalis ihren Ausdruck findet, scheint Eichendorff in seine Romanze übernommen zu haben. Schwarz führt weiter aus:

> Die hier nachgewiesene Tatsache, daß der antik-christliche Gegensatz in der ersten Romanze Fortunatos unter den gleichen tageszeitlichen Zuordnungen erscheint wie in der fünften „Hymne" Novalis' (Morgen-Antike, Nacht-Christentum), steht in einem unaufgelösten Widerspruch zu dem Bedeutungsgehalt der Tageszeiten im Handlungszusammenhang der Novelle. Denn dort erschien ja ... die christliche Welt eindeutig im Zeichen des Morgens, während die Nacht bzw. der Abend und der Mittag auf den Bereich einer dämonisierten Antike verwiesen. [134]

Im zweiten Teil der *Götterdämmerung*, den Fortunato am Ende der Novelle vorträgt, ist der Morgen nun ebenfalls der christlichen Welt zugeordnet, indem „das Bild der Maria im Lichtkreis des Morgens erscheint." [135] Der Widerspruch wird also nicht — wie Schwarz folgert — durch die Annahme aufgehoben, „die Darstellung des antiken Morgens in Fortunatos Romanze ... [besitze] einen anderen Aussagewert ... als die Transparenz des christlichen Morgens in der Novelle." [136] Denn der Widerspruch tritt ja

---

[134] Ibid., S. 234—235.
[135] Ibid., S. 235.
[136] Ibid.

bereits in den beiden Romanzenteilen zutage. Meine These ist, daß Eichendorff den unter dem Einfluß Novalisscher Gedanken etliche Jahre vor der Novelle verfaßten ersten Teil der *Götterdämmerung* in den für ihn erst später verbindlich gewordenen Vorstellungsraum, wo der Morgen die christliche Welt und die Nacht antikes Heidentum bedeutet, unverändert einfügte. Vom Dichterischen her ist das wohl zu vertreten, da der erste Teil am Anfang der Novelle steht, noch ehe Florio, durch die Venus-Versuchung geläutert, zu einer echt christlichen Haltung fand. Die Schlußfolgerung von Schwarz, daß Antike und Christentum zwei in Florio ringende Welten darstellen, die „als unterschiedliche Weisen der Welterfahrung in jedem Menschen seinsmäßig vorhanden" sind, [137] trifft zwar die der Novelle zugrundeliegende Konzeption, hat aber mit der Nacht/Morgen-Diskrepanz in den Romanzen wenig zu tun. Das in *Götterdämmerung, 1* in „Morgenrots Lohe" erstrahlende Venusreich hat Eichendorff in der Folge aus dem Morgen in den Nacht- oder Mittagsbereich verwiesen. In der zweiten Romanze ist mit dem Morgen der Anbruch des Christentums gemeint, an dessen Schwelle die Gottesmutter mit dem Kinde steht.

Dem christlichen Weltbild zugeordnet wird die Morgenröte in dem Gedicht *Der Liedsprecher, 2*. Als die Kaiserin von Rußland das Schloß Marienburg besuchte, ehrte Eichendorff sie als Schirmherrin der Burg mit folgenden Worten:

> O du — gleichbar der Hohen,
> Die dieses Haus bewacht
> Und Morgenrotes Lohen
> Im Norden angefacht —

Mit der „Hohen," die das Haus bewacht, ist die Muttergottes gemeint. Eichendorff bezieht in diesem 1822 entstandenen Gedicht das Bild, das er in *Götterdämmerung, 1* für das Venusreich gebrauchte, auf Maria. Sie ist es, die des „Morgenrotes Lohen / Im Norden angefacht." Im historischen Zusammenhang soll das bedeuten, daß die deutschen Ordensritter unter dem Schutz und Schirm der Gottesmutter das Christentum nach Preußen brachten. In den literarhistorischen Schriften setzt Eichendorff wiederholt die Morgenröte in einen sinnbildlichen und metaphorischen Bezug zum Christentum (vgl. NGA IV, 35, 42, 650). Durch diese Assoziation von Morgenröte und Christentum gewinnt auch all das, was von der Morgenröte beleuchtet wird, eine christliche Färbung.

[137] Ibid., S. 239.

Gewinnt einerseits die irdische Schönheit — Schönheit der Frau, der Natur — ihre höhere Bedeutung durch den Bezug zur himmlischen Maria, so bedarf andererseits Maria der irdischen Bilder, um menschlich verständlich zu werden. Eichendorff hat dazu solche Bilder gewählt, die der christlichen Tradition und seinem eigenen Empfinden gemäß Marias Eigenschaften: Unschuld, Reinheit, weibliche Schönheit und mütterliche Liebe, evozieren. Dabei stellen vor allem die kosmischen Bilder des Regenbogens, des Sternenmantels und der Morgenröte den überirdischen Charakter der himmlischen Frau heraus.

Zusammenfassung:

In der chronologisch verfolgten Untersuchung der Schul- und Jugenddichtung Eichendorffs konnte ein dichterischer Entwicklungsprozeß aufgezeigt werden, dem auch ein menschliches Reifen und Sichfinden des Dichters entspricht. Die Analyse der reifen Lyrik basiert auf den dort gefundenen Ergebnissen. Eichendorffs Denken folgte weltanschaulichen, nämlich spezifisch christlichen Kategorien. Aus diesen Kategorien heraus wurde seine lyrische Dichtung zu deuten versucht. Die Herausschälung bestimmter heidnischer und christlicher Wesenszüge, die sich zu den Gestalten Venus, Diana und Maria verdichten, erfolgte im ersten Teil meiner Arbeit nach entwicklungsgeschichtlichen, im zweiten Teil nach motivischen Gesichtspunkten. Aus dem Motivkreis, der die in Frage kommenden Gestalten umgibt, wurden solche Motive ausgewählt, die diese Gestalten besonders treffend charakterisieren. Attribute und Bilder wie „steinern," „Marmorbild," „Sirenengesang," evozieren eine Venusgestalt. Das Attribut „steinern" wird dem Totenreich zugesellt. Vergangene Zeiten leben in ihren steinernen Überresten fort. Diese Versteinerungen erschrecken oft den Lebenden. Wo sich ein heidnischer Geist in steinernen Statuen und Bildern festgehalten hat, bricht dieser immer wieder aus seiner Form aus, in der Suche nach einem verwandten Geist unter den Lebenden.

Wie das Marmorbild im optischen, so ist das Sirenenlied im akkustischen Sinne Zeichen des Venushaften. Das Sirenenlied appelliert an die im Menschen tief verankerte Wehmut und Sehnsucht nach größerem und schönerem Sein. Für den christlichen und romantischen Menschen entspringt aus diesem „Gefühl von der Ungenüge des irdischen Seins ... das tiefe Bedürfnis, dasselbe [das irdische Sein] an ein höheres über diesem Leben, das Diesseits an ein Jenseits anzuknüpfen" (NGA IV, 24). Einem solchen Nach-oben-Geöffnetsein wirkt aber die verführerische Stimme der Sirene entgegen, die in zauberhaften Tönen vom Glück sinnlicher Erfüllung singt; der Mensch braucht ihr nur hinunter zum stillen Grund zu folgen. Dort lauert jedoch der Tod.

Das Venushafte äußert sich als Verführungsmächtigkeit der irdischen Schönheit. Im Dianahaften drückt sich schrankenlose Subjektivität und zügelloser Freiheitsdrang aus. Solche Charakterzüge eignen mehr dem Mann als der Frau. Daher wurden die Motive: „Abgrund", „Jäger" und „Jagd" aus dem männlichen Bereich gewonnen. Der Mensch in seiner hochmütigen Selbstverstiegenheit isoliert sich von seiner Umwelt und stürzt schließlich in die Abgründe, die er sich selbst geschaffen hat. In seiner Jagd nach Freiheit kann diese leicht in Anarchie umschlagen, wo er, der Jäger, zum gejagten Wild der losgelassenen Furien wird. Von diesen aus der Lyrik herausgearbeiteten prometheischen Zügen finden wir erst in Eichendorffs Prosa einige weibliche, als „dianahaft" bezeichnete Gestalten geprägt.

Die Venus- und Dianagestalten stehen im Gegensatz zum Eichendorffschen Ideal der Weiblichkeit: Maria. Sie ist für Eichendorff das himmlische Symbol weiblicher Schönheit und Reinheit, Demut und mütterlicher Liebe. In der Rose wird ihre Schönheit, in der Lilie ihre Reinheit verherrlicht. Als Magd erfüllt Maria den Willen ihres Herrn. In mütterlicher Liebe breitet sie schützend ihren Sternenmantel über ihre Menschenkinder aus. Auf dem Regenbogen stehend weist sie den Weg vom Diesseits zum Jenseits. Maria brachte nach Eichendorff das Licht der Morgenröte in den geschichtlichen Ablauf. Ihr überirdischer Glanz strahlt von da an verklärend auf das weibliche Geschlecht nieder und verleiht ihm dadurch höhere Würde.

Hiermit ist die Untersuchung der Eichendorffschen Lyrik abgeschlossen. Sie hat ihre Aufgabe erfüllt, indem sie anhand von Beispielen Eichendorffs dichterischen und menschlichen Entwicklungsgang von einer diffusen zu einer klar umrissenen Vorstellung heidnischer und christlicher Eigenschaften aufweisen konnte. Eindeutige Kennzeichen des Venus- und Dianahaften und ihres christlichen Gegenübers wurden aus der reifen Dichtung herauskristallisiert. Abschließend sollen nun die Ergebnisse dieser Arbeit an einigen Frauengestalten aus Eichendorffs Prosawerken auf ihre Gültigkeit hin überprüft werden.

ZWEITER TEIL

DIE FRAUENGESTALTEN IN EICHENDORFFS EPISCHER UND DRAMATISCHER DICHTUNG

An Eichendorffs Lyrik ließ sich ein Entwicklungsprozeß des Dichters aufzeigen. Zur Zeit der Entstehung der Prosawerke — mit Ausnahme der
Zauberei im Herbste und teilweise von *Ahnung und Gegenwart*, Werke,
die noch in seine Jugendzeit gehören — war dieser Prozeß größtenteils zu
Ende. Das will aber keineswegs besagen, daß Eichendorff von da an die
Frauengestalten in seinen Werken nach einem stereotypen Schema hand-
habt. Aber meist lassen sie sich auf die Grundformen zurückführen, die
ich in der vorhergehenden Analyse als venus-, diana- und marienhaft bezeichnet habe. Dieser Dreiteilung folgt auch die nun abschließende Analyse
einiger charakteristischer Frauengestalten aus den epischen und dramatischen Dichtungen. Ich werde die Gestalten im Zusammenhang mit einem
oder aus der Sicht eines männlichen Gegenüber darstellen, da sie erst so
ihr eigentliches Wesen enthüllen. Für sich betrachtet würde sich manche
entweder in Nichts auflösen, wie die Geliebte des Prinzen Romano, oder
passiv bleiben, wie die Göttin Venus. Auch wo es sich um eine wirkliche
Person handelt, gewinnt sie erst im interpersonalen Bezug, der allein
schicksalsträchtig ist, ihre wahre Bedeutung. Die Wechselbeziehung von
Mann und Frau spielte für mein Thema schon in der Lyrik eine Rolle; sie
erscheint durch die epische Darstellungsweise des weiblichen Wesens in
den übrigen Dichtungen nun in einem anderen Licht.

„Die Lyrik," sagt Eichendorff, „ist von aller Poesie die subjektivste,
sie geht ... auf den inneren Menschen; sie hat es mit der Stimmung und
nicht mit der äußeren Manifestation dieser Stimmung zu tun" (NGA IV,
63). Noch eine andere Eigenschaft schreibt Eichendorff der Lyrik zu: sie
sei „unruhig und wandelbar" (NGA IV, 63). Die epischen Dichtungen
dagegen sind mehr als das Resultat einer spontanen lyrischen Eingebung;
sie verlangen vom Dichter, daß er sich innerlich sammelt, daß er weniger
von der Stimmung getragen wird, als daß er die Stimmung beherrscht
und sie auf einer breiten, epischen Basis durchgestaltet. So verhält es sich

auch mit Eichendorffs epischer Darstellungsweise. Ihre Eigenart liegt darin, daß sie das Stimmungshafte mit einbezieht, dem Gedanklichen einen weiten Spielraum läßt und beides in den Dienst einer umfassenden Gesellschaftskritik stellt. Eichendorffs epische Dichtungen sind insofern subjektiv, als sie seiner weltanschaulichen Einstellung und lyrischen Dichternatur Rechnung tragen, sie sind aber auch objektiv, indem sie, wie alle Poesie, der „poetische Ausdruck der geistigen Zustände" einer Zeit sind und deren „Sitte und religiöse Anschauungsweise" spiegeln (NGA IV, 647, 648). Und ebenso dürfen wir die dichterischen Gestalten in Eichendorffs Werken sehen: als Manifestation einer Stimmung, eines Gefühls oder eines Gedankens — und als Signatur einer geschichtlichen Epoche.

Eichendorff hat seine Gestalten nicht wahrheitsgetreu aus dem Leben gegriffen und in realistischer und psychologischer Weise nachgezeichnet. Dieses Verfahren lag ihm fern. Er hat jedoch die Lebensimpulse, die Ideen und Emotionen, von denen seine Zeit durchwirkt war, mit einem dem Dichter eigenen Feingefühl herausgespürt und in seiner Dichtung leibhaft Gestalt werden lassen. Das allein genügte ihm aber nicht. Vom Standpunkt seiner christlichen Überzeugung aus griff er wertend in die Handlung ein, hier verurteilend, dort Ideale aufstellend, denen der Mensch nachstreben soll. „Unsere ganze neuere Geschiche ist ... ein Kampf des Alten und Neuen. In diesem idealen Kampfe um die Zukunft ficht die Literatur im Vordertreffen: Gedanken ... sind ihre Schwerter" (NGA IV, 648). Das Alte und das Neue: christliche Religiosität versus Humanitätsglauben und Griechenkult, christliche Tradition versus Emanzipationsbestreben, Offen- und Aufgeschlossensein versus Insichverfangensein — so heißen die Grundnenner, auf die Eichendorff seine Gedanken zurückführt. Man könnte auch Eichendorffs Denken auf andere Weise einkreisen. Er erfragt durch stets neue Konstellationen von Figuren und Geschehnissen, was lebenerhaltend und was lebenzerstörend ist. Lebenzerstörend ist für den christlichen Dichter Eichendorff das Versinken in sich selbst, die hemmungslose Hingabe an die Sinne, ein zügelloser Freiheitsdrang. Lebenerhaltend dagegen ist Dienst am Nächsten, freiwillige Selbstbeschränkung, Anerkennung eines göttlichen Willens. Für Eichendorffs Weltanschauung und -deutung sind die Frauenfiguren in seinen Werken ein metonymischer Ausdruck. Sie weisen über sich hinaus in ein Himmel und Erde umfassendes Gedankengebäude. Um diese weltanschauliche Auseinandersetzung geht es auch in der folgenden Analyse der Eichendorffschen Werke.

KAPITEL 1

VENUSGESTALTEN IN EICHENDORFFS PROSA

Von der *Zauberei im Herbste* bis zum *Lucius* gibt es keine Dichtung, in der das Thema der verführerischen Frau nicht in irgendeiner Form vorkommt. Diese Frauengestalten sind durch dieselbe Motivik gekennzeichnet, die sich durch Eichendorffs Lyrik zieht. Aus der Lyrik wurden die Statuen- und Sirenenliedmotive als die für das Venushafte charakteristischsten herausgearbeitet. Diese Motive sollen auch in der folgenden Untersuchung der Prosa aufgegriffen werden. Sie gehören vorzüglich zum Schloß- und Gartenbild, welches besonders dazu geeignet ist, das Venushafte einzukreisen. Soll die Venuslandschaft zur Entfaltung kommen, soll die Venusgestalt ihr Wesen enthüllen, dann muß der Garten von jemand betreten werden. Diese Wechselwirkung ist in einer erotischen Beziehung zwischen Mann und Frau, im *Marmorbild* in der Begegnung zwischen Florio und Venus, dargestellt. Was das lyrische Ich in einem Gedicht oft als Möglichkeit des Verführerischen punktuell aufleuchten läßt, wird in der Prosa in Handlung umgesetzt und als Verführungsszene geschildert.

Die Analyse der Gedichte hat gezeigt, daß das Venushafte aus männlicher Sichtweise betrachtet, als ein gefährlich-verlockendes Element auf den Mann zukommt. Auch in der Prosa ist Venus aus der Perspektive des Mannes gesehen. Fast immer ist es ein Jüngling, der durch seine Disposition in den Bereich einer Venus gerät. Was er fühlt und denkt ist ausschlaggebend für die Begegnung, und welche Widerstandskraft er ihr entgegensetzt, bestimmend für den Ausgang. Es geht Eichendorff also nicht um die Darstellung der Frau als Eigenperson, sondern um die Bewältigung einer menschlichen, dichterischen und weltanschaulichen Problematik, mit der er sich selbst zeit seines Lebens trug. Diese Problematik verlegte er in die Verhaltens- und Seinsweise seiner Jünglinge. So vielschichtig wie die aufgeworfenen Probleme ist auch deren dichterische Gestaltung, und das innerhalb ein und desselben Motivkreises. Venus ist einmal Phantasiebild, dann eine Frauengestalt aus dem Wirklichkeitsbereich. Im *Marmorbild* ist sie ein mythisches Wesen, die Apotheose des nach Eichendorff Venushaften schlechthin. Frei von allen auffälligen biographischen Anspielungen und direkten literarischen Entlehnungen, frei von den Schlacken seiner Jugenddichtung, gilt das *Marmorbild* als das künstlerisch vollendetste

Werk Eichendorffs. Der Interpretation der Venusgestalt im *Marmorbild* gilt daher meine besondere Aufmerksamkeit.

1. Venus im MARMORBILD

Als Florio den Tönen des zauberischen Spielmanns, der „von der wunderschönen Ferne verlockend sang und von großer, unermeßlicher Lust" (GW III, 24), schließlich folgte und die Geborgenheit der Heimat und des Kindseins verließ, da war er innerlich bereits eingestimmt auf die Begegnung mit Venus. Von Fortunato wird ihm ins Bewußtsein gerufen, daß diese Gestimmtheit seiner Dichter- und Sängerseele gefährlich ist, daß er also auf der Hut sein soll. So beginnt er seine Reise ins Leben, verlockt und gewarnt zugleich. Dieses bietet sich ihm in zweifacher Form dar: als ein fromm-fröhliches, in den Grenzen der Sitte gehaltenes Fest, aus dem als weibliche Gestalt die kindliche Bianka hervortritt, und als ein berauschendes, mit aller Schönheit der Erde prunkendes Lustgelage, dessen Mittelpunkt Venus bildet. Für Florio verwischen sich zeitweise die Grenzen zwischen den beiden Bereichen, deren letztliche Verschiedenheit er aber instinktiv wahrnimmt. So landet er nicht arglos auf Venusboden, wie es einem Taugenichts passieren könnte, noch in voller Kenntnis seines Unternehmens, sondern weil er die Anfälligkeit seiner tieffühlenden und genießenden Natur noch nicht ernst nimmt. Da von Venus ein größerer Reiz auf ihn ausgeht als von der schüchternen Bianka, begibt er sich in den Venusgarten. Dort vertieft er sich in die bezaubernde Schönheit seiner Herrin, und hätte er sich nicht in letzter Minute seines christlichen Glaubens besonnen, er wäre darin untergegangen.

Die von Pietro veranstalteten Feste stehen für die Verhaltensweise einer vom Christentum geprägten Gesellschaft, wie sie für Eichendorff im Mittelalter existierte und wie sie wieder von den Romantikern angestrebt wurde, während das Lustgelage im Venusgarten ein der irdischen Schönheit huldigendes Heidentum versinnbildlicht, womit Eichendorff die vorchristliche Zeit meinte, der sich der neuheidnische Geist erneut zuwandte. Florio nimmt an beiden Festgelagen teil. Eichendorff hat es in der Darstellung des heidnischen Bereiches im *Marmorbild* vor allem darauf abgesehen, den sich hinter dem wiederauflebenden Schönheits- und Sinnenkult verbergenden Egoismus zu entlarven. Er sah in dem Kult mehr als nur ein ästhetisches Spiel. Er gewahrte darin den Willen zu einer „religio," zu einer Bindung ans Heidnische, das durch das Christentum zwar überwunden, doch nicht aus der Welt verbannt, auch jetzt noch da seine Mächtigkeit ausübt, wo ihm der Zutritt ins Leben gestattet wird. Im *Marmorbild* ist Venus die mythische Verkörperung dieses heidnischen Geistes.

Aus dem bisher Gesagten geht hervor, daß es sich bei der Bewältigung des heidnischen Problems in dieser Novelle um zwei konvergierende Themen handelt. Das erste verfolgt den Dichterjüngling Florio auf seinem Irrweg in eine falsche Romantik und ist in Form einer Bewegung auf den Venusgarten hin und zu seiner Herrin dargestellt. Das zweite kreist um das klassisch-heidnische Kunst- und Lebensbekenntnis, versinnbildlicht im hermetisch abgeschlossenen Venusgarten und in der Marmorstatue selbst. Florio ist der Erbe von Eichendorffs eigenem Werdegang. Ihm hat Eichendorff die dichterisch-romantischen Inklinationen mitgegeben, die er seiner Lyrik anvertraute. Manche Erkenntnisse, zu denen die obige Analyse der Gedichte führte, werden durch die Verhaltensweise Florios bestätigt. Das Festgelage um Venus ist die Inszenierung des heidnischen Weltbildes aus *Götterdämmerung* und zeigt dessen Wiedergeburt innerhalb der christlichen Ära. Indem Eichendorff im *Marmorbild* das romantische und typisch Eichendorffsche Spielmann- und Sehnsuchtsmotiv mit Motiven der Formgeschlossenheit und zyklischen Wiederkehr — wie Marmorbild, Springbrunnen, Spiegelbild — zusammenführt, bringt er zum Ausdruck, daß auch die Romantik für das Heidnische anfällig ist. Die Abgrenzung des romantischen Sehnsuchtsmotivs als Symbol der christlichen Transzendenz von den Symbolen des immanent Verhaftetseins erfolgt, nachdem Florio, durch sein Venuserlebnis gereift, sich für das christliche Lebensideal entschieden hatte. Der Standpunkt, den Eichendorff dem Leben gegenüber einnimmt und der im Dénouement der Novelle zum Ausdruck kommt, ist der des reifen Dichters, nach der Definition, die ich im Kapitel über die Lyrik des reifen Eichendorff gegeben habe. Nach diesen allgemeinen Vorbemerkungen wende ich mich nun einer näheren Betrachtung des Venusbereiches zu.

a) *Vom Sehnsuchtsmotiv zu den Sirenenstimmen*

Ein marmornes Venusbild am Ufer eines Weihers: das ist der einzig konkrete Gegenstand, der auch für die Augen der Menschen um Pietro sichtbar ist, und selbst für sie nur in halb zertrümmertem Zustande. Es bedurfte der Empfänglichkeit eines dichterischen Gemütes und der Sinnlichkeit eines schönheitstrunkenen Jünglings, um dieses Bild zum Leben zu erwecken. Das steinerne Bild der Göttin entspricht Florios Schönheitsideal, das ihm schon in frühester Jugend vorschwebte und ihm aus einer unbestimmten Ferne herüberzuwinken schien. Das ganz zu Anfang der Novelle angeschlagene Sehnsuchtsmotiv — der Spielmann sang von „unermeßlicher Lust" — öffnet zeitliche und räumliche Perspektiven, in denen noch keine Konturen gezogen sind und die den hinausprojizierten Wünschen weiten Spielraum lassen. Florio reduziert die ihm angebotenen Möglichkeiten immer mehr, indem er seinem Hang nach größtmöglichem Genuß des Lebens nachgibt. Entlang seines Weges bis hin zum Marmorbild füllt sich seine Seele mit Lustreizen an. Was er mit seinen Sinnen wahrnimmt, verwandelt und gestaltet sich als neue Welt in seinem Innern. Das Merkwürdige daran ist, daß nicht er das Sinnenspiel lenkt, sondern daß es ihn beherrscht, sozusagen über ihn hinwegtreibt: „In seiner von den Bildern des Tages aufgeregten Seele wogte und hallte und sang es noch immer fort" (GW III, 32). Die unpersönlichen sinnlichen Elemente nehmen im Traum die Form eines Meeres an. In diesen Traum geht das „schöne Mädchen mit dem Blumenkranze vom vorigen Abend" ein (GW III, 32). Ihre Individualität ist aber aufgehoben, denn sie schaut ihm aus jeder Sirene, die aus dem Wasser auftaucht, entgegen. Von Biankas Person bleibt also nur das Bild der weiblichen Schönheit, und dieses borgt sich die wunderbar singende Sirene, welche die Wirkungskraft der weiblichen Schönheit auf das männliche Gemüt versinnbildlicht. Die Metamorphose des Bildes geht weiter. Nachdem die Mädchengestalt in der Vorstellung Florios einmal der Wirklichkeit entrückt und der subjektiven Willkür überlassen ist, läßt sie jede Umgestaltung mit sich geschehen, bis sie als das empfunden wird, was man als Inbegriff irdischer Schönheit bezeichnen könnte. Florio spricht dies selbst aus:

> Die reizende Kleine mit dem Blumenkranze war es lange nicht mehr, die er eigentlich meinte. Die Musik bei den Zelten, der Traum auf seinem Zimmer und sein die Klänge und den Traum und die zierliche Erscheinung des Mädchens nachträumendes Herz hatte ihr Bild unmerklich und wundersam verwandelt in ein viel schöneres, größeres und herrlicheres, wie er es noch nirgend gesehen (GW III, 33—34).

Dieses in Florios Vorstellung verwandelte und potenzierte Gebilde findet nun sein Objekt in der Marmorstatue.

Es bedarf einiger Vorkenntnisse über das dichterische Bemühen Eichendorffs, um aus den auf die Venuserscheinung hindeutenden Stellen im

Marmorbild den Verweis auf seine eigenen dichterischen Ausschweifungen herauszuhören. Einen Aufschluß können die Jugendgedichte aus der Heidelberger Zeit geben, sowie die Paralipomena zum *Marmorbild* und der damit verwandte Romanentwurf *Marien-Sehnsucht,* deren Aufzeichnung in die Zeit der Jugenddichtung fallen muß. [138] In den Jugendgedichten und den Paralipomena enthaltene weitausgreifende Motivkomplexe erscheinen im *Marmorbild* oft auf ein Äußerstes reduziert und öffnen dort nur stichwortartig den Zugang zu der dahinterliegenden Gedankenfülle. Diese bildliche Verknappung kann natürlich zu abwegigen Deutungen verleiten. Dennoch wage ich eine Rückdeutung aus solchen Stichworten.

Als erstes Motiv der venusempfänglichen Seele Florios habe ich das Spielmannmotiv hervorgehoben. „Auf dem Lande in der Stille aufgewachsen, wie lange habe ich da die fernen blauen Berge sehnsüchtig betrachtet, wenn der Frühling wie ein zauberischer Spielmann durch unsern Garten ging und von der wunderschönen Ferne verlockend sang und von großer, unermeßlicher Lust" (GW III, 24). Der Frühling wird einem Spielmann verglichen, der „bei Eichendorff als eigentlicher Typ des Verlockers" erscheint. Doch wird er „einige Male ohne den Beiklang der Dämonie genannt," was hier der Fall zu sein scheint. [139] Denn es kommt auf Florio an, worauf er die unermeßliche Lust, von der jener singt, ausrichten wird. Das von Fortunato angeschlagene Venusbergmotiv nimmt es vorweg, und die Folge der Novelle zeigt es: der Lustwirbel zieht Florio zu Venus. In Florio binden sich schließlich die Klänge des zauberischen Spielmannsliedes zum Zauberton, der Venus weckt und sie erwachend fragen läßt: „Was weckst du, Frühling, mich von neuem wieder?" (GW III, 28). Varianten zu Florios Frühlingssehnsucht stehen im Paralipomenon 2 und in *Marien-Sehnsucht.* Es handelt sich hier um die dichterische Berufung und die Mission des Dichters, des Geliebten der Muse, die im Himmel beheimatet ist. Im Paralipomenon 1 hat Florio einen Traum, in dem die Wirklichkeit und der Träumende selbst eine magisch-mystische Verwandlung erfahren. Der Traum soll, in offensichtlicher Anlehnung an Novalis' *Heinrich von Ofterdingen,* prophetisch sein und Florios Dichtertum an-

---

[138] Die Paralipomena zum *Marmorbild* hängen eng mit den Paralipomena zur *Zauberei im Herbste* zusammen, wie aus der Entwicklungsgeschichte des *Marmorbildes,* die Weschta erforscht hat, hervorgeht. Weschta weist darauf hin, „daß die ‚Zauberei' spätestens im Jahre 1809 entstanden sein müsse" („*Das Marmorbild*", S. 14). Er belegt auch die Zusammengehörigkeit der Paralipomena und des Romanentwurfs. Die Paralipomena und der Romanentwurf sind bei Weschta, S. 89—101 abgedruckt.

[139] Uhlendorff, *Frühlingssehnsucht und Verlockung,* S. 26.

kündigen. So nimmt er ihn in den Wachtraum hinüber. „Sein Traum . . .
war ihm in eine magische Ferne gerükt, u. legte sich mit himmlischen . . .
Farben wie ein bunter Teppich in den Morgen hinein u. rief wie eine große
fröhliche Zukunft aus der Ferne. Wie nach einer Geliebten sehnte er sich
nach ihr in die Ferne hinaus." [140] Mit der Geliebten dürfte die Poesie gemeint sein. Sie ist es ausdrücklich im Romanentwurf *Marien-Sehnsucht*,
wo es von der Kunst heißt:

> Sie wird wirklich zur Geliebten, deren blaue Augen, roter Mund ewig
> keine Ruhe lassen. Im Frühling langt sie aus den duftigen Tälern mit
> weißen, ganz zarten Armen, um dich nur recht an ihr liebendes Herz
> zu drücken, das Waldhorn sagt dir, wie sie sich hinter den Bergen nach
> dir sehnt, die Vöglein und blaue Lüfte läßt dich die Treue viel tau-
> sendmal grüßen. In Mondnacht ist's, als weinte sie sehr und wollte
> dir gern ein tröstendes Liebeswort vertrauen. Aber sie kann nicht
> herüber aus der Ferne zu dir langen. Ja, glaube nur, sie weint auch um
> dich, sehnt sich auch recht nach dir, deine Lieder bringen ihr auch süßen
> Schmerz. Liebe nur immer treu und aus allen Kräften deines Lebens,
> der Himmel bleibt nicht immer verschlossen. [141]

War es diese Geliebte, die der junge Florio des *Marmorbildes* im Frühling
aus der Ferne rufen hörte? Auch der Romanentwurf sollte mit dem Motiv
der unendlichen Frühlingssehnsucht beginnen.

In den Vorstufen zum *Marmorbild* wird noch nicht daran gezweifelt,
daß die himmlische Liebe dem dichterischen Unterfangen wohlwollend
begegnet. Auch Florio glaubt sich anfangs auf dem rechten Weg, von dem
es später heißt, er habe ihn „in Gedanken . . . verfehlt" (GW III, 37). Wo
er fehlgeht, soll zunächst aus der Abfolge einiger Sinnbilder erschlossen
werden. Als Florio dem marmornen Venusbild begegnet, da kam ihm
„jenes Bild wie eine lang gesuchte, nun plötzlich erkannte Geliebte vor,
wie eine Wunderblume, aus der Frühlingsdämmerung und träumerischen
Stille seiner frühesten Jugend heraufgewachsen" (GW III, 34). Florio hatte
also schon eine vage Vorstellung von jenem Bild, als er „in die dämmernde
Welt vor sich" hinauszog (GW III, 24). Es trübte seinen Blick für das
Nächstliegende, Einfach-Klare. Dieses erscheint als offensichtliche Alternative zu jenem Bild ebenfalls in Gestalt eines Mädchens im Frühlingsge-
wand. Von Bianka heißt es, sie wäre „recht wie ein fröhliches Bild des

---

[140] Paralipomenon IV, 2[II], bei Weschta, „*Das Marmorbild*", S. 99.
[141] Roman: *Marien-Sehnsucht*, IV, 4, bei Weschta, ibid., S. 101.

Frühlings anzuschauen" (GW III, 25). Der Jüngling Florio erfreut sich zwar an der heiteren, anmutigen Mädchengestalt, doch der Dichter in ihm sieht durch ihre Person hindurch in einen anderen Frühling. Sein Trinkspruch — den Bianka auf sich bezieht und mit einem Kuß belohnt — soll das Mädchen meinen und meint es doch nicht:

> Jeder nennet froh die Seine,
> Ich nur stehe hier alleine,
> Denn was früge wohl die Eine,
> Wen der Fremdling eben meine?
> Und so muß ich, wie im Strome dort die Welle,
> Ungehört verrauschen an des Frühlings Schwelle.   (GW III, 26)

Das Gedicht mahnt stark an Eichendorffs sogenannte Marienlieder. Dort ist wiederholt in mystisch-verschwommener Sprache von der „Einen," der „Ewig Dein!" Rufenden die Rede. Die Analyse dieser Gedichte hatte ergeben, daß sich die „Eine" auf Maria beziehen sollte, daß sie aber in Wirklichkeit eine pantheistisch gesehene Frühlingsgöttin, meist mit stark erotischen Zügen ausgestattet, ist. In der „Einen" des Trinkspruches lebt auch das Sehnsuchtsbild aus früheren Tagen auf, das aus dem Gedicht *Rettung* (J 31) ruft:

> Ich spielt, ein frohes Kind, im Morgenscheine,
> Der Frühling schlug die Augen auf so helle,
> Hinunter reisten Strom' und Wolken schnelle,
> Ich streckt die Arme nach ins Blaue, Reine.
>
> Noch wußt ich's selbst nicht, was das alles meine:
> Die Lerch', der Wald, der Lüfte blaue Welle,
> Und träumend stand ich an des Frühlings Schwelle,
> Von fern rief's immerfort: Ich bin die Deine!

Dieses Gedicht formuliert in anschaulicher Weise die Beweggründe für Florios Reise in die Welt und kann somit zum Verständnis von Florios Dichtergemüt beitragen. Im Gedichtanfang ist der kindlich-unschuldige Zustand des Einsseins mit der Natur gemeint, der, als er von der Realität des Lebens unterbrochen wird, durch einen Sprung ins Innere wiedererreicht werden soll:

> Da ward ich im innersten Herzen so munter,
> Schwindelten alle Sinne in den Lenz hinunter,
> Weit waren kleinliche Mühen und Sorgen,
> Ich sprang hinaus in den farbigen Morgen.

Das ist das dichterische Bekenntnis des Heidelberger Studenten, der noch mit „Florens" zeichnete. Der enthusiastisch unternommenen Eroberung der Traum- und Phantasieregionen scheinen keine Grenzen gesetzt zu sein. Dieser Gedanke mag sich hinter den Worten Florios verbergen, „alle alten Wünsche und Freuden [seien] nun auf einmal in Freiheit gesetzt" (GW III, 24). Mit Fortunatos bedeutungsvoller Erwiderung, daß ein solches Unternehmen in Selbstverlust enden könne — nichts anderes möchte das Motiv aus der Sage vom Venusberg besagen — wußte Florio auf der damaligen Station seines Lebens noch nichts anzufangen.

Der dichterische Prozeß geht weiter. Traum und Phantasie bemächtigen sich auch der Wirklichkeit. Durch dichterische Magie soll die Welt neu geschaffen oder wenigstens in ihrem Wesen inniger erfaßt werden. Florio scheint nicht der aktive Schöpfer neuer Welten zu sein. An ihm fällt zunächst seine Passivität auf. Es ist, als ob er alle Regungen der liebesschwangeren Luft um ihn her in sich aufsauge, ja als ob er sich selbst darin auflöse, wie es in dem folgenden Bild zum Ausdruck kommt: „Sorglos umspülten indes die losen Wellen schmeichlerisch neckend den Gedankenvollen und tauschten ihm unmerklich die Gedanken aus" (GW III, 43). Doch deutet sein „gedankenvolles" Verhalten nicht auf eine gedankliche Aktivität hin? Florio lebt bewußt in einem träumerischen Zustand. Er projiziert im Wachen seine Träume in die Wirklichkeit hinaus, bis ihm Traum und Wirklichkeit in eins zerfließen. Es wäre allerdings gegen Eichendorffs Ansichten von Leben und Dichtung, wollte man an Florio bemängeln, daß er die träumerischen Stimmen in und außer sich erlauscht. Was ihm fehlt, ist ein höherer Maßstab zu deren Bewertung. Florio neigt sich den Stimmen entgegen und läßt sich von ihnen gefangennehmen. Die anfänglich nach allen Richtungen offene Frühlingssehnsucht richtet sich zunächst nach der „Einen" aus, aus der schließlich Sirenen werden. Mit der Erwähnung der Sirenen bekommt der Lockruf einen gefährlichen Unterton. Wie die Waldhornklänge Raimund in der *Zauberei im Herbste* zu dem Fräulein verlocken, so führen die Sirenen Florio zu Venus, doch nicht ohne Florios Komplizität. Er konnte „der Versuchung nicht widerstehen," heißt es (GW III, 32). Später treibt ihn „ein tiefes unbestimmtes Verlangen" erneut zum Marmorbild (GW III, 36). Die ständig wachsende erotische Leidenschaftlichkeit Florios wird mit immer eindringlicher werdenden Worten umschrieben: Florio ist „wie ein Trunkener" (GW III, 40), dann „wie ein Fieberkranker" (GW III, 49). Im Augenblick höchster Ekstase ruft ihn ein „frommes Lied" ins Leben zurück (GW III, 52).

An einigen Berührungspunkten auf Florios Wanderschaft habe ich die Verengung der Frühlingssehnsucht, die schließlich zur Konkretisierung in Venus führt, aufgezeigt. Durch Florio wird vor allem ein dichterischer Prozeß, wie ihn Eichendorff selbst während seiner Heidelberger Zeit durchlaufen hat, dargestellt.

In meinen Ausführungen über die Jugenddichtung Eichendorffs habe ich auf die mystisch-romantische Tendenz hingewiesen, welche in Eichendorffs Heidelberger Freundeskreis vorherrschte und sich in ihren dichterischen Bemühungen bemerkbar machte. Ihre Dichtung entzündete sich an den Ideen der Romantik, die das ganze Leben poetisch durchdringen und religiös heiligen wollte, und sie versuchte, naturphilosophisches und mystisch-religiöses Gedankengut dichterisch aus- und umzuwerten. Aus solchem Sympoetisieren erwuchs unter den Dichterfreunden ein Marienkult, der sich aus schwärmerisch-religiösen Gefühlen, aus irdischem Liebesverlangen und aus einem erotisierten Naturbild zusammensetzte. Ein Ausdruck davon findet sich in Eichendorffs Jugendgedichten. Mit dem Zauberstab der Poesie brachte er das mystische Weben der Liebe in Bewegung, welches die himmlische Maria, ausgestattet mit Zügen einer irdischen Geliebten, in die chthonischen Tiefen einer Naturgöttin zog. Eichendorff hatte sich bei seinem Unternehmen zwar nicht lange, aber doch tief in ein Netz von Gefühlsassoziationen verstrickt und stellte schließlich fest, daß er anstatt eine höhere oder wenigstens äußere Bindung einzugehen, Gefangener seiner selbst wurde. Wie und wodurch er sich befreite, wurde an anderer Stelle ausgeführt. [142] In diesem Zusammenhang interessiert uns nur, daß ihm die Eigenmächtigkeit der Poesie und die dionysische Mystik verdächtig wurden und er sich von nun an am positiven Christentum orientierte. Der Verweis auf diese höhere Bindung und die davon abhängige äußere Bindung innerhalb der menschlichen Gesellschaft wird bei Eichendorff mit zunehmendem Alter immer ausdrücklicher. Die dichterischen Ausschweifungen des Heidelberger Studenten ähneln im letzten den Irrwegen, die die romantische Bewegung in einigen ihrer Vertreter selbst gegangen ist und die zu dem führte, was Eichendorff in der *Geschichte der poetischen Literatur Deutschlands* als Identifizierung von Religion und Poesie, religiöse Gefühlsschwelgerei, poetischen Nihilismus und „pantheistische Zerstörung der Individualität" (NGA IV, 402) brandmarkt.

---

[142] siehe Abschnitt *Die volksliedhaften Gedichte und die Erlebnisdichtung der Jugendzeit.*

In Florio sind also bis zu einem gewissen Grade nicht nur Eichendorffs eigene, sondern auch die Irrwege der Romantik skizziert. Wie Eichendorff selbst, so findet Florio einen Ausweg, nachdem er in der einen Phase seiner dichterischen Entwicklung erlebt hatte, wie die willkürliche Vermischung verschiedener Bereiche zu einer falschen Religiosität — zum Venuskult — und das magische Spiel mit der Sinnenwelt zu einem Wirklichkeitsverlust führen kann. Das wird im *Marmorbild* teils in Handlung umgesetzt, teils sinnbildlich veranschaulicht. Bianka wäre für Florio ein Wirklichkeitsbezug gewesen, doch sie geht über den Sirenen und der Marmorstatue, die ihm bereits in der „Einen" „an des Frühlings Schwelle" auflauscht, verloren. Auch für die religiöse Konfusion Florios gibt es die entsprechende Symbolik: „Aber der Morgen spielte nur einzelne Zauberlichter wie durch die Bäume über ihm in sein träumerisch funkelndes Herz hinein, das noch in anderer Macht stand. Denn drinnen zogen die Sterne noch immerfort ihre magischen Kreise, zwischen denen das wunderschöne Marmorbild mit neuer, unwiderstehlicher Gewalt heraufsah" (GW III, 36). Der Morgen als Zeit des Erwachens und der Frische steht beim reifen Eichendorff immer in einem christlichen Bezug. Der junge Florio verwechselt noch die Bereiche und gerät dadurch in den magischen Kreis der Venus. Die Verwechslung ist in Form einer Diskrepanz von Innen und Außen, von Nacht und Morgen, dargestellt. Den freistrahlenden Morgenlichtern draußen steht die um Venus kreisende Sternenspirale innen gegenüber. Verrieten die Bilder für Florios Gemütszustand bis dahin eine nebelhafte Unbestimmtheit, so decken sie jetzt ganz eindeutig einen Kontrast auf und fällen damit ein Werturteil: Florio stand „noch in anderer Macht."

Es ist Fortunato, der Florios Bewußtseinszustand zu einem überpersönlichen geistesgeschichtlichen und weltanschaulichen Phänomen erhebt. Werfen wir einen Blick auf das erste Lied, das er der versammelten Gesellschaft zum besten gibt. Darin erstrahlt Venus im Morgenrot. Christliches und Heidnisches sind noch nicht getrennt. Die Trennung wird in seinem zweiten Lied vollzogen, das er typischerweise singt, nachdem Florio für eine christliche Weltansicht reif geworden ist. In *Götterdämmerung, 2* ist der heidnische Bereich, aus dem Venus aufsteigt, ganz von Frühlingswellen umspült. Venus ist Frühlingsgöttin, weil der Frühling dem Menschen all das bietet, was die Erde an Schönheit und Glanz hervorbringen kann. Das im Frühling sich regende Leben nährt in des Menschen Herzen geheime Wünsche und Sehnsüchte und erfüllt ihn mit der Ahnung einer noch größeren Herrlichkeit. Ladislaus Boros hat für das, was Eichendorff in dichterischen Bildern ausdrückt, eine philosophische Formulierung: „In all seinen Existenzregungen bemerkt der Mensch, daß ihn eine Sehnsucht treibt, daß aus seinem Dasein Niedagewesenes hervorbrechen will, daß in ihm noch eine Jugend steckt, die auf Erfüllung wartet." [143] Die Erde selbst kann diese Erfüllung nicht mehr geben. Wer sie trotzdem in ihrem Schoße sucht, den erwartet Unheil, oder in der mythischen Verdichtung Eichendorffs ausgesprochen: dem begegnet Venus.

b) *Die Marmorstatue im Venusgarten*

Florios Weg zu Venus wurde als eine Bewegung von der ursprünglichen Offenheit in die Isolierung gezeichnet. Diese Bewegung ist in einer mehrschichtigen Symbolik ausgedrückt. Das zuerst freistrebende Sehnsuchtsmotiv wird durch das Sirenenmotiv abgebogen und schließlich vom Kreismotiv gefangengenommen. Eine ähnliche Verengung gewahrt man in der Raumgestaltung. In der weitoffenen Landschaft verirrt sich Florio, gerät in den umzäunten Garten der Venus, die ihn bis ins Innerste ihres Palastes führt. Auch im akkustischen Bereich geschieht Entsprechendes. Aus dem Lied, das anfangs die Frühlingsluft erfüllte und in eine „unermeßliche Lust" versprechende Zukunft überströmte, lösten die Sirenen die wehmütig-süßen Zaubertöne heraus, die zu Venus lockten. Die Venusstatue ist in diesem Zusammenhang ein optischer Blickfang, sozusagen das zu Stein gewordene Sirenenlied.

Arbeitete ich in der vorangehenden Analyse konzentrisch auf diesen Mittelpunkt hin, so möchte ich jetzt von der Statue her den Venusbereich erschließen. Das Statuenmotiv fehlt in Eichendorffs Jugenddichtung. Gefühlsmäßig für das Bewegliche empfänglich, entdeckte Eichendorff erst später in dem von Menschenhand geformten Stein eine visuell einprägsame, formelhafte Abkürzung für seine Vorstellungen. Möbus meint, daß Eichendorff „das Marmorbild als Motiv . . . von Brentano übernommen" habe. [144] Er verweist auf Brentanos Roman *Godwi*, in dem der Held ein „Frauenbild von Marmorstein" bei Mondschein an einem See erblickt. Die Züge, mit denen dieses Frauenbild geschildert wird, finden wir in der Tat in Florios Begegnung mit dem Marmorbild wieder. Es bleibt aber bei einer motivischen Verwandtschaft, denn auf der Bedeutungsebene weichen die

---

[143] Boros, *Erlöstes Dasein*, S. 15.
[144] Möbus, *Der andere Eichendorff*, S. 64.

beiden Marmorbilder voneinander ab. Godwi erblickt in dem Marmorstein das Bild seiner Mutter, die zwar die Schönheit einer Göttin und die
Anziehungskraft einer Geliebten hat, aber in keiner Weise die Dämonie
einer vom Christentum zur „Teufelin" gestempelten Venus. Wenn es um
die Frage geht, woher Eichendorff das Statuenmotiv genommen hat, dann
muß die von ihm selbst genannte Quelle herangezogen werden, nämlich
Happels *Größeste Denkwürdigkeit der Welt oder so genandte Relationes
curiosae*. Eichendorff schreibt zwar an Fouqué, daß diese Anekdoten zu
seinem Märchen nur „die entfernte Veranlassung, aber auch weiter nichts
gegeben" haben (HKA XII, 21). Gegen Möbus und mit Weschta kann
man aber doch behaupten, daß die Idee der Venusstatue, die in dem Abschnitt „Die Teuffelsche Jungfrau" anklingt und vor allem Happels Geschichte *Die Teuffelische Venus* zugrundeliegt, für das Eichendorffsche
Statuenmotiv von Bedeutung ist.

Der Stoff, den Happel behandelt, gehört einer weit zurückreichenden,
sowohl literarischen als auch volksmündlichen europäischen Überlieferung
an. [145] Es handelt sich um die durch das Christentum dämonisierten Götterstatuen heidnischen Ursprungs, also um ein religionsgeschichtliches Phänomen. Nach dem Einbruch des Christentums in den griechisch-römischen
Olymp wurden diese Götter zu bloßen Menschen herabgesetzt. Und über
die allmählich erlöschende heidnische Religion verbreitete sich die Vorstellung, „daß in den Resten ihres Kultus, vor allem in ihren Bildern,
bösartige magische Kräfte fortwirkten." [146] An diese Vorstellung knüpfen
sich im Laufe der Jahrhunderte eine Anzahl von Legenden und Gespenstergeschichten, deren erste Aufzeichnung in Malmesburys *De Gestis Regum
Anglorum* und in der Kaiserchronik erfolgte, und deren Grundmotive
immer wieder dichterische Um- und Neugestaltung erfuhren. Zu diesem
Stoffkreis gehören der junge Mann, der sich einer Statue vermählt, die
Marienwunder und die Tannhäusersage. [147] Das Gemeinsame daran ist
die Diabolisierung des Heidentums zugunsten eines Christentums, dem
es um die Vergeistigung der menschlichen Triebe geht. In gewissem Sinne
auch für das *Marmorbild* zutreffend ist ein Aufsatz von Erich Schmidt
über ein aus dem fünfzehnten Jahrhundert stammendes „dramatisches

---

[145] Siehe Weschtas Ausführungen über die Entstehungsgeschichte des *Marmorbildes*, S. 1—14.
[146] Bezold, *Das Fortleben der antiken Götter*, S. 5.
[147] Eine sehr schöne stoffgeschichtliche Untersuchung des Venusmotivs gibt Baum
(*The young man betrothed to a statue*), der die Verzweigungen des Motivs unter
die drei angeführten Gruppen einordnete.

Duett zwischen Tannhäuser und Frau Venus." Von Tannhäuser, der von Venus hinweg „zu Maria strebt," heißt es: „So erscheint er als romantischer Herkules auf dem Scheidewege zwischen niederer und hoher, höllischer und göttlicher Minne, zwischen der heidnischen Buhle, die allen sündhaften Reiz, und der christlichen Himmelskönigin, die alle sühnende Reinheit und emporflügelnde Heiligkeit des Ewig-Weiblichen verkörpert." [148]

Es liegt nicht im Rahmen dieser Arbeit, das Venusmotiv stoffgeschichtlich zu verfolgen. Auf zwei Faktoren möchte ich aber aufmerksam machen, welche die Bedeutung des Venusmotivs bei Eichendorff innerhalb einer literatur- und geistesgeschichtlichen Entwicklung hervorheben. Der eine hat mit der Rückbesinnung auf das Mittelalter und der Hinwendung zur Volksdichtung zu tun, der andere bezieht sich auf die Wiedergeburt antiken Geistes innerhalb des christlichen Zeitraumes. Eichendorff teilt das Interesse an der mittelalterlichen Motivik mit anderen Romantikern. Und so taucht auch das Venusmotiv zu Eichendorffs Zeiten besonders häufig in der Dichtung auf. Es ist ausschlaggebend für Brentanos *Romanzen vom Rosenkranz*, kommt in Hoffmanns *Elixiere des Teufels* vor, in Arnims *Päpstin Johanna*, in Alexis' *Venus in Rom*, in Tiecks *Der getreue Eckart und der Tannenhäuser*, um nur die bedeutenderen zu nennen. [149] Wilhelm von Eichendorff schrieb ein Gedicht *Die zauberische Venus*, das 1816, also kurz vor der Fertigstellung des *Marmorbildes*, in Loebens *Hesperiden* veröffentlicht wurde. Mühlher stellt fest, daß sich Wilhelm „der überlieferten Fabel mehr als sein Bruder [nähert], bei dem das Motiv in seinem ganzen Reichtum nur angedeutet erscheint." [150] Gerade darin macht sich meines Erachtens die Besonderheit der Dichtung von Joseph von Eichendorff bemerkbar. *Die zauberische Venus* ist nicht viel mehr als eine Nacherzählung eines bekannten Themas in Balladenform, ohne eigentliche Verbindlichkeit, weder für den Dichter noch für den Leser; wenigstens vermag der dichterische Stil diese Verbindlichkeit nicht zu vermitteln. Die Venus von Joseph von Eichendorff dagegen ist bedeutungsgeladen, hochaktuell für die geistige und sittliche Verfassung seiner Zeit; Eichendorff hat sie sich aus der Seele geschrieben. Nicht die Nachahmung des Venusmotivs war für ihn das Wesentliche, sondern dessen inhärente Suggestionsfähigkeit.

[148] Schmidt, *Charakteristiken*, S. 26—27.
[149] Diese und weitere Beispiele bringt Mühlher in seinem Aufsatz *Der Venusring*.
[150] Mühlher, *Venusring*, S. 51.

Wäre Venus nach ihrer Verdrängung in die Unter- oder Nachtwelt in ihrem Asyl geblieben, so hätte Eichendorff wohl kein *Marmorbild* geschrieben. In der Tatsache aber, daß ihr Bild, besonders seit der Renaissance, immer wieder restauriert wurde, d. h. daß sich der heidnische Geist über den christlichen zu erheben begann, lag für den christlichen Dichter eine große Beunruhigung. So sah Eichendorff in verschiedenen Kunstrichtungen seiner eigenen Zeit die Wiedergeburt antiken Geistes. Einschränkend muß gesagt werden, daß Eichendorff nirgends in seinen literarhistorischen Schriften die Antike als solche verurteilt. Er gewahrt verschiedentlich in der vorchristlichen Dichtung der Alten „die dunkle Ahnung einer höhern Weltordnung, die über Göttern und Menschen waltet, und die sie, da sie die leitende Vorsehung nicht begriffen, in dämonischer Auffassung das Schicksal nannten" (NGA IV, 493). Eine erahnte höhere Macht, die später durch Christus geoffenbart wird, waltet also über ihre Götter, die nach Eichendorff „die geheimnisvollen Naturmächte" sind, und über ihre Titanen, „die dämonischen Urkräfte des menschlichen Gemüts" (NGA IV, 493). Neben dem religiösen schreibt ihnen Eichendorff ein Gefühl für das Sittliche zu:

> Überhaupt aber geht durch alle innere Geschichte der Griechen ein gewisses sittliches Maß: der, freilich noch sinnlich getrübte Zug nach harmonischer Geistesbildung und Lebensordnung, auf der das Geheimnis der Schönheit beruht, und welche in ihrem höchsten Sinne auch die eigentliche Aufgabe des Christentums ist. Daher auch bei den hervorragendsten Griechen oft eine überraschende Ahnung des Göttlichen (NGA IV, 493—494).

Doch das allmählich einsetzende rationalistische Denken verschüttete den weiteren Zugang zum Überirdischen. „Der alte siderische Naturglaube . . ., je ferner die darin waltenden Erinnerungen des Göttlichen verklangen, senkte sich immer sinnlicher ins Materielle hinab" (NGA IV, 494).

Eichendorffs Dichten und Denken kann nur aus seiner christlichen Haltung heraus verstanden werden. Er mißt die ganze Geistes- und Weltgeschichte am positiven Christentum und greift von hier aus wertend in die Literatur ein, wie es seine theoretischen Abhandlungen zeigen. Diese Haltung ist, zwar noch weniger systematisiert als vielmehr poetisiert, im *Marmorbild* künstlerisch dargestellt. Insofern kann Eichendorffs Beurteilung der modernen Kunst ein Licht auf seine Dichtung werfen. Es spielt dabei keine Rolle, ob und inwiefern es Eichendorff an Objektivität mangelte, um seine Zeitgenossen gerecht zu beurteilen. Es geht hier nur um die Erhellung seiner eigenen Dichtung, die, wie die Welt um ihn, den Dualismus: Christentum — Heidentum aufweist. Was das Heidentum der Antike entschuldigte, ist, daß diese noch in der Adventszeit stand. Für den um die christliche Offenbarung wissenden Menschen gibt es nach Eichendorff kein Zurück mehr. Aus diesem Grunde muß er jede Bestrebung einer „Renaissance" ablehnen. Was Eichendorff unter dem heidnischen Geist, besonders wie er im Venusbild zum Ausdruck kommt, versteht, läßt sich am besten an seiner Beurteilung Goethes ablesen. Goethe habe „ohne Zweifel am besten erreicht, was diese vom positiven Christentum abgewandte Poesie aus sich selbst erreichen konnte: die vollendete Selbstvergötterung des emanzipierten Subjekts und der verhüllten irdischen Schönheit" (NGA IV, 239— 240). Diese Poesie sei geprägt vom Formwillen; ferner sei sie „eine Naturpoesie im höheren Sinne. ... Sie gibt alles, was die Natur Köstliches geben kann: plastische Vollendung und sinnliche Genüge, aber sie gibt auch nicht mehr. Ihre Harmonie ist ihre Schönheit, die Schönheit ihre Religion; so wächst sie unbekümmert in steigender Metamorphose bis zur natürlichen Symbolik des Höchsten, vor dem sie scheu verstummt" (NGA IV, 241). Von Goethes Lebensanschauung sagt er, daß es ihr gemäß nur darauf ankäme, „unsere dämonischen Kräfte und Anlagen zum möglichst ungehinderten Selbstgenuß zu befähigen" (NGA IV, 790).

Das Goethesche Weltbild ist eine Zusammenschau von Klassik, Renaissance und Antike. Walter Rehm deutet in seinem Buch *Das Werden des Renaissancebildes in der deutschen Dichtung* darauf hin: Goethe verehrte „die Kunst der Hochrenaissance ... als Wiedergeburt, als ,Auflebung' einer apollinisch geschauten antiken Idealkunst. ... Im Menschen der Renaissance ... sah er die klassisch-antike Lebenshaltung zu neuem Wirken erwacht. Kunst und Leben boten ihm das gleiche ästhetische Ideal. Er fand dort ein verwandtes Lebensgefühl, eine Bestätigung seiner selbst." Denn was Goethe betont und was er im Renaissancemenschen vorgelebt und vorgestaltet findet, ist „die sinnlich heitere, antik-diesseitige Schönheit und Ganzheit im Leben, die ruhig gehaltene Klarheit und die gemessene, sittlich wirkende, sprechende Formgeschlossenheit in der Kunst." [151] Die Definition deckt sich mit dem, was Eichendorff über die Wesenseigentümlichkeit des Heidnischen zu sagen hat. Eichendorff stellt dieser heidnischen Lebenshaltung das Christentum gegenüber. „Im Christentum dagegen erhielt das Irdische nur durch seine höhere Beziehung, nicht durch das, was

[151] Rehm, *Das Werden des Renaissancebildes*, S. 117.

es ist, sondern durch das, was es bedeutet, seine volle Geltung und Schönheit. Jene war eine Poesie der Gegenwart, der Freude, diese eine Poesie der Zukunft, der Wehmut, der Ahnung und der Sehnsucht; beide konnten nicht ineinander aufgehen" (NGA IV, 651). Sowohl Weschta als auch Möbus sehen im *Marmorbild* Eichendorffs Auseinandersetzung mit Goethe. Diese Annahme hat nur insofern ihre Berechtigung, als Goethe für einen bestimmten Zeitgeist steht, als der „Geist der Goethezeit" von ihm wesentlich geprägt wurde. Gegen diesen Geist setzte sich Eichendorff zur Wehr. Möbus sagt: „Eichendorff sieht in der Wiederkunft der Antike, wie sie sich in der Verzauberung durch die sinnliche Schönheit vollzieht, die Versuchung zur Vergottung des Menschen." Das dichterische Symbol hierfür ist das Marmorbild, das „von da an als Sinnbild der Versuchung durch sein Dichten geht." [152]

Nur für kurze Augenblicke tritt im Marmorbild das klassische Ideal der Schönheit als plastische, in sich ruhende Venusstatue in Erscheinung, und selbst hier nur in der Vorstellung, nicht als ein Äußeres, objektiv Gegebenes. Kaum haben sich Florios Sinnesorgane auf das Standbild konzentriert, da tritt es aus seiner Erstarrung ins Leben. Dieser Umstand ist aufschlußreich für den klassisch-romantischen Gegensatz in Kunst- und Lebensanschauung. Wie schon einmal erwähnt, ist der Romantiker Eichendorff wesensmäßig für das Bewegliche, Fließende empfänglich, und so löst er auch die Statuen aus ihrer statischen Form. Seine intuitive Wahrnehmung untermauert er später, besonders seit dem *Marmorbild*, durch ein weltanschauliches System. Die „heitere Genüge und abgeschlossene Vollendung" (NGA IV, 41) [153] der griechischen Plastik, in der die Klassiker das Ideal der Schönheit, die Idee der schönen Humanität erblickten und worauf sie ihre Lebensanschauung aufbauten, interpretiert Eichendorff als „vollendete Selbstvergötterung des emanzipierten Subjekts und der verhüllten irdischen Schönheit" (NGA IV, 239—240). Für Eichendorff ist die irdische Schönheit, wo sie nicht aus ihrer Naturgebundenheit erlöst wird, lebenzerstörend; sie reduziert das Leben zur Materie, führt es zur Erstarrung. Daher stellt Eichendorff „diese Wiederkunft [einer heidnischen Lebenswelt] als Versuchung dar, aus der den Menschen das Gebet als Hilferuf zu Gott erlöst." [154]

---

[152] Möbus, *Der andere Eichendorff*, S. 113.
[153] Das angeführte Zitat ist dort auf die Poesie der Alten bezogen, kann aber durchaus im Sinne Eichendorffs auf die Plastik angewandt werden.
[154] Möbus, *Der andere Eichendorff*, S. 115.

Das dichterische Bild für die aus christlicher Sicht gesehene heidnische Lebenshaltung, allerdings Eichendorffisch gefärbt, vermittelt das Schloß der Venus im *Marmorbild*.

Das Schloß selbst war ganz von Marmor und seltsam, fast wie ein heidnischer Tempel erbaut. Das schöne Ebenmaß aller Teile, die wie jugendliche Gedanken hochaufstrebenden Säulen, die künstlichen Verzierungen, sämtlich Geschichten aus einer fröhlichen, lange versunkenen Welt darstellend, die schönen marmornen Götterbilder endlich, die überall in den Nischen umherstanden, alles erfüllte die Seele mit einer unbeschreiblichen Heiterkeit (GW III, 51).

Das Schloß ist von einem „schönen Garten wie von einem fröhlichen Blumenkranz umgeben" (GW III, 50). In ihm zeigt sich die Heiterkeit und Schönheit des Diesseitsbereiches, aber auch dessen immanente Gebundenheit, die in Motiven des Kreisens und der ständigen Wiederkehr zum Ausdruck kommt, in den Vögeln und Blumen dieses Gartens, vor allem aber, wie Seidlin hervorhebt, im Springbrunnen, diesem „Bild selbstzentrierter Leere und Hoffärtigkeit: ein monotones perpetuum mobile, eine Bewegung, die immer wieder in sich selbst zurücksinkt, sinnloses Spiel schimmernder Sphären, auf- und abgeworfen, steigend und fallend ohne Unterlaß." [155] Venus selbst ist eingefangen in das Kreismotiv. Gleich zu Anfang erscheint das marmorne Venusbild, „als wäre die Göttin soeben erst aus den Wellen aufgetaucht und betrachte nun, selber verzaubert, das Bild der eigenen Schönheit, das der trunkene Wasserspiegel zwischen den leise aus dem Grunde aufblühenden Sternen widerstrahlte" (GW III, 34). Einige Schwäne, die „still ihre einförmigen Kreise" um die Göttin beschreiben, vollenden das Bild (GW III, 34). Die wirklich ins Leben getretene Venus wiederholt den Narzißmus; ihre Gesten und Worte werden zum Ausdruck „selbstzentrierter Leere und Hoffärtigkeit": „Bald etwas an ihrem dunkeln duftenden Lockengeflecht verbessernd, bald wieder im Spiegel sich betrachtend, sprach sie dabei fortwährend zu dem Jüngling, mit gleichgültigen Dingen in zierlichen Worten holdselig spielend" (GW III, 52).

Anmut, plastisches Ebenmaß und heitere Gemessenheit sind nur Teilaspekte des Venusgartens. Auch den romantischen Drang nach Entgrenzung des Individuums verbannt Eichendorff in den heidnischen Garten. Denn wie der apollinische Formwille so verleugnet der dionysische Sinnenrausch

---

[155] Seidlin, *Versuche*, S. 38.

die für Eichendorff allein maßgebende überirdische Transzendenz. Das Dionysische offenbart sich in der erotisch geladenen Atmosphäre, die mit den Stilmitteln der Synästhesie und mit Sinnbildern des feuchten Elements geschaffen wird. Als Beispiel gelte das, was Eichendorff von der Wirkung der Tanzmusik auf den Menschen im allgemeinen und auf Florio im besonderen sagt.

Wohl kommt die Tanzmusik, wenn sie auch nicht unser Innerstes erschüttert und umkehrt, recht wie ein Frühling leise und gewaltig über uns, die Töne tasten zauberisch wie die ersten Sommerblicke nach der Tiefe und wecken alle die Lieder, die unten gebunden schliefen, und Quellen und Blumen und uralte Erinnerungen und das ganze eingefrorne, schwere, stockende Leben wird ein leichter klarer Strom, auf dem das Herz mit rauschenden Wimpeln den lange aufgegebenen Wünschen fröhlich wieder zufährt (GW III, 43).

So bereitet Eichendorff die Begegnung Florios mit Venus vor. Das Fliessende und Entgrenzende bewirkt ein „Zurücktreten des freien Einzelwesens in den allgemeinen Strom des Lebens, der über es hinwegfließt." [156] Wie das Apollinische, so kulminiert auch das Dionysische in Venus. „Sie ist das in weiblicher Gestalt erscheinende Leben. Ausdrücklich heißt es von der Wirkung ihrer Verzauberung, daß der Held durch sie eingebettet wird in den Strom des Lebens, von ihm ergriffen und verschlungen wird." [157] Bollnows Behauptung muß revidiert werden: Florio „hätte" verschlungen werden können, wäre er nicht im letzten Augenblick zur Besinnung gekommen. Symbolisch für Florios Absage an den Venusbereich steht die Entzauberung und der Zerfall des heidnischen Tempels und seiner Göttin. Die Strahlen der Morgenröte nach Florios Erwachen aus „Des Bösen Trug und Zaubermacht" beschienen nur noch „altes verfallenes Gemäuer" und „ein zum Teil zertrümmertes Marmorbild" (GW III, 57). Mit der Dämonisierung der Venus wendet sich Eichendorff nicht nur gegen das klassisch-heidnische Lebensideal, er erteilt auch eine klare Absage an die pantheistisch-erotische Mystik einer in seinen Augen falsch orientierten romantischen Bewegung.

In den Sog dieser Bewegung war Eichendorffs Dichten während seiner Heidelberger Zeit selbst geraten. Was ich bei der Untersuchung der Jugendgedichte als venushaft herausstellte, finden wir als Züge der Venus des

[156] Bollnow, *Das romantische Weltbild*, S. 468.
[157] Ibid., S. 467—468.

Marmorbildes wieder. Venus ist in den Naturzyklus des Frühlings eingebettet, in den monotonen Kreislauf des Blühenmüssens. „Was weckst du, Frühling, mich von neuem wieder?", singt sie wehmütig-vorwurfsvoll. Sie umgibt sich mit Schleiern, wie die Frühlingsgöttin, doch lockt sie nicht mehr aus rätselhafter, zweideutiger Ferne, sondern tritt körperlich nahe, „immer schönere Formen bald enthüllend, bald lose verbergend" (GW III, 52). Venus wird auch, ähnlich den Waldschönen oder Naturwesen in den Jugendgedichten, durch Waldhornklänge und Blumenduft angekündigt (GW III, 50). Und schließlich wird sie in den Bereich des Gespensterhaften einbezogen. Kaum hatte Florio die „lang gesuchte, nun plötzlich erkannte Geliebte" erschaut, da entfremdet sie sich ihm; „fürchterlich weiß und regungslos, ... fast schreckhaft [sieht sie ihn an] mit den steinernen Augenhöhlen aus der grenzenlosen Stille" (GW III, 34). Später, als das fromme Lied Florios Seele aufzurütteln beginnt, wiederholt sich die Entfremdung. Florio „kam sich auf einmal hier so fremd und wie aus sich selber verirrt vor" (GW III, 54). Daraufhin beginnt sich der Zauber auf gespenstische Weise zu lösen. Venus sinkt in ihre Erstarrung zurück. Sie wurde „bei den indes immer gewaltiger verschwellenden Tönen des Gesanges im Garten immer bleicher und bleicher ... gleich einer versinkenden Abendröte, worin endlich auch die lieblich spielenden Augensterne unterzugehen schienen." Da „erfaßte ihn [Florio] ein tödliches Grauen" (GW III, 55).

Entfremdung und Erstarrung fand auch das sehnsüchtig sich in unendliche Tiefen und Fernen versenkende Ich einiger Jugendgedichte, da wo es höchste Ekstase und mystisches Einswerden mit der Natur erwartete. Dem jungen Florio, wie dem Dichter in *Jugendandacht* (J 17—26) entsteigt das Bild der Geliebten dem Frühlingshoffen seines eigenen Innern. Vom Grund seiner Seele lockte die Geliebte herauf, und in deren Tiefen zog sie ihn hinab. In der *Jugendandacht* (J 25) wird der Durchblick in den inneren Abgrund als typische Traumerfahrung mit Bildern des Versteinerns wiedergegeben:

> Da spricht der Abgrund dunkel: Bist nun meine;
> Zieht mich hinab an bleiernen Gewichtern,
> Sieht stumm mich an aus steinernen Gesichtern,
> Das Herz wird selber zum kristallnen Steine.

Dieses Traumgesicht rührt an unterirdische Bereiche, denen, wie Eichendorff sagt, „des Dichters Seele stumm verbunden" ist (J 26). Als Vulgarisierung oder Veräußerlichung dieser inneren Erfahrung mögen die zwischen dem Reich der Toten und der Lebenden geisternden Gespenster und Vampyre angesehen werden. Die Gespenster wiederum sind im naturphysischen und geschichtsmythischen Denken der romantischen Epoche oft der Natur und der Geschichte verbunden. Die Venusgestalt zehrt von allen diesen Vorstellungen. Sie ist, als Traumbild Florios, Sinnbild für seine Verirrung in die Untiefen seines eigenen Ich. Sie wird als Naturmacht gedacht, „wechselnd zwischen dem vollen Schein des Lebens und der totenhaften Erstarrung." [158] Und für Augenblicke wird sie zum Gespenst im herkömmlichen Sinne.

Wiederum ist es Fortunato, der das Venuserlebnis Florios aus der individuellen Erfahrung heraus in den Traditionszusammenhang des mittelalterlichen Volksglaubens stellt, indem er die im Volk kursierende Gespenstergeschichte erzählt. Man sage,

> der Geist der schönen Heidengöttin habe keine Ruhe gefunden. Aus der erschrecklichen Stille des Grabes heißt sie das Andenken an die irdische Lust jeden Frühling immer wieder in die grüne Einsamkeit ihres verfallenen Hauses heraufsteigen und durch teuflisches Blendwerk die alte Verführung üben an jungen sorglosen Gemütern, die dann vom Leben abgeschieden, und doch auch nicht aufgenommen in den Frieden der Toten, zwischen wilder Lust und schrecklicher Reue, an Leib und Seele verloren, umherirren und in der entsetzlichsten Täuschung sich selber verzehren. Gar häufig will man auf demselben Platze Anfechtungen von Gespenstern verspürt haben, wo sich bald eine wunderschöne Dame, bald mehrere ansehnliche Kavaliers sehen lassen und die Vorübergehenden in einen dem Auge vorgestellten erdichteten Garten und Palast führen (GW III, 60).

Die Sage hat einen religionsgeschichtlichen und mythischen Hintergrund. Auch diesen deckte Fortunato auf. Vor der erbarmenden Liebe der Muttergottes sei der Leib der Venus zu Stein erstarrt. Ihr Reich vegetiere unterirdisch fort. Von der tiefen Wehmut in diesen chthonischen Gründen gäben zuweilen die Sirenen in irren Tönen Kunde. Florio war diesen irren Tönen halb gefolgt, halb überließ er sich dem sinnenbetäubenden Strömen, das ihn hinunterzog. Unter seinen heißen Blicken gewann der erstarrte Leib der Venus ihre sinnlichen Reize zurück. Doch es ist ein

---

[158] Bianchi, *Italien*, S. 72.

Scheinleben, das sie führt, und währenddessen sie verführt. Dem Appell Florios an die göttliche Barmherzigkeit hält sie nicht stand, und sie versinkt erneut in ihre Erstarrung. Fortunato, der weise Dichter, lehrt den durch Erfahrung gereiften Florio, wie er sich in seinem Leben und Dichten von nun an zu verhalten habe: „Glaubt mir, ein redlicher Dichter kann viel wagen, denn die Kunst, die ohne Stolz und Frevel, bespricht und bändigt die wilden Erdengeister, die aus der Tiefe nach uns langen" (GW III, 60).

2. Das Zauberfräulein in der ZAUBEREI IM HERBSTE

Wenn in der Venus des *Marmorbildes* das Venushafte am reinsten versinnbildlicht ist, dann ist es wohl gerechtfertigt, die folgenden Interpretationen venushafter Gestalten aus anderen Dichtungen an ihr zu orientieren oder gegen sie abzugrenzen. Entwicklungsgeschichtlich darf man in der Zauberin des Herbstmärchens eine Vorstufe zum *Marmorbild* sehen.[159] Der Zauberin' Geist wurde in diesem ersten Prosawerk weder in Stein festgehalten, noch als weltanschauliches Symbol gedacht. Das Märchen gehört zu Eichendorffs Heidelberger Dichtung und trägt deren Merkmale. Im Gefolge Tiecks, der nach Ulmer „uses demonic women to symbolize the dark forces in nature,"[160] lockt Eichendorffs Zauberfräulein einen Jüngling mit Waldhornklängen zur Herbstfeier der Natur. Weschta nennt die *Zauberei im Herbste* „das Märchen der lockenden Töne," deren dämonische Wirkung er hervorhebt."[161] Die geheimnisvolle Feier des Herbstes ist eine Todesfeier, ein letztes ekstatisches Aufquellen aller Naturtriebe. Das Zauberfräulein als sinnbildliche Verdichtung des Herbstes ist also wie Venus ein „vegetatives Symbol."[162] Ihre Feier gipfelt noch eindringlicher als das Fest der Venus in einem dionysischen Todesrausch, da ihre Gebundenheit an den Herbst, der Jahreszeit des Absterbens, unmittel-

---

[159] Ich beziehe mich hier auf Weschta, der zur Unterstützung seiner eigenen Feststellung auf Kosch verweist, welcher sagte, „daß eine vollständige Entstehungsgeschichte des ‚Marmorbildes' ohne die ‚Zauberei' gar nicht geschrieben werden könne, da diese den Urkern des späteren Novellenmärchens enthalte" („*Das Marmorbild*", S. 14).
[160] Ulmer, *Eichendorffs „Eine Meerfahrt,"* S. 145, Fußnote 2.
[161] Weschta, „*Das Marmorbild*", S. 69 und S. 20.
[162] Formulierung von Egon Schwarz (*Der Taugenichts zwischen Heimat und Exil*) übernommen.

barer dem Naturrhythmus entspricht. Der Bezug zum Herbst tritt bei dem Fräulein jedoch hinter der weiblich-menschlichen Erotik zurück. Mehr als alles andere ist sie Erweckerin von Fleischeslust, was sich in ihrer erogenen Wirkung auf Raimund zeigt. Aus der Perspektive Ubaldos gesehen ist die Frauengestalt ein aus Raimunds Einbildung hervorgegangenes Phantasiebild, an dem sich Raimund erregt, und das er zur Partnerin seines Liebesverkehrs macht. Ausgelöst wurde dieses Bild durch Waldhornklänge, deren Beschwörungskraft wir auch aus den Gedichten kennen.

In den Gedichten hat sich das Bild der in den Zauberduft der Klänge getauchten Geliebten nach zwei verschiedenen Richtungen hin entwickelt. Zu der einen Richtung gehören die Gedichte mit der mystisch-verschwommenen Hindeutung auf die „Eine," welche sich stets in nebelhafter Ferne hält. Die Unverbindlichkeit und Elastizität des ersehnten und gefeierten Bildes verleiteten zu der Annahme, daß erotische Gefühlswallungen ohne weiteres in einem religiösen Marienkult aufgehen können. Von dieser Pseudoreligiosität hat sich Eichendorff im *Marmorbild* abgesetzt. In die andere Richtung weist das Gedicht *Waldgespräch* (J 157), das seine Entsprechung in der *Zauberei im Herbste* findet. Die schöne Braut ist durch die Identifizierung mit einer Hexe von vornherein ethisch-negativ fixiert. In der *Zauberei im Herbste* wird die der Loreleigestalt des Gedichtes verwandte Zauberin in ihrer nackten Sinnlichkeit gezeigt. Raimund empfindet sein Verhältnis mit der Zauberin ganz eindeutig als Sünde.

Es muß hervorgehoben werden, daß Eichendorff bereits schon in seinen frühen Gedichten die rein geschlechtlichen Regungen mit einem sündhaften Gefühl verbindet. Bemerkenswert ist es daher, mit welcher erotischen Sinnlichkeit er diese Regungen gestaltet, um sie dann zu verwerfen. Dieses Doppelspiel ist bezeichnend für Eichendorffs Natur und seine Dichtung. Bernhard Ulmer macht eine treffende Feststellung: „The later poet evidences what almost amounts to prudery in the treatment of the sensual than he felt his conscience or his religion could approve. ... Eichendorffs nature, if not sensual, was in any case highly sensuous." [163] Von der Leidenschaftlichkeit seiner Liebesbrunst zeugen Raimunds eigene Worte: „Das Fräulein, schöner als ich sie jemals gesehen, sank ganz hingegeben in flammenden Küssen an meine von Stürmen durchwühlte, zerrissene Brust." Und er fährt fort: „Laßt mich nun schweigen von der Pracht der Gemächer, dem Dufte ausländischer Blumen und Bäume, zwischen

[163] Ulmer, *Meerfahrt*, S. 146.

denen schöne Frauen singend hervorsahen, von den Wogen von Licht und Musik, von der wilden, namenlosen Lust, die ich in den Armen des Fräuleins — " (GW III, 16). An dieser Stelle vernimmt er den Lockruf wieder, der ihn zum ersten Mal in ihre Arme getrieben hat. Was Raimund in dem Jugendmärchen als Sünde angerechnet wird, ist sein ganz ins Konkrete herabgezogener, körperlicher, wenn auch eingebildeter Liebesbezug. Hätte er seine Sensualität mit einer mystisch-religiösen Gloriole umgeben, dann würde ihn Eichendorff in dieser frühen Dichtung wahrscheinlich noch nicht verurteilt haben. Raimunds leibliche Verirrung kann als Ursache oder Wirkung seiner geistigen Umnachtung angesehen werden. Das Zauberfräulein hat ihn so sehr in der Gewalt, daß er nicht mehr in die Wirklichkeit und damit in die Gemeinschaft der Menschen zurückfindet.

So grundverschieden Raimund und Florio auch sind, so erleiden beide durch die Macht ihrer Phantasie einen Wirklichkeitsverlust. Für Raimund geht die Geliebte aus einer Wahnvorstellung, für Florio aus seinen Träumen und Jugendsehnsüchten hervor. Raimund bleibt ein klinischer Einzelfall, während seiner imaginären Geliebten, unabhängig von ihm, als Herbstsymbol und als Verdichtung sinnlicher Reize eine gewisse Allgemeingültigkeit zukommt. Das Zauberfräulein erreicht aber in keiner Weise Gedankentiefe und -umfang der mythischen Venus. Aus ihrer Darstellung kann man jedoch den Motivkreis der Venus im Keime erkennen. Sie schickt wunderbar singende Sirenen als Lockvögel voraus und zieht den ihr hörigen Jüngling in den Zauberkreis ihres Gartens. Dort betreibt auch sie, wie Venus, über dem Wasser ihre narzistische Selbstbespiegelung, „schweigend in die wollüstig um ihre Knöchel spielenden Wellen wie verzaubert und versunken in das Bild der eigenen Schönheit, das der trunkene Wasserspiegel widerstrahlte," schauend (GW III, 15). Ihre blühende Lebensfülle weicht mit dem Dahinschwinden des Herbstes allmählich einer Erstarrung. Ihre Augen verlieren allen Glanz, sie erbleicht. „Es kam mir vor," erzählt Raimund, „als sähe ich ein steinernes Bild, schön, aber totenkalt und unbeweglich. Ein Stein blitzte wie Basiliskenaugen von ihrer starren Brust, ihr Mund schien mir seltsam verzerrt" (GW III, 18). Ein Grausen überfällt Raimund vor dieser ins Gespenstische verzerrten Gestalt. Ibing führt das Gespensterhafte auf den Einfluß des gespenstischen Schloßfräuleins der Schloßfrauensagen zurück. [164] Über die stoffliche Abhängigkeit hinaus kann das Grausen allgemein Zeichen des Entsetzens vor allem

[164] Ibing, *Volksbrauch*, S. 97.

Lebensfremden im Geisterreich draußen oder in den Abgründen der eigenen Brust sein. Es kann den ichverfangenen Menschen im Gewahrwerden seiner Selbstentfremdung überkommen. Angst und Grausen sind existentielle Regungen, die man gewöhnlich in Verbindung mit etwas Angsterregendem bringt. Dieses Etwas versucht der Dichter zu benennen, in ein Bild zu fassen. Das Bild des Gespenstes drängt sich aus der volkstümlichen Tradition auf. Eichendorff hat es ausgiebig benützt. Vielleicht ist es in der *Zauberei im Herbste* nicht viel mehr als literarische Anleihe. Im *Marmorbild* soll gerade die Übernahme des im Volk verankerten Gespensterbildes der dichterischen Aussage Objektivität verleihen. Venus verkehrt sich ins Gespenstische, als Florio seiner Ich-Verfangenheit gewahr wird.

3. Die imaginäre Geliebte Romanos in VIEL LÄRM UM NICHTS

Ganz deutlich stellt Eichendorff das Gespensterhafte als Ergebnis einseitiger Selbstzentrierung in *Viel Lärm um Nichts* heraus. Romano träumt von einer früheren Jugendgeliebten. Verstohlen schleicht er in ihren Garten.

Ein Schwan, den Kopf unter dem Flügel versteckt, beschrieb auf einem Weiher, wie im Traume, stille, einförmige Kreise; schöne, nackte Götterbilder waren auf ihren Gestellen eingeschlafen, daß die steinernen Haare über Gesicht und Arme herabhingen. — Als er sich verwundert umsah, erblickte er plötzlich ihre hohe und anmutige Gestalt, verlockend zwischen den dunklen Bäumen hervor. „Geliebteste!" rief er voll Freude, „dich meint ich doch immer nur im Herzensgrunde, dich mein ich noch heut!" Wie er sie aber verfolgte, kam es ihm vor, als wäre es sein eigener Schatten, der vor ihm über den Rasen herfloh und sich zuletzt in einem dunklen Gebüsch verlor. Endlich hatte er sie erreicht, er faßte ihre Hand, sie wandte sich. — Da blieb er erstarrt stehen — denn er war es selber, den er an der Hand festhielt. „Laß mich los!" schrie er, „du bist's nicht, es ist ja alles nur ein Traum!" — „Ich bin und war es immer", antwortet sein gräßliches Ebenbild, „du wachst nur jetzt und träumtest sonst." Nun fing das Gespenst mit einer grinsenden Zärtlichkeit ihn zu liebkosen an. Entsetzt floh er aus dem Garten, an dem toten Diener vorüber, es war, als streckten und dehnten sich hinter ihm die erwachten Marmorbilder, und ein widerliches Lachen schallte durch die Lüfte (GW III, 180).

Von Romano wird berichtet, er habe den Rausch einer wüst durchlebten Jugend mit einem fatalen Katzenjammer bezahlen müssen. Er hat seine egoistischen Liebeserbeutungen in romantischem Lichte poetisiert.

So wurde das schöne Müllermädchen Opfer seiner Genußsucht. Ihr begegnet er nach Jahren wieder. Vor ihrer rauhen, von Arbeit und Sorgen verwandelten Hand schreckt das ästhetisch-sensitivierte Empfinden des Prinzen zurück. Diese vom Leben angegriffene Frau entspricht nicht mehr seiner Vorstellung einer Geliebten. Wieder zeigt sich die Ich-Verfangenheit als Wirklichkeitsverlust. Die sich als sein Ebenbild herausstellende Geliebte ist das allegorische Bild seiner Verliebtheit in sich selbst. Denn wo für das sich sehnende Subjekt das ersehnte Objekt kein konkretes Außer-ihm-Seiendes ist, da kann es sich ereignen, daß Subjekt und Objekt in Eins zusammenfallen, d. h. daß das sogenannte Objekt lediglich das Echo der hinausprojizierten Wünsche ist.

4. Romana in AHNUNG UND GEGENWART

Das Venushafte äußert sich in *Viel Lärm um Nichts* als subjektive Täuschung des Prinzen Romano. In *Ahnung und Gegenwart* wird gezeigt, wie es sich an einer menschlichen Frauengestalt auswirkt. Romana tritt in einem Tableau als Venus-Aphrodite auf. Sie habe „die griechische Figur, die lebenslustige, vor dem Glanze des Christentums zu Stein gewordene Religion der Phantasie so meisterhaft dargestellt" (GW II, 128), heißt es anschließend. Ihre Rolle brachte ihr den Namen „schöne Heidin" ein (GW II, 134). Auf Friedrich wirkt sie „höchst anziehend und zurückstoßend. ... Ihre Schönheit war durchaus verschwenderisch reich, südlich und blendend. ... Ihre Bewegungen waren feurig, ihre großen, brennenden, durchdringenden Augen, denen es nicht an Strenge fehlte, bestrichen Friedrich wie ein Magnet" (GW II, 134). Schönheit und Genialität zeichnen die Gräfin aus, sowie ein dionysischer Lebensdrang. Stein sagt von Romana, sie habe einen „weiteren und schärferen Blick für die Pracht des Lebens, ... [eine] aufnahmefähigere Seele" als andere Menschen; doch sie sei „ichbezogen und weiß nicht, daß eine höhere Macht Forderungen an sie stellt." [165] Er sieht eine Anspielung auf ihr dionysisches Leben in dem

[165] Stein, *Dichtergestalten*, S. 96.

Lied „Laue Luft kommt blau geflossen," das sie zur Gitarre singt. In dem Lied wird das bunte Wirren des Frühlings „ein magisch wilder Fluß," der „in die schöne Welt hinunter"-treibt. [166] Als ein solches Treiben bezeichnet Romana ihren eigenen Lebensdrang, wie aus der sinnbildlichen Erzählung vom Garten ihrer Kindheit hervorgeht. Ihre Mutter habe ihr eindringlich nahegelegt, diesen Garten niemals zu verlasssen:

„Er ist fromm und zierlich umzäunt mit Rosen, Lilien und Rosmarin. Die Sonne scheint gar lieblich darauf, und lichtglänzende Kinder sehen dir von fern zu und wollen dort zwischen den Blumenbeeten mit dir spazierengehen. Denn du sollst mehr Gnade erfahren und mehr göttliche Pracht überschauen als andere. Und eben, weil du oft fröhlich und kühn sein wirst und Flügel haben, so bitte ich dich: Springe niemals aus dem stillen Garten!" (GW II, 123).

Doch sie sprang aus dem Garten, folgte dem verlockenden Waldhornlied eines Jägers, dem sie ihren Ring zum Andenken gab. Der Jäger verschwand. „ ,Aber der Ring blitzt wohl noch jeden Frühling aus der Grüne farbig-flammend in mein Herz, und ich werde die Zauberei nicht los' " (GW II, 123). „ ,Mein Lebenslauf in der Knospe,' " nennt die Gräfin diese Erzählung (GW II, 122).

In dem Garten sehe ich ein Sinnbild weiblicher Bescheidung, deren Grenzen sich Romana nicht fügen will. Das Venushafte hat mit einem solchen Garten nichts zu tun. Dieses kommt in einem zweiten Gartenbild zur Entfaltung. Friedrich betritt das Schloß der Gräfin:

Es stand wie eine Zauberei hoch über einem weiten, unbeschreiblichen Chaos von Gärten, Weinbergen, Bäumen und Flüssen, der Schloßberg selber war ein großer Garten, wo unzählige Wasserkünste aus dem Grün hervorsprangen. ... Er erstaunte über die seltsame Bauart des Schlosses, das durch eine fast barocke Pracht auffiel. ... Er trat in die weite, mit buntem Marmor getäfelte Vorhalle, durch deren Säulenreihen man

---

[166] Die Deutungsmöglichkeiten dieses Liedes werden durch Romanas Verhaltensweise fixiert. Giraud übersetzt dieses Treiben in den Lebensdrang Romanas: „De toute son âme elle opte pour l'aveugle épanouissement vital du printemps qui se grise de splendeurs et refuse de se soucier du lendemain et du but de son élan" (Les problèmes généraux, S. 135). Außerhalb des Roman-Kontextes kann das Lied, im Gedankengang mit anderen Gedichten übereinstimmend, als Bejahung frischen Wagens aufgefaßt werden (Beispiele: Spruch; Aufgebot, i. e. die spätere Fassung des frühen Gedichtes Ermunterung (J 39); Glückliche Fahrt; Sommerschwüle, 1; Entschluß. (Vgl. oben, Anm. 107).

von der andern Seite in den Garten hinaussah. Dort standen die seltsamsten ausländischen Bäume und Pflanzen wie halbausgesprochene, verzauberte Gedanken, schimmernde Wasserstrahlen durchkreuzten sich in kristallenen Bogen hoch über ihnen, ausländische Vögel saßen sinnend und traumhaft zwischen den dunkelgrünen Schatten umher (GW II, 154).

Das Gartenbild hat nicht die Geschlossenheit und Einheitlichkeit des Venusgartens, wie ihn Eichendorff im *Marmorbild* zeichnet. Das Wort ‚barock'' paßt nicht zu dem Bild; die Wasserstrahlen runden sich noch nicht zum Kreis. Doch im Bild der Verzauberung, im exotischen Pflanzenchaos dringt die Venuswelt durch. Hier kommt Romana, die Schloßherrin, als Verführerin auf Friedrich zu. „Sie nahm ihn bei der Hand und führte ihn in das Innere des Schlosses" (GW II, 155). Diese Geste kommt im *Marmorbild* voll symbolischer Bedeutung wieder. Friedrich wird immer mehr in das Zaubernetz Romanas verstrickt. Ihr Gesang greift mit unwiderstehlicher Gewalt an sein Herz, „und in diesem sinnenverwirrenden Rausche fand er das schöne Weib an seiner Seite zum ersten Male verführerisch" (GW II, 157). Die liebesschwangere Atmosphäre weckt das Verlangen nach einer Umarmung, das Romana an ihrer „ungewöhnlichen Unruhe" verrät. Doch Friedrich bleibt passiv. Seine bieder-fromme Naivität sticht gegen die feurige Verführerin an seiner Seite geradezu peinlich ab. Romana verwandelt sich für ihn im Schimmer des Mondes ins Geisterhafte. „Eine Art von seltsamer Furcht befiel ihn da auf einmal vor ihr und dem ganzen Feenschlosse" (GW II, 158). Das Bild verfolgt ihn im Traum. Er hörte „ausländische Vögel draußen im Garten in wunderlichen Tönen immerfort wie im Traume sprechen, das seltsame, bleiche Gesicht der Gräfin, wie sie ihm zuletzt vorgekommen, stellte sich ihm dabei unaufhörlich vor die Augen, und so schlummerte er erst spät unter verworrenen Phantasien ein" (GW II, 158). Als er mitten in der Nacht erwachte, „hörte er neben sich atmen." Er „erblickte Romana, unangekleidet wie sie war, an dem Fuße seines Betts eingeschlafen. Sie ruhte auf dem Boden, mit dem einen Arm und dem halben Leibe auf das Bett gelehnt. Die langen schwarzen Haare hingen aufgelöst über den weißen Nacken und Busen herab. Er betrachtete die wunderschöne Gestalt lange voll Verwunderung halb aufgerichtet" (GW II, 158). Da hörte er draußen Leontin singen: „Gott loben wollen wir vereint, / Bis daß der lichte Morgen scheint!" (GW II, 159). Wie bei Florio, so gibt auch hier das Lied den Gedanken eine andere Richtung. Friedrich flieht das Schloß und Romana. „Er atmete tief auf, als er draußen in die herrliche Nacht hineinritt, seine Seele war wie von tausend Ketten frei. Es war ihm, als ob er aus fieberhaften Träumen oder aus einem langen, wüsten, liederlichen Lustleben zurückkehre" (GW II, 159).

Die schöne Verführerin, ihre Verwandlung ins Gespenstische, wunderbare Töne, das fromme Lied draußen, das Erwachen aus fieberhaften Träumen, das Venusberg-Motiv: das alles finden wir im *Marmorbild* wieder, doch zu einer tiefsinnigen Symbolik geordnet. Das Tableau, in dem Romanas Darstellung eine überpersönliche Bedeutung zukommt, spielt in Fortunatos Gedichte im *Marmorbild* hinüber. Doch hier erschöpft sich der Vergleich zum *Marmorbild* und seiner Venusgestalt. Romana trägt ebenso Züge des Dianahaften. Ihre Genialität, ihr eigenwilliges Hinausspringen aus dem Garten, ihr unweiblicher Stolz und unbezähmbarer Lebensdrang sollen später besprochen werden. Die dianahafte Romana ist eine männlich-aktive Gestalt. Sie entspricht in einer Hinsicht den Jünglingen, die sich in den Venuskreis begeben: in ihrer Selbstzentrierung entfremdet sie sich der Umwelt und sich selbst.

5. Alma in der MEERFAHRT

In *Eine Meerfahrt* sind wiederum zwei Gartenlandschaften, doch dieses Mal als mythische Kontrastbilder, gegeneinander abgegrenzt. War in *Ahnung und Gegenwart* die Szenerie trotz der sich abzeichnenden Tendenz zur Typisierung noch lebensnah, so ist die Landschaft in der *Meerfahrt* Eichendorffs Alternativdenken untergeordnet. Die beiden Gärten stehen für die christliche und die heidnische Seinsweise, sie übernehmen also das Thema, von dem schon das *Marmorbild* beherrscht wurde. Im *Marmorbild* geht die Gegenüberstellung in der künstlerischen Vollkommenheit der Form und in der mythischen Geschlossenheit und visionären Tiefe des Inhaltes auf. In der *Meerfahrt* macht sich die künstlerische Versteifung des älteren Eichendorff bemerkbar. Die Königin der Wilden und Alma haben weder die lebendige Fülle einer dichterischen Frühgestalt wie Romana, noch die mythische Poesie der Venus im *Marmorbild*. Doch sie sind auch nicht Allegorien abstrakter Gedanken, wie manche Frauengestalt in Eichendorffs gesellschaftspolitischen Werken. Die Andersartigkeit der Frauengestalten hat mit der Thematik des Werkes, welches eine Abenteurergeschichte erzählt, zu tun. Es macht sich auch in der Darstellung dieser Gestalten eine gewisse Tendenz Eichendorffs zur Rationalisierung des Wunderbaren und Mystischen bemerkbar.

Im Venusgarten dieser dem europäisch-klassischen Zivilisationsbereich fremden Insel stehen weder Marmorbilder, noch bietet er das Bild antiker Lebensfreude. Doch Sirenen zirpen verlockend um die Goldinsel, und ihre schönen Mädchenleiber bringen das Blut der Seefahrer ins Wallen. Die Vorstellung vom Venushaften bringen die Seeleute aus ihrer europäischen Heimat mit. Sie kennen die Sage vom Venusberg, wo Venus durch ihre Schönheit Männer anlockt und ins Verderben zieht. Für sie spukt es auf der Insel. Es sei Walpurgisnacht, „ „da sind die geheimen Fenster der Erde erleuchtet, daß man bis ins Zentrum schauen kann' " (GW III, 227). In der jungen, schlanken Frauengestalt vermuten sie Frau Venus. „ ‚In dieser Nacht alljährlich opfern sie ihr heimlich, *ein* Blick von ihr, wenn sie erwacht, macht wahnsinnig' " (GW III, 227). Den Aberglauben rationalistisch erklärend meint einer, Venus sei „ ‚nur so ein Symbolum der heidnischen Liebe, gleichsam ein Luftgebild, eine Schimäre ... „Mater saeva cupidinum" — ' " (GW III, 228). Damit ist ein Wesenszug des Heidnischen im Eichendorffschen Sinne umschrieben: Die Sinnlichkeit, die sich im körperlichen Genuß erschöpft, ist heidnisch. Das Heidnische der beiden Frauengestalten auf der Insel deckt sich jedoch nicht oder nur zum Teil mit der Venusvorstellung der Seeleute. Sie sind Heidinnen im urprünglichen Sinne christlichen Denkens, das jeden nichtchristlichen Menschen als Heide bezeichnet. Die Königin der Wilden ist in ihrem Benehmen dianahaft; auf sie werde ich später zurückkommen.

Alma ist eine mehrdeutige Gestalt. Sie ist Tochter der Königin und nach dieser Herrscherin über die Wilden. [167] Ihre venushafte Sinnlichkeit spiegelt sich im Garten, den sie zu ihrem Schlafgemach gemacht hat. In diesen Garten verirrt sich Antonio. Es war „alles so stumm dort, die Wellen plätscherten einförmig, riesenhaftes Unkraut bedeckte überall wildzerworfenes Gemäuer" (GW III, 240). Er geht in eine dunkle Laube. „Das schien ihm so heimlich und sicher, er wollt nur einen Augenblick rasten und

---

[167] Alma nennt die Königin ihre „Muhme," was nach Kluge (*Etymologisches Wörterbuch*) „Tante" oder allgemein „weibliche Verwandte" bedeutet. Diese Bezeichnung verwendet Pauline in seiner Interpretation der *Meerfahrt* (die Königin = Almas Tante, also Alma ihre Nichte). Nach Kluge soll „Muhme" aber auch eine Koseform für „Mutter" gewesen, und nach Grimm (*Deutsches Wörterbuch*) „einer Wurzel mit ahd ‚mou-tar' " = Mutter sein. Nach Grimm ist aisl. die Bedeutung von „Mutter" aus der Kindersprache entstanden. Doch diese Bedeutung von „Muhme" wird von den weitaus gebräuchlicheren für „eine weibliche Verwandte" überschattet. Meine Hypothese steht also auf schwankendem Boden, doch sie hat im Bedeutungszusammenhang der *Meerfahrt* mehr für sich als die augenfällige Bezeichnung „Tante," die Pauline in seiner Interpretation der Novelle verwendet.

streckte sich ins hohe Gras. Ein würziger Duft wehte nach dem Regen vom Walde herüber, die Blätter flüsterten so schläfrig in der leisen Luft, müde sanken ihm die Augen zu" (GW III, 240). Als er erwachte, „hörte er mit Schrecken neben sich atmen. Er wollte rasch aufspringen, aber zwei Hände hielten ihn am Boden fest. Beim zitternden Mondesflimmer durchs Laub glaubte er eine schlanke Frauengestalt zu erkennen" (GW III, 241). Es ist Alma. Antonio sieht in ihr eine Venusgestalt. „Im hellen Mondlicht erkannte Antonio plötzlich die ‚Frau Venus' wieder, die sie gestern nachts schlummernd in der Höhle gesehen, ihre eigenen Locken wallten wie die Nacht" (GW III, 241). Die venushaft verführerische Atmosphäre des Gartens wird mit einem Sinnbild dionysischen Todesrausches intensiviert: „Ein Grauen überfiel ihn, er merkte erst jetzt, daß er unter glühenden Mohnblumen wie begraben lag" (GW III, 241). In Almas Lied sind Bilder aus dem *Marmorbild* in einen geheimnisvollen Bezug verwoben, aus dem meines Erachtens auf eine Verbindung zwischen Don Diego und der Königin geschlossen werden kann:

> Er aber ist gefahren
> Weit übers Meer hinaus,
> Verwildert ist der Garten,
> Verfallen liegt sein Haus.
>
> Doch nachts im Mondenglanze
> Sie manchmal noch erwacht,
> Löst von dem Perlenkranze
> Ihr Haar, das wallt wie Nacht.   (GW III, 241)

Die Vermutung liegt nahe, daß Alma aus der hier in Erinnerung gebrachten Verbindung hervorgegangen ist. Alma spricht Antonio auf Spanisch an, was bei Antonio die Frage auslöst: „ ‚So bist du eine Christin?' " (GW III, 241). Sie ist es nicht, aber sie scheint, wenn dieser Ausdruck erlaubt ist, „christliches" Blut in den Adern zu haben. Ihr Name deutet darauf hin. Alma: will das nicht besagen, daß sie „Seele" hat, daß sie ein liebendes Herz besitzt, was der Königin, ihrer Mutter, fehlte? Antonio nimmt das schöne Inselmädchen als seine Braut mit nach Spanien zurück. Er hebt sie aus dem heidnischen Bereich heraus in den christlichen hinüber, wofür sie bereits prädisponiert war.

166

6. Fausta im epischen Gedicht JULIAN

Eine Meerfahrt ist in die Zeit der Conquistadoren verlegt, das epische Gedicht *Julian* reicht noch weiter zurück, in die Herrscherzeit des Apostaten Julianus. Doch hier wie dort ist der geschichtliche und geographische Schauplatz nur ein Vorwand für die Behandlung einer weltanschaulichen Thematik, die nicht an Zeit und Raum gebunden ist, oder doch nur insofern, als sie den Stempel des Eichendorffschen Geistes und seiner Zeit trägt. Geibel schreibt: „Das Gedicht ist durch und durch romantisch; man muß den Ton kennen und lieben und in junger Zeit in jener ,mondbeglänzten Zaubernacht' mitgeschwärmt haben, um sich so daran zu freuen" (in HKA I, 2. Teil, Anm. S. 827). Im *Julian* wird auf die Klage um die verlorene Pracht der Götterwelt mit dem dichterischen Versuch einer Wiederherstellung des Heidentums geantwortet. In diesem neuerstandenen Reich verschafft sich die frühere Heidengöttin Venus als Fürstin Fausta Zutritt zur menschlichen Gesellschaft. Über diese Gestalt äußert sich Geibel weiter:

> Was übrigens Fausta betrifft, das plötzlich ins Leben hereintretende Marmorbild, aus dem du nicht klug werden kannst, so liegt ihr doch eine tiefe, echtpoetische Konzeption zugrunde. Sie ist nichts anderes als die personifizierte Idee des alten Heidentums, das bei allem blühendverlockenden Sinnenreiz doch am Ende nur ein täuschendes Scheinleben hat, innerlich aber tot und steinern ist, wie seine Götter (Ibid.).

Das Statuenmotiv im *Julian* hat die Quellen zur Grundlage, die gewöhnlich für die Novelle *Das Marmorbild* herangezogen werden. Die *Julian*-Dichtung hält sich insofern enger an diese Quellen, als sie das Motiv des der Venusstatue angesteckten Ringes mit verwertet. Im *Marmorbild* wie im *Julian* ruft die innere Bereitschaft einer männlichen Person zur Venusbegegnung das Marmorbild ins Leben. Florio war sich der Tragweite seiner Einwilligung nicht bewußt. In halbträumerischem Zustande folgt er der Verführerin in ihr Reich. Julian dagegen hat sich mit vollem Wissen für die Heidengöttin· entschieden. Er sehnt das vergangene Reich der Götter zurück, das von keinem gekreuzigten Gott weiß, dessen Religion im Entsagen besteht. Venus hört seine Klage. Das Marmorbild, welches der Lenz mit purpurroten Rosen und wildem Wein „brünstig umschlungen" hat (NGA I, 414), lenkt seine Aufmerksamkeit auf sich. Er „stand erschreckt — ,Dich sah ich oft im Traum!' " (NGA I, 414).

Seinen Vorsatz, ihr Reich wieder ins Leben zu rufen, besiegelt er mit einem Ring:

> „Sei Roma, Venus — mahnend mir erschienen,
> Ich grüß' als Braut dich," und vom Finger wand
> Er eines Ringes funkelnde Rubinen,
> Steckt' ihn dem Liebchen an die kalte Hand.   (NGA I, 415)

In der Nacht erscheint ihm das Marmorbild, dem er sich vermählt hat:

> Und wie er starrt', erkannt' er das nächt'ge Marmorbild,
> Den Ring an ihrem Finger, die Züge so schön und wild.
> „Was will in solcher Frühe dein rätselhafter Gruß?
> Noch dämmern die Geschicke, noch lebt Konstantius."
> (NGA I, 416)

Freigesetzt aus der christlichen Verbannung übt nun Venus ihre Macht aus. Konstantius stirbt. Julian wird zum Kaiser ausgerufen. Im Vollgefühl seiner Macht stimmt Julian eine dithyrambische Hymne an Helios an. Er ruft die Götter aus ihrem Asyl hervor:

> „Lebendig rührt sich der Hain
> In Kron' und Zweigen,
> Es bricht sein Schweigen
> Der gefesselte Stein,
> Und zwischen Trümmern steigen
> Eratmend aus allen
> Versunkenen Hallen
> Die uralten Lieder,
> Die heiteren Götter,
> Dem Menschen als Retter
> Hilfreich gesellt,
> Und unser ist wieder
> Die weite, schöne, herrliche Welt!"   (NGA I, 418)

Dominieren im Venusgarten des Julian die Götterbilder, so erfüllt den Venusgarten um Oktavian der träumerisch-lockende Sirenengesang. Die verschieden starke Betonung des Marmorbild- und des Sirenenliedmotives ist auf eine andersgeartete innere Disposition der beiden männlichen Gestalten zurückzuführen. Das formbetonende Motiv des Marmorbildes entspricht der Willensentscheidung Julians für Venus und das Heidentum, wofür sie sinnbildlich steht. Oktavian reiht sich in seiner Verhaltensweise den venusverfallenen Jünglingen Eichendorffs, die sich gern von Sirenenliedern bezaubern lassen, an. Nicht er fordert Venus heraus; er wird von ihr angezogen. In einer duftschwülen Zaubernacht lockt es aus allen Poren der Erde: „Komm, o komm zum stillen Grund!" (NGA I, 432). Zu drängend war das Liebesflüstern:

> Hat dem Klange folgen müssen
> In den duftberauschten Grund —
> Dort seitdem vor glühnden Küssen
> War verstummt der Liedermund.   (NGA I, 432)

Das Traumerlebnis Oktavians legt seinen Seelenzustand bloß. Das Verlangen seiner Sinne war zu groß, als daß er ihm hätte widerstehen können. Das Lied Faustas, welches Oktavian so betört, hat Eichendorff später unter dem Titel *Nachtzauber* unter seine Gedichte eingereiht. Es macht aufhorchen, daß der ältere Eichendorff den Zauber unaufgelöst im Gedicht stehen läßt. Nicht weniger merkwürdig steht das Lied im Kontext des *Julian*. Bei der Besprechung von *Nachtzauber* habe ich darauf hingewiesen, wie groß auch für den älteren Dichter noch die Versuchung war, den Stimmen der Natur zu folgen (oben, S. 100 ff.). In Oktavian scheint Eichendorff die wunde Stelle dieser seiner eigenen Natur berührt zu haben.

Hilda Schulhof weist in ihren Anmerkungen zum *Julian* darauf hin, „daß dieser innere Kampf der Jugend im Gealterten noch einmal ausgebrochen sein muß" (in HKA I, 2. Teil, S. 829). Sie deduziert diese Feststellung von der für einen antiheidnischen Dichter zu enthusiastisch gesungenen Helios-Hymne, und sieht also in Julian eine zeitweise „Sympathie ja Identifizierung des Dichters" (Ibid.). Meines Erachtens ist aber die Identifizierung, wenn von einer solchen gesprochen werden darf, bei Oktavian zu suchen. Dieser, und nicht Julian, ist für die zwiespältige Form des epischen Gedichtes verantwortlich. Das wird ersichtlich, wenn wir das eigenartige Zusammenspiel von Oktavian und Venus-Fausta näher ins Auge fassen. Das Venusbild des Julian aktiviert folgerichtig die Beweggründe für dessen Kampf gegen das Christentum, die da sind: Machtstreben und Verlangen nach Freiheit von moralischen Bindungen. Venus führt durchweg als dianahafte Fausta seinen Kampf. Wie kommt es aber, daß dieselbe Fausta, die als Mannweib behelmt ein Heer anfeuert, plötzlich Oktavian mit solch schmachtenden Tönen aus dem Urgrund der Natur anlockt? Oktavian zog gegen den abtrünnigen Julian in die Schlacht. Fausta ist an der Spitze des feindlichen Heeres. Diesem Gegner stellt er sich:

> Oktavian aber stürzt sich, wie's so vorübersaust,
> Dem Führer keck entgegen, das Schwert in seiner Faust.
> Der stutzt'. „Mach Platz da!" rief er, „du weißt nicht, wer ich
> bin!" —
> „Und wärest du der Teufel, so fahr' zur Hölle hin!" —
>
> (NGA I, 427)

Oktavian sinkt verwundet nieder. Und jetzt geschieht das Unerhörte: Fausta verbindet seine Wunden:

> Die Wunden nicht mehr bluten; ihr eigenes Gewand
> Hatt' eilig sie zerrissen zum heilenden Verband,
> Warf hin ihr Schwert zu Boden, ließ ihren wilden Brauch,
> Und lauschte, Mund an Munde, auf seines Atems Hauch.
>
> (NGA I, 428)

Dieser karitative Zug ist vollkommen unvereinbar mit Eichendorffs Konzeption einer Venusgestalt, wie er sie sonst überall in seinen Werken verwirklicht. Venus-Fausta ist im *Julian* ein rein mythisches Wesen. Sie hat also nicht die Entscheidungsfreiheit eines Menschen, der sich aus seiner Venusverfangenheit zu einer christlichen Tugend erheben kann. Die Inkongruenz möchte ich aus der Kenntnis des Eichendorffschen Werkes und der Eichendorffschen Problematik folgendermaßen erklären: Eichendorff hat nach seinen Heidelberger Tagen das Venushafte, das ihn so sehr bedrohte, in stets neuer Anstrengung überwunden. Unermüdlich ist er nun bestrebt, den Rückfall in den heidnischen Seinsgrund als allgemein menschliche Bedrohung darzustellen und den Weg zur Überwindung dichterisch zu zeigen. Dieser Weg ist ein Weg der Entsagung, erfordert also ständige Wachsamkeit. Nimmt es wunder, daß die menschliche Natur von Zeit zu Zeit aus dieser von ihr verlangten Askese auszubrechen verlangt? [168]

---

[168] Im *Lucius* schneidet Eichendorff das Thema der Entsagung nochmals an, doch hier ist die Alternative nicht Befreiung durch das Heidentum. Vielmehr wird das Dilemma des menschlichen Lebens aufgedeckt. Bei den Römern sieht Lucius „nichts, als Tücke und Verrat und Mord," die Christen dagegen predigen nur „Entsagen, Dulden, Frieden —," sie bieten also keine wahre Alternative. „So wär' uns ew'ge Sklaverei beschieden," meint Lucius resigniert (NGA I, 496). In seiner letzten Schrift *Die heilige Hedwig* betont Eichendorff ausdrücklich den positiven Wert der Entsagung, der die Heiligen auszeichnet: „Wie aber könnten wir in unserer Zeit heilig werden? Ebenfalls durch großartige Entsagung" (NGA IV, 1077).

Venus, die Natur- und Liebesgöttin, hat Oktavian verwundet; sie hat aber auch seine Wunden gestillt. Das Bild der wundenschlagenden und wunden-heilenden Venus ist in der barocken Liebessprache gängig. Eichendorff greift also ein traditionelles Motiv auf und schneidet es subjektiv zu. Anspielungen auf die Jugenddichtung zeigen, daß die Liebessehnsucht der Venus aus jugendlichen Tagen wiedererwacht ist und ein rezeptives Ohr findet. Faustas Ausruf: „ ‚O hätt'st du mich erschlagen in diesem stillen Grund!' " (NGA I, 428) dürfte auf die Gefahr einer solchen Heimsuchung hinweisen. Mit: „O flieh! Du weißt nicht, wer ich bin," haben schon die Lorelei in *Waldgespräch* (J 157) und die Zauberin im Herbstmärchen vor sich gewarnt. Sinngemäß klingt jener Gedanke in Faustas gebieterischer Geste an: „Mach Platz da! ... du weißt nicht, wer ich bin!" (NGA I, 427).

Ganz als Venus, die weiblich-weiche Verführerin, gibt sich Fausta dann in Oktavians Traum, wo sie all seine geheimen sinnlichen Regungen ins Fließen bringt. Sie ruft die Zauberlieder aus alter Zeit, die unten ge-bunden schliefen, erneut zum gefährlich sinnenbetörenden Spiel. In einer fortwährenden Liebesumarmung scheinen sich die triebhaften Spannungen zu lösen, scheint die zur quälenden Sehnsucht verlängerte Erinnerung endlich zur Ruhe zu kommen. Hinter Eichendorffs motivischem Verweis auf das frühe Gedicht *Der zauberische Spielmann* leuchtet die ganze Versuchung auf. Das Selbstplagiat gewinnt höchste Bedeutsamkeit, wenn man die motivische Parallele als ein Indiz für das erneute Untertauchen in den duftberauschten Grund begreift. In dem Gedicht *Der zauberische Spielmann* ist es ein unbekannter Sänger, dessen wollüstigen Klängen ein Fräulein wider Willen lauschen muß: „Warum weckst du das Verlangen, / Das ich kaum zur Ruh' gebracht?" Ihre Widerstandskraft ist gebrochen; sie ergibt sich ihm.

> Und der Sänger seit der Stunde
> Nicht mehr weiter singen will,
> Rings im heimlich kühlen Grunde
> War's vor Liebe selig still.

Vertauschen wir die Rollen, und wir haben die Situation im *Julian*.

Eine eigenartige Verwandlung vollzieht sich bei Oktavians Erwachen aus seinem erotischen Traum. Der liebkosende, singende, duftende Zau-bergarten ist plötzlich in einen panischen Mittagsschlaf verfallen. Fausta selbst ist zu Stein erstarrt. Entsetzt flieht Oktavian, „Und atmet' in der

Waldeskühle / Erst wieder tief und freier auf" (NGA I, 433). Die Waldeskühle bedeutet für Oktavian noch keine morgenfrische Befreiung aus dem Venusbann. Oktavian kämpft nun selbst in den Reihen der Verfechter des Heidentums. Die weiche Tonart der Traumszene hat nur vorübergehend die kriegerische Stimmung des Gedichtes unterbrochen. Ein Fremdkörper im Form- und Sinngefüge des Gedichtes, erfüllt sie schlecht ihre offensichtliche Funktion, das Handeln Oktavians zu motivieren. In dem nun wieder auf breiter Ebene weitergeführten Kampf zwischen Heidentum und Christentum wird durch knappe Andeutungen eine Rivalität zwischen den beiden Venusverbündeten aufgedeckt: Venus hat Oktavian als Liebespfand den Ring gegeben, bei dem ihr Julian die Wiederherstellung ihres Reiches schwur. Julian kam ihrem innersten Wesen nicht entgegen. Sie reagierte auf seine Von-sich-selbst-Eingenommenheit dianahaft. Mit Oktavian dagegen verbindet sie das, was in einer duftschwülen Zaubernacht zwei liebesschwangere Herzen zueinanderbiegt. Die eigentlichen Gegner, Repräsentanten der beiden entgegengesetzten Weltanschauungen, sind Julian und Severus. Oktavians Abkehr von seinem Vater Severus und vom Christentum, wofür letzterer steht, ist nur vorübergehend. Er findet zu seinem Vater und dessen Glauben zurück und identifiziert sich so mit ihm, daß Fausta in dem wild Kämpfenden Severus zu erschlagen meinte:

> Drauf wie ein schlanker Panther schwingt sie sich schnell herbei —
> Doch wie sie lüpft den Helmbusch: mit einem gellenden Schrei
> Sie über dem Erschlagnen da plötzlich zusammenbricht —
> Es war des Oktavianus todschönes Angesicht!   (NGA I, 444)

Fausta, in ihrem maßlosen Entsetzen, gibt sich selbst einen dianahaften Tod. Mit Fausta bricht auch Julians Macht. Das Gedicht endet mit dem Sieg des Christentums.

Die Charaktere im *Julian*-Gedicht zeigen in großen Zügen, wie das aus dianahaften und venushaften Elementen zusammengesetzte Heidnische gegen die christlichen Forderungen revoltiert, daß aber das emanzipierte Heidnische nur eine Scheinbefreiung bringt, da es ja der Gesetzlichkeit der Natur nicht entrinnen kann. Während Eichendorff das Dianahafte aus der Distanz des über dem Geschehen stehenden Beobachters darstellt, versenkt er sich selbst in den Venuszauber, der Oktavian gefangenhält. Gerhard Möbus weist zu Unrecht Hilda Schulhofs Feststellung zurück, die die „innere Zwiespältigkeit im damaligen Verhältnis des Dichters zum

Christentum" aufdeckte. [169] Ein zeitweiliges Sich-gehen-lassen, eine Entspannung seiner Sinnlichkeit macht Eichendorff noch nicht zum Heiden, sondern zeigt, wie schwer die vom Christentum verlangte Selbstverleugnung durchzuhalten ist. Gegen meine biographisch untermauerte *Julian*-Analyse würde Beller einwenden, daß sie „wenig zur Vertiefung der Deutung" beitrage. [170] Doch hat Eichendorff nicht selbst die Trennung von Leben und Dichtung verworfen? Der reife Eichendorff erhebt seine Dichtung zwar zu überindividueller Allgemeingültigkeit, indem er durch menschliche Gestaltungen eine Ideenwelt im Spielfeld geschichtlicher und weltanschaulicher Spannungen bildlich zu fassen versucht. Diese so versinnbildlichten Ideen sind aber ein Spiegelbild seiner eigenen Ideenwelt und somit auch deren Schwankungen unterworfen. Es wäre gegen Eichendorffs ethischen Grundsatz, eines formalen Prinzips wegen den Inhalt zu verzerren. Sucht man also Eichendorffs Werke nur aus der kritischen Betrachtung der dichterischen Kunstmittel zu erschließen, dann werden sich in der *Julian*-Dichtung Unstimmigkeiten ergeben, die zwar vom künstlerischen Standpunkt aus nicht gerechtfertigt, aber im Zusammenhang des Eichendorffschen Werkes, das auch die Jugenddichtung einschließt, erklärt werden können.

7. Julia im epischen Gedicht LUCIUS

Hilda Schulhof sieht im *Lucius* „gewissermaßen [die] Ergänzung" zum *Julian*. Sie findet, daß die „Klärung der Gedanken und Überzeugungen gegenüber dem älteren Gedicht *[Julian]* ... sich im klareren Aufbau des Werkes wider"-spiegelt (HKA I, 2. Teil, Anm. S. 857). Die im *Lucius* auftretende Frauengestalt Julia deutet sie als „eine Art Wiederholung des Faustcharakters aus dem ‚Julian', jedoch in rein menschlicher Gestalt" (Ibid.). Dieser richtige Vergleich verdeckt etwas die Umfassendere Bedeutung der Faustagestalt, die noch in höherem Maße als Venus im *Marmorbild* die mythische Verkörperung des Heidnischen schlechthin ist. Julia ist der Typus der Dirne, die, von der Natur mit dem Höchstmaß an weiblicher Schönheit ausgestattet, ihren Zauber spielen läßt und so ihren Aufstieg von der armseligen Hütte in die prächtige Säulenhalle macht.

---

[169] Möbus, *Eichendorff in Heidelberg*, S. 61.
[170] Beller, *Narziß und Venus*, S. 125, Fußnote 31.

Sie ist als Tänzerin mit Tamburin dargestellt. [171] Durch die Bewegungen ihrer schlanken Glieder und durch ihre wollüstigen Weisen erhöht sie den erotischen Zauber ihrer schönen Weiblichkeit. Ihre ganze Gestalt, das Spiel ihrer Mienen, ihrer Augen, strahlt Wollust und Sinnlichkeit aus. Dichter, Philosophen und Fürsten entbrennen in Lust zu ihr, die eine Reinkarnation der Liebesgöttin genannt werden darf. In ihrer menschlich-nahen Lebendigkeit übertrifft sie das Idol:

> Und als das müde Kind nun in der Halle
> An Venus' Marmorbild den weißen Arm
> Tiefatmend lehnt, da riefen trunken alle:
> „Wie altgeworden ist der Götter Schwarm!
> Nur den Lebendigen gehört das Leben,
> Sei unsre Göttin du im Reich der Reben!"   (NGA I, 482)

Zwei Männer ragen aus der Schar ihrer Verehrer heraus: Nerva und Lucius. Sie werden wie Julian und Oktavian zu Rivalen. Nervas schmeichlerische Werbung weist Julia stolz von sich, oder vielmehr sie stachelt ihn zu einer verwegen grausamen Tat an. Seine Leidenschaft weckt „den trotz'gen Dämon in der Brust," den er nur mit Mühe niederzwingen kann (NGA I, 502). Julias Verhalten gegen Nerva hat durchaus etwas Dianahaftes an sich. Der Mann, den sie liebte und wieder verlor, ist Lucius. Ihm hat ihr Aufstieg das Herz gewendet: „ ‚Wie bist du', rief er, ‚nun so arm, du Reiche, / Fort, fort! mir grauet vor der schönen Leiche!' " (NGA I, 488). Diese Zeilen, übernommen aus dem Jugendgedicht *Der armen Schönheit Lebenslauf* (J 161), zeigen, wie Eichendorff hier wieder ein Thema aus jungen Tagen aufgegriffen hat. Im *Lucius* hat die Allegorie des Gedichtes menschliche Gestalt angenommen. Julia ist in einem ausschließlicheren Sinne die arme Schönheit als Marie oder Rosa in *Ahnung und Gegenwart*, aus deren Lebensweise Friedrich den Gedanken zu jenem Gedicht faßte. Eichendorff hat in dem Gedicht den moralischen Ton von Arnims *Die arme Schönheit* übernommen, wobei dieser Ton jedoch im *Lucius* durch die Aufspaltung des Gedichtes und durch die lebendige Spiegelung desselben in der Juliagestalt gebrochen wird. Julia macht die Etappen der armen Schönheit durch. Sie steigt aus ihrer Armut zu

---

[171] Hier sei an das Gedicht *An eine Tänzerin* erinnert. Als Tänzerin mit Tamburin tritt an einer Stelle auch Alma in *Eine Meerfahrt* auf. Durch Tanz und Tamburin und ihr zigeunerhaft-feuriges Auftreten wird besonders Kordelchens Verführungskraft in *Dichter und ihre Gesellen* unterstrichen.

höfischem Glanz auf und führt als Kurtisane ein prunkvolles, aber innerlich leeres Leben. Als sie sich von dem, den sie liebt, verschmäht sieht, geht sie in sich, legt ihren Schmuck ab,

> Und aus dem todeswunden Herzen drängen
> Die langverhaltnen Tränen wieder frei,
> Was sie so lange frevelhaft gelogen:
> Die Lieb', ist triumphierend eingezogen.   (NGA I, 507)

So wird Julia am Ende „die reuige Dirne, die sich von sinnlicher Lust zu Liebe bekehrt" (HKA I, 2. Teil, Anm. S. 868). Als Zeichen ihrer völligen Abkehr steckt sie ihr Lustschloß in Brand und versucht, mit ihrem eigenen Leben Lucius vor den tödlichen Pfeilen zu schützen. Wahre Liebe hat ihr Herz emporgehoben, und so geht sie, von Sinnbildern christlicher Erlösung getragen, mit Lucius in den Tod ein:

> „Du, Julia!" rief erstaunt der Todeswunde,
> „Horch, Glockenklänge gehen durch die Luft,
> Versinkend dämmert schon um mich die Runde,
> Ist's Abend denn? Ich spüre Morgenduft —
> Wer ruft mich da? — O göttliches Erbarmen —
> Ich heb' dich mit empor in meinen Armen!"   (NGA I, 511)

War Venus-Fausta im *Julian* die Verkörperung dessen, was sich im Innern der beiden männlichen Gestalten, Julian und Oktavian, abspielte, so führt Julia im *Lucius* ein menschliches Eigenleben, das mit Nerva und Lucius in einen schicksalhaften Bezug tritt. Vergleicht man Oktavian mit Lucius, der ihm in der Figurenkonstellation des epischen Gedichtes entsprechenden Person, so tritt uns im letzteren in der Tat eine geläuterte Gestalt entgegen, dem die Sinnenreize einer körperlichen Schönheit nichts mehr anhaben können. So schließt Eichendorffs Werk, welches zugleich sein Lebenswerk beendet, mit dem Lichtblick eines christergebenen Menschen in den Himmel, wo „Engel Hosianna singen / Nächtlich durch die stille Luft" (NGA I, 512). Julia hat ihr Schloß, „Wo sie auf seidnen Pfühlen sonst gesessen" (NGA I, 506), und damit das Venushaft-Heidnische hinter sich gelassen. Doch der Garten um ihr einsames und selbstvergessenes Säulenhaus wird stets ein Venusgarten bleiben:

> Der Frühling aber baut sich neu den Garten,
> Die Rebe klettert rasch, Efeu umschlingt
> Brünstig die Statuen, die marmorharten,

Das Bächlein lustig über Kiesel springt,
Und über'n Grund, mag auch dort niemand schreiten,
Die wilden Blumen bunte Tepp'che breiten.   (NGA I, 506)

Das Heidnische ist tief mit der Erde verwurzelt und wird immer die große
Versuchung des Menschen auf seinem irdischen Lebenswege sein.

Zusammenfassung:

Im vorstehenden Kapitel bin ich dem venushaften Aspekt des Heidnischen nachgegangen. Das Venushafte zeigt sich nach Eichendorff da, wo
der Mensch die irdische Schönheit und Sinnlichkeit um ihrer selbst willen
verherrlicht und nicht in einen höheren, überirdischen Bezug setzt. Dieser
Idee hat Eichendorff in der mythischen Venus Gestalt gegeben. Venus
wird dadurch zum heidnischen Symbol, daß sie den Glanz und die Schönheit der Erde auf sich konzentriert und die Sinne gefangenhält, anstatt
diese zu transzendieren. Ihre symbolische Bedeutung erschließt sich erst
im Wechselbezug mit dem Menschen. In der Venusbegegnung Florios und
Oktavians werden deren innere Disposition und Anfälligkeit nach außen
statuiert. Im *Marmorbild* herrscht das mit der geistesgeschichtlich aktuel-
len Problematik gekoppelte Mythische vor, welches die Heidengöttin
Venus verkörpert. Hier faßt Eichendorff unter dem religiösen und ethischen Wertbegriff des Heidnischen zwei anscheinend entgegengesetzte
Kunstrichtungen zusammen: Heidnisch ist die Verabsolutierung des klas-
sisch-apollinischen Formwillens, wie er in der Statue und dem Tempel der
Venus zum Ausdruck kommt; heidnisch ist auch die romantisch-dionysische
Versunkenheit, die als zerstörende Macht des Erlebens dargestellt wird,
veranschaulicht durch das Sinnenspiel zwischen Florio und Venus und
durch die träumerische Schwüle, zu der sich Raum und Zeit aufgelöst
haben. An Florio wird gezeigt, wie sich die Anziehungskraft des Venushaften auf ein junges, romantisches Gemüt auswirkt. Im *Julian* enthüllt
sich Venus-Fausta als dämonische Urkraft des Julianschen Gemüts,
während sie Oktavian echt venushaft als geheimnisvolle Naturmacht an
sich zieht. Hier durchbricht Eichendorff sein starres heidnisches Schema,
indem er der mythischen Venus eine altruistische Liebesregung zugesteht,
oder von Oktavian aus gesehn, indem er dessen Hingabe an Venus als
wohltuend mitempfindet. Oktavians Untertauchen in den venusschwan-
geren Naturgrund bleibt aber nur eine vorübergehende Episode. Er ringt

sich schließlich in die geistigen Höhen der Entsagung durch und besiegt so Venus in sich. In *Viel Lärm um Nichts* stellt Eichendorff das von Romano gehegte, schwärmerische Liebesgefühl mit schonungsloser Ironie als Selbstliebe bloß und veranschaulicht hier das, was er in der *Geschichte des Dramas* von der Geschlechtsliebe sagt, nämlich, daß sie die eigensüchtigste der menschlichen Leidenschaften sei. Die Geliebte Romanos ist wie Raimunds Zauberin im Herbstmärchen ein Trugbild, nur daß die Zauberin als Natursymbol, ähnlich wie die mythische Venus, auch unabhängig von ihrem männlichen Partner Bestand hat.

Romana, Alma und Julia, die als menschliche Gestalten auftreten, teilen mit Venus ihre blendende Schönheit und weibliche Erotik. Sie werden aber erst durch die entsprechende Anwendung oder Auswirkung ihrer Eigenschaften venushaft. Romana, die in ihrem Benehmen viel von einer Diana-figur hat, gibt sich vor allem in der Szene venushaft, wo sie ihre weiblichen Reize spielen läßt, um Friedrich zu verführen. Alma ist sich ihrer Venushaftigkeit selbst nicht bewußt. Diese wird ihr sozusagen aufgezwängt: von den Matrosen, die in ihr die leibhaftige Frau Venus sehen, und auch von Antonio, der eher von der Venushaftigkeit seiner eigenen Gefühle, die von der Zutraulichkeit des Mädchens gereizt werden, bedroht ist. Wie Alma, so wird auch Julia durch einen Akt der Treue aus dem Venusbereich in die christliche Sphäre gehoben. Julia illustriert anschaulich den Lebenslauf der „armen Schönheit," die für Prunk und Schmeicheleien ihre mädchenhafte Unschuld preisgegeben hat. Aus ihrer ich-zentrierten Hoffärtigkeit befreit sie sich durch wahre Liebe zu Lucius, dem sie sich selbst zum Opfer bringt. Als Mensch hatte sie die Willensfreiheit, sich von der heidnischen Naturmacht, in deren Bann sie eine Zeitlang stand, loszureißen. Die Wesenseigentümlichkeit dieser Naturmacht ist in der mythischen Venus personifiziert.

Mit Venus gehört Diana zum heidnischen Bereich irdischer Schwere, von der es heißt, sie gehe, als die der himmlischen Ahnung entgegengesetze Kraft, wie durch die physische Welt, so auch durch das Reich der Geister. In der folgenden Untersuchung soll nunmehr das spezifisch Dianahafte in Eichendorffs Prosawerken hervorgehoben und damit das Bild des Heidnischen bei Eichendorff vervollständigt werden.

KAPITEL II

DIANAGESTALTEN IN EICHENDORFFS PROSA

Während das Venushafte dem ganzen naturphysischen Bereich anhaftet und den Menschen in seiner Naturgebundenheit zeigt, entspringt das Dianahafte mehr der Autonomie des menschlichen Willens. Es ist die weibliche Äußerungsform des Prometheischen, mit dessen poetischen Bildern und Begriffen es übereinstimmt. Was Eichendorff unter dem prometheischen Geist versteht, habe ich schon im ersten Teil (oben S. 111 ff.) mit Beispielen aus seinen theoretischen Schriften belegt.

Der von Eichendorff verurteilte Subjektivismus ist seiner Meinung nach auch für die Verirrung der Romantik verantwortlich, die zwar „das ganze Leben religiös heiligen" wollte, doch ohne die Bindung an die Kirche. In der Weltanschauung Eichendorffs ist diese Bindung jedoch das sine qua non für den Bestand der menschlichen Gesellschaft und seiner einzelnen Glieder. Wo sich der Mensch aus der Bindung an ein höheres Gesetz löst, da gerät er in die Abhängigkeit der dämonischen Mächte in seinem Innern. Aus dem Mangel an einem positiven Halt leitet Eichendorff die Zerrissenheit so manchen Romantikers ab, der schon dadurch gefährdet ist, daß er die Phantasie und damit die irrationalen Kräfte im Menschen zu seinem Leitprinzip erhebt. „Sie hatten die Phantasie von den Banden des Verstandes gelöst, aber die Befreite war ihnen plötzlich davongefahren und über Wipfel und Gipfel in wüstem Flug bis in jenes unwirthbare Leer hinausgestürzt, wo der Himmel dunkel, und die Erde nur noch in gespensterhafter Luftspiegelung erscheint" (HKA VIII, 1. Teil, 45). Diese Haltlosigkeit brachte schließlich die romantische Bewegung zum Fall. So sagt Eichendorff: „Der endliche Sprung aus dieser Phantasterei zu dem neuesten Nihilismus hat hiernach kaum etwas Befremdendes mehr" (HKA VIII, 1. Teil, 45).

So wie Eichendorff in seinem konservativen Denken an der hierarchischen Struktur: Gott — Kirche — Mensch festhält, so verficht er auch die patriarchalische Ordnung innerhalb der menschlichen Gesellschaft. Diese Ordnung schreibt der Frau ihre Stellung innerhalb der Familie als Hüterin der Sitte zu. Die von manchen Schriftstellerinnen proklamierte Emanzipation des weiblichen Geschlechts weist Eichendorff in seinem Aufsatz *Die deutsche Salon-Poesie der Frauen* energisch zurück. [172] Er wirft ihnen dieselbe subjektive Eigenmacht vor, an der seines Erachtens die „Romantik schmählichen Schiffbruch erlitten": Ihr Plädoyer für eine freie Entfaltung der weiblichen Sexualität zur größtmöglichen Verwirklichung ihrer Humanität münde „doch am Ende wieder nur [in] eine ästhetische Selbstvergötterung" (NGA IV, 939). In der für Eichendorff typischen Zusammenschau von Leben und Dichtung deutet er auf den allgemeinen Zerfall der gesellschaftlichen Zustände. „Das ist ein trauriges Zeichen von der gänzlichen Zerrüttung unserer sozialen Zustände, ihrer völligen Ablösung von ihrem ursprünglichen, religiösen Boden" (NGA IV, 941). Das Vergehen der Frau mißt er als umso schwerwiegender, als ja ihr die Wahrung der Sitte aufgegeben sei. Die von ihr verlangten Tugenden stehen einer Selbstverwirklichung ihrer Persönlichkeit entgegen. Entsagung, Demut und Gehorsam, Liebe im karitativen Sinne, Milde und Reinheit heißen diese Tugenden, an denen sich der Mann bezähmen und erbauen, die ihn als Ideale inspirieren sollen.

Das Idealbild der Frau ist für Eichendorff die Muttergottes, unter deren Einfluß sich in der christianisierten Welt eine veränderte Auffassung des Frauencharakters herausbildete. Über den altheidnischen Glauben, welcher vorzüglich „auf materiellem Egoismus, auf der Freiheit und Verherrlichung der menschlichen Leidenschaften, der unbedingten Selbsthilfe, der Geschlechtsliebe und der Rache" beruhte (NGA IV, 42), Triebkräfte, die noch in den Frauengestalten Kriemhild und Brunhilde im Nibelungen-Epos nachwirken, breitete das Christentum allmählich seinen mildernden Geist aus. Den milden Glanz christlicher Liebe erkennt Eichendorff erstmals deutlich im „Lied von Gudrun," „vor allem durch die ganz veränderte Auffassung des Frauencharakters, der hier die wildschöne Waffenpracht abgelegt hat und zum erstenmal in rührender Demut strahlt" (NGA IV, 47). Im Minnesang des Mittelalters habe schließlich das christlich veränderte Frauenbild seine höchste Blüte erreicht. Dieses Idealbild macht Eichendorff zum Maßstab für die Beurteilung der modernen emanzipatorischen Bestrebungen, wie sie sich in der Literatur und in der damaligen Gesellschaft abzeichneten. So sieht er das Ausbrechen der Frau aus der traditionellen Tugendhaftigkeit und Häuslichkeit nicht im Rahmen eines menschlichen Evolutionsprozesses, sondern als Rückfall in das vorchrist-

---

[172] Dieser Aufsatz ist vor allem gegen die dichtende Gräfin Hahn-Hahn, die eine Vorkämpferin der Frauenemanzipation war, gerichtet.

liche Heidentum. Die Venus- und die Dianagestalten sind in diesem Sinne neuheidnische Verirrungen der Weiblichkeit.

Die Gefahr zur dianahaften Ausschreitung droht nach Eichendorff der Frau, die ein hohes Maß an Intelligenz besitzt, und die daher versucht ist, sich in das Gebiet männlicher Tätigkeit zu begeben. Als ein solches, dem Mann vorbehaltenes Gebiet sieht Eichendorff die schriftstellerische Tätigkeit an. Den modernen Dichter vergleicht er mit einem Ritter, der, anstatt wie früher mit dem Schwert, jetzt mit der Feder fechte. Wie zu Zeiten des Rittertums die Frauen schicklich zuhause blieben, während die Männer draußen das Recht verteidigten, so zieme es sich auch, daß sich die Frau vom Schlachtfeld geistiger Kämpfe fernhalte. In seinem Aufsatz *Die deutsche Salon-Poesie der Frauen* unterstützt er sein Argument mit dem Verweis auf die natürliche Unzulänglichkeit des weiblichen Geistes, das Leben in seiner vollen Tiefe zu erfassen. [173] Das Leben und Dichten einiger Frauen, die Eichendorff selbst kannte, ja sogar seine eigenen dichterisch konzipierten Dianagestalten, wie z. B. Romana, halten diesen theoretischen Behauptungen jedoch nicht stand. [174] Sie haben etwas Faszinierendes und zugleich Beunruhigendes, diese Frauen, die über ihr Geschlecht hinausragen. Über Bettina von Brentano schreibt er: Ihre „Poesie besteht eben darin, daß sie gegen die natürliche weibliche Bestimmung und Beschränkung beständig rebelliert, und doch nimmermehr heraus kann" (NGA IV, 930). Doch gewahrt er in ihr dieselbe dämonische Getriebenheit, die ihren Bruder Clemens hin- und herriß, wobei sie sicherlich ebenso wie Clemens die Abgründigkeit der menschlichen Seele erfahren mußte. Bettinas dianahafte Unbändigkeit bezeichnet Eichendorff als „Veitstanz des freiheitstrunkenen Subjekts" (NGA IV, 328–329). Es trifft sie derselbe Vorwurf, den Eichendorff gegen den prometheischen Hochmut des Mannes erhebt, daß er sich nämlich trotzig über „alle Schranken der Kultur und Konvenienz" hinwegsetze (NGA IV, 428). Diese Eigenmächtigkeit trägt den Stempel des Heidnischen.

Aufgrund dieser theoretischen Überlegungen läßt sich die Dianagestalt als eine von traditionellen Bindungen emanzipierte, von der Norm ab-

---

[173] Siehe oben, S. 112.

[174] So lobt z. B. Eichendorff die Novellen von Ernst Ritter (Emilie von Binzer), denen er durchaus Tiefe zuerkennt. Der Grund liegt in ihrer Auffassung und Gestaltung des Stoffes: Den emanzipatorischen Bestrebungen setzt sie „die ernste Tugend der Selbstüberwindung" entgegen (HKA VIII, 1. Teil, 88). Ebenso preist er die Poesie von „zwei hochbegabten Frauen", Annette von Droste-Hülshoff und Frau von des Bordes (HKA VIII, 1. Teil, 162).

weichende, eigenwillige weibliche Persönlichkeit definieren. Wie stellt Eichendorff nun das Dianahafte in seinem dichterischen Werk dar? Die Analyse der Eichendorffschen Lyrik hat ergeben, daß die Regungen, die sinngemäß als dianahaft bezeichnet werden können, weder von einem weiblichen Wesen ausgehen, noch auf ein solches zielen. Die lyrischen Ausbrüche männlicher Bravour und trotzigen Aufbegehrens steigen aus den dunklen Abgründen des Dichters. Das lyrische Ich brüstet sich in der Vollmacht männlicher Kraft oder lehnt sich gegen die Beschränkung der menschlichen Natur auf. „Abgrund," „Jäger" und „Jagd" wurden bei der Besprechung der Lyrik als dichterische Bilder, welche das Unbändige dieser Triebkräfte vermitteln, festgehalten. Diese Bilder erscheinen wieder im Umkreis der Dianagestalten und weisen somit auf die Ähnlichkeit der in der Lyrik gestalteten Verhaltensweise und der Beweggründe, aus denen eine Dianagestalt handelt. Zum Motivkomplex der Dianagestalt gesellt sich ein anderes Bild voller Aussagekraft: das einer hellaufleuchtenden Rakete oder Feuersbrunst. Dieses Bild unterstreicht zugleich das Faszinierende an den dianahaften Frauen: ihre fürchterliche Schönheit. Geblendet von dieser Schönheit versucht mancher wagemutige Freier, dieses Wild zu erobern. Im gegenseitigen Kräftespiel treten die dianahaften Züge dieser Frau hervor. Schon Venus enthüllte ihr eigentliches Wesen aus der Wechselbeziehung zum Mann, in die nun auch Diana gestellt ist. Es handelt sich hier um ein dichterisches Gestaltungsprinzip Eichendorffs, demzufolge die Frauengestalten in seinen Werken stets von einem männlichen Gegenüber erfaßt werden. Durch ihr Frausein hat Diana auch Teil am Venusbereich. Bei den Frauengestalten, die nachstehend zu untersuchen sind, überwiegt jedoch das Dianahafte, das ganz anderer Natur als das Venushafte ist. War Venus die Versuchung für den Mann, im Meer irdischer Sinnlichkeit zu versinken, so zeigt sich Diana als Rivalin des Mannes, gegen den sie sich behauptet und den sie, falls er ihre Freiheit bedroht, in kaltem Stolz zu demütigen gewillt ist.

1. Diana in der ENTFÜHRUNG

Nicht nur durch ihren Namen verdient sie, am Anfang dieser Untersuchung zu stehen, sondern auch, weil diese Diana die Hauptfigur der Novelle ist und sich somit das Dianahafte an ihr am klarsten verfolgen läßt. Die Dianahaftigkeit dieser Gestalt wird an ihrem Widerstand gegen den

Kühnsten ihrer Werber, den Grafen Gaston, exemplifiziert. Gaston wird als ein Mann von außerordentlicher Tapferkeit und Unerschrockenheit eingeführt, dessen Ruhm ihn beim König auszeichnet, und der die Neugierde der Damenwelt weckt. Diesen stolzen Offizier mußte eine Frau, die wie er über das Gewöhnliche hinausragt, zu näherer Bekanntschaft reizen. Diana genießt den Ruf einer solchen außergewöhnlichen Erscheinung.

Ganz Paris sprach damals von der jungen, reichen Gräfin Diana, einer amazonenhaften, spröden Schönheit mit rabenschwarzem Haar und funkelnden Augen. Einige nannten sie ein prächtiges Gewitter, das über die Stadt fortzöge, unbekümmert, ob und wo es zünde; andere verglichen sie mit einer zauberischen Sommernacht, die, alles verlockend und verwirrend, über seltsame Abgründe scheine. So fremd und märchenhaft erschien diese wilde Jungfräulichkeit an dem sittenlosen Hofe (GW III, 325).

Diese Beschreibung scheint zunächst für Diana zu sprechen. Mußte Gaston diese bildschöne Frau nicht insgeheim bewundern, die sich stolz über eine sittenlose Gesellschaft hinwegsetzt? Doch es stellt sich später heraus, und Gaston muß es selbst erfahren, daß ihre Jungfräulichkeit nicht auf Tugendhaftigkeit, sondern auf ihre Hybris und ihre Verachtung der Männerwelt zurückzuführen ist. Darüber befragt, warum „sie durch solche Härte so viele herrliche Kavaliere in Gefahr und Verzweiflung stürze," entgegnet Diana: „‚Wer nimmt sich meiner an, wenn diese Kavaliere bei Tag und Nacht mit Listen und Künsten bemüht sind, mich um meine Freiheit zu betrügen?' " (GW III, 331).

Diese Beurteilung ihrer Freier ist ungerecht, denn nicht jeder naht sich ihr mit List. Als Graf Olivier, der ihr schon lange „mit aller schüchternen Schweigsamkeit der ersten Liebe heimlich zugetan war," zum ersten Mal auf einem Ritt von seiner Liebe zu ihr spricht, fährt sie erschrocken auf und springt mit ihrem Pferd „grauenhaft über die entsetzliche Kluft," verlacht ihn, da er ihr nicht nach kann, und verschwindet (GW III, 326). Olivier soll sich daraufhin im Kriege „selbst in den Tod gestürzt" haben. „‚Wer schwindelig ist, jage nicht Gemsen!' ", dachte Gaston, dem die Gräfin dadurch umso begehrenswerter wurde (GW III, 326). Bei einem Maskenball spielt sie mit einigen männlichen Masken wie mit Puppen und gibt sie der Lächerlichkeit preis. Auch das stachelte Gastons Ehrgeiz an, an dieser Frau seine männliche Kühnheit zu beweisen. Da wird er in eine Wette verstrickt, derzufolge derjenige Diana erwerben soll, dem es gelingt, sie auf sein Schloß zu entführen. In dieser Entführungsszene wird gezeigt, mit welcher Verbissenheit und mit welchem unbändigen Stolz Diana an ihrer Freiheit festhält, und wie diese schließlich in dämonische Maßlosigkeit ausartet. Lieber will Diana sich selbst vernichten, als sich ergeben. Indem Gaston ihren Spott und ihre Demütigung am eigenen Leibe zu spüren bekommt, begreift er, daß diese Frau liebesunfähig und zu keiner Bindung bereit ist. Die Marquise Astrenant hatte Diana schon lange durchschaut: „Diana ist übermütig, herrisch und gewaltsam, ihre Art ist mir immer zuwider gewesen, aber sie hat wie ein prächtiges Feuerwerk mit ihren Talenten, die sie selbst nicht kennt, den Hof und ganz Paris geblendet" (GW III, 345—346). Ihre Talente, ihre blendende Schönheit und ihre faszinierende Verwegenheit haben so manches Männerherz gefangen genommen. Gaston war vom Wetterleuchten ihres Blicks wie verzaubert. Er hatte den Kampf mit dieser Amazone aufgenommen und hatte sie durch seine männliche Überlegenheit besiegt. Doch es schauderte ihn vor dieser grausamen, kalten Schönheit und er wandte sich von ihr ab. „Verblendet wie er war von ihrer zauberischen Schönheit, hatte sich, als er in den Flammen dieser Nacht sie plötzlich in allen ihren Schrecken erblickt, schaudernd sein Herz gewendet, und wie eine schöne Landschaft nach einem Gewitter war in seiner Seele Leontinens unschuldiges Bild unwiderstehlich wieder aufgetaucht, das Diana so lange wetterleuchtend verdeckt" (GW III, 351). Leontine besitzt zwar nicht die Leuchtkraft Dianas, aber sie hat etwas, was jener fehlt: ein treues, liebendes Herz. Dieses Mädchen wollte er Diana als seine Braut vorstellen; „das sollte seine Rache sein und ihre Buße" (GW III, 351).

In Diana hatte sich jedoch inzwischen eine Verwandlung vollzogen. Im Gewahrwerden ihrer Niederlage war sie zur Erkenntnis ihrer selbst gelangt. Wie ein Blitz schlug der Anblick ihres Besiegers bis auf den Grund ihrer Seele durch. „ ‚Sieh mich nicht so an,' sagte sie, ‚du verwirrst mir der Seele Grund' " (GW III, 343). [175] Die Isoliermauer um ihr selbstisches Wesen war eingebrochen. So wurde sie von ihrem eigenen Dämon erlöst und für eine höhere Bindung frei. In der Nacht nach ihrer

---

[175] Dieses Bild kehrt wieder in dem Drama *Der letzte Held von Marienburg*, aber mit verkehrten Rollen. Das Erscheinen der dianahaften Heidin Rominta erschüttert Wirsberg (NGA I, 810). Die Berührung seines Seelengrundes wirkt aber nicht positiv, wie bei Diana, sondern negativ als Abkehr von seinem religiösen Orden. In Rominta hat sich Wirsberg selbst erkannt, ist der heidnisch gestimmte Abgrund seiner Seele zum Durchbruch gekommen.

Entführung hatte sie sich in ein Kloster geflüchtet, wo sie „der Welt entsagend, den Schleier genommen" (GW III, 352). Diese Umkehr von weltlichem Hochmut zu klösterlicher Askese ist bei einer überragenden, willensstarken Persönlichkeit wie Diana durchaus denkbar und kann vom dichterischen Standpunkt aus gerechtfertigt werden, auch wenn sie im Erzählgang nicht psychologisch motiviert ist. Diana ist kein mythisches Wesen, sondern eine menschliche Gestalt. Als solche trägt sie die Fähigkeit zur Wandlung in sich. Damit sich diese Wandlung vollziehen konnte, bedurfte es einer tiefgreifenden Erschütterung, wie sie Diana in der Übermächtigkeit ihres Widerparts erfahren hat.

Vom Schluß der Novelle her betrachtet ist es unmöglich, Diana als die mythische Verkörperung der unheimlich-wilden Natur zu begreifen und wie Dornheim zu behaupten, Diana sei „Artemis selbst, die urgefährliche Wildheit natürlichen Daseins, wie es die Antike als Gestaltwerdung göttlichen Seins erkannt hatte und wie es auch Eichendorff ahnend in der Gestalt Dianas zugeordnet hat." [176] Darin mag Dornheim recht haben: Eichendorff hat sicherlich bei der Namensgebung an den klassisch-antiken Mythos von Artemis-Diana gedacht. Artemis ist in ihren Eigenschaften als jungfräuliche Jagdgöttin und Herrin der freien Natur bekannt. Man stellte sie sich auch „mit einer Fackel dahinstürmend vor." Als Jägerin soll sie zuweilen auf Menschen gezielt haben. So tötete sie Orion, „weil er als mächtiger Jäger gilt." [177] Die Eichendorffsche Diana trägt ganz eindeutig Züge der mythischen Göttin. Auf diese Verwandtschaft will Eichendorff

[176] Dornheim, *Eichendorff*, S. 126. Dornheim legt seiner Diana-Interpretation die Arbeit von Walter Otto, *Die Götter Griechenlands* zugrunde, speziell das Kapitel über „Artemis," und versucht, die Übereinstimmung der Eichendorffschen Dianagestalt mit der Artemis nach der Definition Ottos zu beweisen, wozu er Otto endlos zitiert. So kommt er zu der folgenden Feststellung: „Diana [in der *Entführung*] ist das lebendige Sinnbild der elementaren, klassisch-göttlichen Natur, in ihren symbolisch-konkreten Konturen aus der Wesensschau der römischen Göttin erkannt und dargestellt, die ihrerseits der griechischen Artemis in ihrer Keimstruktur völlig entspricht" (S. 120). Natürlich macht einer solchen Deutung die Bekehrung Dianas Schwierigkeiten, und so kommt Dornheim zu der forcierten Schlußfolgerung, Dianas Eintritt ins Kloster sei eine „artemisische Lösung," die „Verklärung der heilig-ursprünglichen Natur, als eine Verwirklichung mystischen Schlesiertums, aber auch als ein Erbe antiker Weltschau" (S. 135). Wenn der Artemis-Mythos nach Otto auf eine Eichendorffsche Dianafigur angewandt werden darf, dann auf die Königin der *Meerfahrt*, die in gewissem Sinne die elementare Natur verkörpert. Doch auch hier muß der Otto entgegengesetzte Standpunkt Eichendorffs berücksichtigt werden. Eichendorffs christliches Glaubensbekenntnis läßt eine Verherrlichung der griechischen Götterwelt nach dem Muster Ottos, der sich zur antiken Weltschau bekennt, nicht zu.

[177] Hunger, Artikel *Artemis*.

zweifelsohne durch den Namen, auf den er seine Frauengestalt taufte, und die Motive, mit denen er sie umgibt, hinweisen. Das Ausschlaggebende ist jedoch eine bestimmte Verhaltensweise Dianas, die Eichendorff schon vor der Konzeption dieser Gestalt und unabhängig von der antiken Mythe zur Darstellung brachte, z. B. in verschiedenen Gedichten, wo die Idee eines freiheitstrunkenen, anarchischen Verhaltens auch in Bilder des Jagens gekleidet ist. [178]

Eichendorffs Eigenart, in Bildern zu dichten, zeigt sich auch da, wo er menschliche Charaktere gestaltet. Anstelle von psychologischen Abfolgen und geistigen Auseinandersetzungen finden wir suggestive Bildkomplexe, die Dianas Handlungen begleiten. Eine bedeutende Rolle spielt das Jagdmotiv, das mit der Idee des Kämpferischen und des Wagemuts verbunden ist. Das erste, was wir von Dianas früherem Leben erfahren, ist, daß sie „als Kind elternlos und auf dem abgelegenen Schlosse ihres Vormunds ganz männlich erzogen, ... diesen in allen Reiter- und Jagdkünsten sehr bald übertroffen haben" soll (GW III, 325). Mit der Hervorhebung der Jagdlust wird Dianas männlicher Lebensdrang betont, und die unweibliche Verhaltensweise dieses schönen Weibes bringt ihr von seiten der Männerwelt das Epitheton „Amazone" ein. Diana ist wie Venus Gegenstand männlichen Begehrens, doch indem Venus den Mann ganz an sich zieht, um ihn im sinnlichen Genuß ertrinken zu lassen, widersetzt sich eine Diana dem Mann, weil sie sich durch ihn in ihrer Freiheit bedroht fühlt. Ein Jagdmotiv veranschaulicht die Furcht der Gräfin Diana, ihre Unabhängigkeit zu verlieren. „Sie kam sich selber als das Wild vor auf dieser Jagd, auf das sie alle zielten" (GW III, 332). Gastons Werben um Diana, das den Inhalt der Novelle bildet, wird in Form einer gefährlich-wilden Jagd vorgeführt. Das Jagdsignal hatte Diana selbst mit ihrem Lied gegeben:

> Und wer mich wollt erwerben,
> Ein Jäger müßt's sein zu Roß
> Und müßte auf Leben und Sterben
> Entführen mich auf sein Schloß!   (GW III, 330)

Ihrer eigenen Überlegenheit bewußt, glaubte sie wohl nicht, daß es jemand mit ihr aufnehmen würde.

Auf Dianas Unabhängigkeitsdrang, auf ihre Kühnheit, die bis zur Maßlosigkeit reicht, verweisen die Motive des Abgrundes und der schwind-

---

[178] Siehe oben, S. 106 ff.

ligen Höhen. Graf Olivier bekennt Diana seine Liebe, als sie eben „an einem tiefen Felsriß" entlangreiten (GW III, 326). Wie ein geschossenes Wild setzt Diana „grauenhaft über die entsetzliche Kluft" (GW III, 326). Sie baut um ihr selbstisches Ich eine Kluft, über die die Liebe als etwas Bindendes keine Brücke schlagen kann. Der Anruf des Du prallt an ihr ab, ja sie empfindet ihn als Bedrohung, vor der sie sich retten will: „ ‚Ich wollt, ich wäre im Gebirg, ich stieg' am liebsten auf die höchsten Gipfel, wo ihnen allen schwindelte nachzukommen' " (GW III, 333). Felsschluchten öffnen sich, als Diana ihren verzweifelten Anschlag gegen Gaston aushegt. Die Wassermühle, zu der sie Gaston in die Irre lockt, ist „wie ein Schwalbennest an die hohe unersteigliche Felsenwand gehängt, von zwei andern Seiten vom schäumenden Fluß umgeben" (GW III, 341). Von hier aus gibt es kein Zurück mehr, denn Diana hat den Nachen in den reißenden Fluß zurückgestoßen. Diana zieht es vor, in den Flammen umzukommen, und Gaston mit zu verderben, als eine Bindung einzugehen und ihre Freiheit aufzugeben. Das letzte, wilde Aufbäumen Dianas, bevor sie kapituliert, geschieht ebenfalls über einem Abgrund. Gaston, „mit fast übermenschlicher Gewalt, trägt ... die Sträubende mitten durch die Flamme über die grauenvolle Brücke, unter der der Fluß wie eine feurige Schlange dahinschoß" (GW III, 343).

Zernin sagt über die Verwendung des Abgrundes bei Eichendorff: „It is clear that we are dealing with a landscape conceived wholly in terms of man. ... nature loses its independence, so that what we have is a typical ‚Seelenlandschaft,' " [179] Die Motive um Diana weisen auf dämonische Kräfte in ihrem Innern, die sie frei treiben läßt. Wie Eichendorff dieses ungezügelte Leben verurteilt, konnte an mehreren Beispielen belegt werden. Im Gedicht *Memento* warnt er davor, „die Kräft', die wir ‚Uns selber' nennen," freizulassen. Gegen diese Kräfte verwahren die freiwillige Anerkennung einer Bindung, ein bestimmtes Maß an Demut, Beherrschung und Achtung. All das enthält echte Liebe. Doch Diana kennt die Liebe nicht. Wie wenig Zartgefühl sie besitzt, zeigt die folgende Stelle. In dem Lied *Kaiserkron' und Päonien rot* ist von einer Frau die Rede, die eingeschlafen am Springbrunnen sitzt. „Mir ist, als hätt ich sie sonst gekannt — / Still, geh vorbei und weck sie nicht!" [180] Daraufhin meint Diana: „ ‚Ich weckte sie doch, ... wenn ich sie so im Garten fände, und spräch mit ihr' "

[179] Zernin, *Abyss*, S. 283.
[180] Über den biographischen Verweis auf dieses Gedicht, siehe oben S. 89 f. und S. 97 f.

(GW III, 334). Diana hat keine Achtung vor dem Geheimnis, das die Nacht birgt. Frei von allen Einengungen fühlt sie sich am wohlsten. Dieses Freiheitsgefühl ist ebenfalls bildlich eingefangen. Bei heftigem Gewitter setzt sie sich in die Zweige eines Baumes, „die weißen Möwen über ihr stürzten sich jauchzend in die unermeßliche Freiheit — sie ließ vor Lust ihr Tuch im Sturm mit hinausflattern" (GW III, 335). Im Toben der entbundenen Naturkräfte ist Dianas innerer Dynamismus und ihr Drang nach schrankenloser Ausweitung veräußerlicht.

Alle Bilder, die Diana charakterisieren, haben etwas Gewalttätiges, etwas Hartes oder Frappierendes an sich. Zu diesen Bildern gehört auch das Feuer. Im Aufleuchten der Flamme wird zugleich Dianas Schönheit und die Verblendung der Männer, die sie verursacht, unterstrichen. Ihre flammenden Blicke vergleicht Gaston mit einem Wetterleuchten. Für andere ist sie „ein prächtiges Feuerwerk," das blendet (GW III, 345), oder ein prächtiges Gewitter," das zündet (GW III, 325). Ein Lied, das Diana singt, enthält das Feuermotiv. Es ist von der hereinbrechenden Nacht die Rede:

> Sie steckt' mit der Abendröte
> In Flammen rings das Land
> Und hat samt Manschetten und Flöte
> Den verliebten Tag verbrannt.   (GW III, 330)

So wie die Nacht wird Diana reagieren, wenn ihr ein Mann zu nahe kommt. Diana greift das Bild wieder auf, als sie, um sich nicht Gaston ergeben zu müssen, die Wassermühle in Brand steckt. „,Komm nun und hol die Braut!' rief sie ihm wild durch die Nacht zu, ,das Brautgemach ist schon geschmückt, die Hochzeitsfackeln brennen'" (GW III, 342). Als Gaston wirklich heranstürzt, um sie den Flammen zu entreißen, ruft sie ihm entgegen: „,Zurück, rühr mich nicht an! ... wer hieß dich mit Feuer spielen, nun ist's zu spät, wir beide müssen drin verderben!'" (GW III, 342). Doch Gaston läßt ihr nicht die Genugtuung, im Tode über ihn zu triumphieren. In letzter Konsequenz hätte aber die dianahafte Freiheit zur Selbstvernichtung geführt.

2. Die dianahafte Seite Romanas in AHNUNG UND GEGENWART

Im Anschluß an das eben Gesagte ist Romanas Tod als dianahaft zu interpretieren. Romana hat aus Trotz und Verzweiflung ihr Schloß angezündet und sich selbst erschossen. Ihr letztes wildes Aufbegehren gegen ihre Ohnmacht ist im Einsturz des Schlosses versinnbildlicht: „Hinter ihm stieg die Flamme auf die höchste Zinne der Burg und warf gräßliche Scheine weit zwischen den Bäumen. Das Schloß sank wie ein dunkler Riese in dem feurigen Ofen zusammen, über der alten, guten Zeit hielt das Flammenspiel im Winde seinen wilden Tanz; es war, als ginge der Geist ihrer Herrin noch einmal durch die Lohen" (GW II, 222). Man könnte auf Romana die Worte anwenden, die Eichendorff im Angesicht von Kleists Leben und Dichten ausrief: „Hüte jeder das wilde Tier in seiner Brust, daß es nicht plötzlich ausbricht und ihn selbst zerreißt!" (NGA IV, 367). Eichendorff drückt ethische Maßlosigkeit und leidenschaftliches Aufbrausen und Aufbegehren häufig in Feuermetaphern aus. Kleists Drama *Die Hermannsschlacht* sei „eigentlich eine großartige Poesie des Hasses, der endlich auf einmal in blutroten Flammen aufschlägt" (NGA IV, 367); und an anderer Stelle heißt es: „Nur die Rache noch blitzt und zuckt blutrot durch dieses Dunkel" (NGA IV, 364).

Die ganze romantische Bewegung bezeichnet Eichendorff „wie eine prächtige Rakete, [die] funkelnd zum Himmel emporstieg, und nach kurzer wunderbarer Beleuchtung der nächtlichen Gegend, oben in tausend bunte Sterne spurlos zerplatzte" (NGA IV, 428). Das Feuer ist ungestüm im Aufflammen und im Zerstören. In Romana sind diese beiden Aspekte vorhanden: leidenschaftlicher Übermut, der den Himmel erstürmen will, und schließliche Zerstörungswut, in die der Übermut umschlägt, weil sich die Welt dem gewalttätigen Willen nicht beugt. Von Romana heißt es, daß man ihr „rasches Leben einer Rakete vergleichen [könnte], die sich mit schimmerndem Geprassel zum Himmel aufreißt und oben unter dem Beifallklatschen der staunenden Menge in tausend funkelnde Sterne ohne Licht und Wärme prächtig zerplatzt" (GW II, 187). Dieses Bild hat Eichendorff wohl nicht von ungefähr auf die Romantik, d. h. auf den Zweig der Romantik, der „den Zauberkreis, den Religion und Sitte um uns ziehen, freventlich überschritten hatte" (NGA IV, 389), angewandt. Es besteht eine Verwandtschaft zwischen Romana und der Romantik. Friedrich und Romana, die beiden Gegenspieler in *Ahnung und Gegenwart*, sehe ich als Repräsentanten von zwei verschiedenen romantischen Richtungen. Friedrich, Eichendorffs Sprachrohr, vertritt die religiös-gebundene, und Romana die säkularisierte Romantik. An einer Stelle in *Ahnung und Gegenwart* kommt eine geistige Gleichgestimmtheit zum Ausdruck. Romana erregt Friedrichs Bewunderung:

Er erstaunte über die Freiheit ihres Blickes und die Keckheit, womit sie alle Menschen aufzufassen und zu behandeln wußte. Sie hatte sich im Augenblick in alle Ideen, die Friedrich in seinen vorigen Äußerungen berührt, mit einer unbegreiflichen Lebhaftigkeit hineinverstanden und kam ihm nun in allen seinen Gedanken entgegen. Es war in ihrem Geiste wie in ihrem schönen Körper ein zauberischer Reichtum; nichts schien zu groß in der Welt für ihr Herz; sie zeigte eine tiefe, begeisterte Einsicht ins Leben wie in alle Künste (GW II, 145).

Doch in der Ausrichtung ihrer Talente zeigt sich die Kluft zwischen den beiden. Alle Grenzen mißachtend, läßt Romana ihrer reichen Phantasie freien Lauf, wobei sie schließlich vollkommen verwildert. Romana sündigt in zweifacher Weise. Sie emanzipiert sich von den herkömmlichen Formen weiblicher Sitte, und sie anerkennt keine religiöse Bindung. Leontin nennt Romana „eine junge, reiche Witwe, ... die nicht weiß, was sie mit ihrer Schönheit und ihrem Geiste anfangen soll, ... eine tollgewordene Genialität, die in die Männlichkeit hineinpfuscht" (GW II, 61). In Romanas Kindheitserzählung ist ihre unweibliche Verhaltensweise bereits in der Knospe enthalten (GW II, 122). Aus ihrem Lied *Frische Fahrt* spricht männliche Kühnheit, die sich für ein weibliches Gemüt nicht schickt. [181] Es wird ihr eine hohe dichterische Begabung zugestanden, etwas, was Eichendorff den Männern vorbehalten wissen will. An dem von ihr improvisierten Gedicht *Die wunderliche Prinzessin* kritisiert Friedrich die freischaltende Phantasie, welche die Religion nur noch als beliebigen Dichtungsstoff verwendet und somit die religiöse Verbindlichkeit aufhebt. [182] Eichendorff äußert sich ähnlich über Tiecks Dichtung, an die das Gedicht erinnert (siehe NGA IV, 290 ff.). Über die allegorische Gestalt der Prinzessin sagt Friedrich, „dem das Gedicht der Gräfin heidnisch und übermütig vorgekommen war wie ihre ganze Schönheit": „,Es mag wohl die Gräfin selber sein' " (GW II, 140, 139).

Die Kritik an der Romantik nimmt im Leben, das Romana vorlebt, Gestalt an. Romanas venushafte Seite wurde bereits oben (S. 161 ff.) besprochen. Hier geht es um das Dianahafte ihres Wesens. Beide Verhaltensweisen sind heidnisch. Ein gemeinsames Merkmal von Venus und Diana ist ihre auffallende Schönheit. Im Einklang mit ihrem Charakter ver-

---

[181] Siehe oben, Anm. 107 und 166.
[182] Das Gedicht *Die wunderliche Prinzessin* (J 160) wurde oben, S. 127 f., unabhängig vom Kontext des Romans interpretiert (Siehe auch Anm. 70).

setzt die dianahafte Schönheit demjenigen, der sie erblickt, einen Schock. Diana in der *Entführung* blendete Gaston durch ihre Erscheinung, durch das Wetterleuchten ihres Blicks. „Die schöne Heidin" Romana wirkt ähnlich auf Friedrich. „Ihre Schönheit war durchaus verschwenderisch reich, südlich und blendend. ... Ihre Bewegungen waren feurig, ihre großen, brennenden, durchdringenden Augen, denen es nicht an Strenge fehlte, bestrichen Friedrich wie ein Magnet" (GW II, 134). Sie war „fast furchtbar schön anzusehen" (GW II, 162). Während Diana in der Novelle sich Gaston widersetzt, um ihre Superiorität zu behaupten, verfolgt Romana Friedrich, doch ebenfalls aus einem egoistischen Trieb heraus. Sie will in dianahafter Weise von ihm Besitz ergreifen.

Als wäre ihr innerstes Wesen auf einmal losgebunden, brach sie schnell und mit fast schreckhaften Mienen aus: „Du kennst noch nicht mich und jene unbezwingliche Gewalt der Liebe, die wie ein Feuer alles verzehrt, um sich an dem freien Spiele der eigenen Flammen zu weiden und selber zu verzehren, wo Lust und Entsetzen in wildem Wahnsinn einander berühren. Auch die grünblitzenden Augen des buntschillernden, blutleckenden Drachen im „Liebeszauber" sind keine Fabel, ich kenne sie wohl, und sie machen mich noch rasend. Oh, hätte ich Helm und Schwert wie Armida!" (GW II, 204).

Solche Maßlosigkeit entsetzt Friedrich, der an ihr jede Spur von weiblicher Demut und von Gottvertrauen vermißt. „Sie hatte die Einfalt, diese Grundkraft aller Tugend, leichtsinnig verspielt" (GW II, 187). Friedrich hält ihr in dem ihm eigentümlichen Predigerton den Spiegel vor: „ ‚Heftiges, unbändiges Weib', sagte Friedrich ... sehr ernsthaft, ‚gehn Sie beten!' " Wie die Natur, fährt er fort,

„so soll auch der Mensch die wilden Elemente, die in seiner eigenen dunklen Brust nach der alten Willkür lauern und an ihren Ketten reißen und beißen, mit göttlichem Sinne besprechen und zu einem schönen, lichten Leben die Ehre, Tugend und Gottseligkeit in Eintracht verbinden und formieren.[183] Denn es gibt etwas Festeres und Größeres als der kleine Mensch in seinem Hochmute, das der Scharfsinn nicht begreift und die Begeisterung nicht erfindet und macht, die einmal abtrünnig, in frecher, mutwilliger, verwilderter Willkür wie das Feuer alles

---

[183] Hier sei auf das Gedicht *Memento* und auf die Wiederkehr des Bildes bei Eichendorffs Kleist-Portrait (NGA IV, 367) verwiesen.

ringsum zerstört und verzehrt, bis sie über dem Schutte in sich selber ausbrennt — Sie glauben nicht an Gott!" (GW II, 221).

Romana kann sich nicht mehr bekehren wie Diana in der *Entführung*, „weil zur Besserung ihr Gemüt zu stark abgenützt" ist. [184]
Zur Bezeichnung des dianahaften Wesens Romanas gehören auch die Jagd- und Abgrundmotive. Romana, als Jäger verkleidet, hüllt ihr Verhältnis zu Friedrich in ein Gleichnis ein.

„Mein Schatz ist ein Hirsch, der wandelt in einer prächtigen Wildnis, die liegt so unbeschreiblich hoch und einsam, und die ganze Welt übersieht man von dort. ... Es ist des Jägers dunkelwüste Lust, das Schönste, was ihn rührt, zu verderben. So nahm er Abschied von seinem alten Leben und folgte dem Hirsche immer höher mühsam hinauf. ... Da wandte sich der Hirsch plötzlich und sah ihn keck und fromm an. ... Da verließen den Jäger auf einmal seine Künste und seine ganze Welt, aber er konnte nicht niederknien wie jener, denn ihm schwindelte vor dem Blick und der Höhe, und es faßte ihn ein seltsames Gelüst, die dunkle Mündung auf seine eigene, ausgestorbene Brust zu kehren" (GW II, 184).

Die gleichnishafte Erzählung fließt in Handlung über. Zweimal legt die Jägerin die Flinte an, einmal gegen Friedrich, der sie aber dabei überrascht, und dann gegen sich selbst. Mit Worten, die an das Gedicht *Der irre Spielmann* erinnern, drückt sie ihren Lebensekel aus: „ ‚Ich tauge doch nichts auf der Welt, ich bin schlecht, wär ich da unten, wäre auf einmal alles still' " (GW II, 184). Romanas dämonisches Getriebensein wird mit einem Bild aus Goethes *Egmont* wiedergegeben: „Die beiden vor ihr Leben gespannten, unbändigen Rosse, das schwarze und das weiße, gingen bei dem Anblick von neuem durch mit ihr, alle ihre schönen Pläne lagen unter den heißen Rädern des Wagens zerschlagen, sie ließ die Zügel schießen und gab sich selber auf" (GW II, 188). [185] Dieser Verweis auf Egmonts Dämon zeigt Eichendorffs Urteil über den Sturm-und Drang-Subjektivismus.

---

[184] Stein, *Dichtergestalten*, S. 98—99.
[185] Eichendorff änderte das Bild; er verurteilt Romana, die das Dämonische in sich nicht bändigen wollte. Das Dämonische gehört also nach Eichendorff in den persönlichen Verantwortungsbereich, und nicht einem überpersönlichen Schicksal an. Aus dieser unterschiedlichen Auffassung des Dämonischen, die auf Eichendorffs christliches Glaubensbekenntnis zurückzuführen ist, geht Eichendorffs Kritik an Goethes *Egmont* hervor.

Romanas dianahaftes Benehmen wird ebenfalls durch ihre Jägertracht betont. Diese „ ‚feenhafte Jägerkleidung,‘ " sagt Zernin, „does help to suggest her unrestrained, almost masculine nature." [186] Sie verrät ihre männlichen Ambitionen. Der kühne Jäger, der sich auf die höchsten Gipfel wagt, erweckt Romanas Bewunderung und Neid. Dem Jäger Leontin, der sich „mit einer schwindelerregenden Kühnheit ... geschickt von Fels zu Fels über die Abgründe immer höher" hinaufschwingt, sieht Romana „furchtlos mit unverwandten Blicken nach. ‚Wie sind die Männer beneidenswert!‘ sagte sie" (GW II, 199). So wie Leontin „wagehalsig auf der höchsten von allen Felsspitzen stehen" und sagen „ ‚Das Pack da unten ist mir unerträglich,‘ " möchte auch sie (GW II, 200). Sie tut es auch, auf ihre Weise. Friedrich spielt auf dieses ihr Überlegenheitsgefühl und ihre daraus erwachsende Verachtung der Menschen an. Von ihrem Schloß sagt er: „ ‚Sie wohnen hier so schwindlig hoch, ... daß Sie die ganze Welt mit Füßen treten‘ " (GW II, 156). Es ist ihre Geistesschärfe, die sie zu solchen Höhenflügen verleitet, und die gleichzeitig Friedrich fasziniert. Er „mußte dabei mehr als einmal die fast unweibliche Kühnheit ihrer Gedanken bewundern, ihr Geist schien heut von allen Banden los" (GW, II, 157). Doch Romana hat sich durch ihre Zügellosigkeit verstiegen. Wieder ist es Friedrich, der ihr in den Weg tritt und sie aufschreckt: „ ‚Ich habe mich hier oben verirrt, ich weiß den Weg nicht mehr nach Hause — führe mich, wohin du willst, es ist alles einerlei!‘ " Da führte sie Friedrich „an Klippen und schwindligen Abhängen vorüber den hohen, langen Berg hinab" (GW II, 220).

Friedrich und Romana haben nach Giraud komplementäre Seelen. [187] Der Tugendheld von Eichendorffs erstem Roman, diese dichterische Inkarnation seines besseren Ich, wird von der dämonisch getriebenen Frau zugleich angezogen und abgestoßen. Eichendorff will die Idee zu Romana in sich selbst gefunden haben. [188] Ob Eichendorff in Romana das Dämonische in seiner eigenen Brust gestaltend bekämpft? Die Übereinstimmung mit

---

[186] Zernin, *Abyss*, S. 287, Fußnote 14. Wo Eichendorff eine Frau in Männerkleidung auftreten läßt, will er meist eine unweibliche Verhaltensweise herausstellen. So sagt Rudolf über die als Mann verkleidete Angelina, sie habe „mit der Mädchentracht nach und nach auch ihr voriges mädchenhaftes, bei aller Liebe verschämtes Wesen" abgelegt. „Sie wurde in Worten und Gebärden kecker, und ihre sonst so schüchternen Augen schweiften lüstern rechts und links." Rudolf schließt mit der Bemerkung: „Weiber ertragen solche kühnere Lebensweise nicht" (GW II, 269—270).
[187] Giraud, *Les problèmes généraux*, S. 137.
[188] Siehe oben, S. 105.

Eichendorffs lyrischen Äußerungen, die im Kapitel über die Lyrik hervorgehoben wurde, deuten in diese Richtung. Romana ist ebenfalls die Repräsentantin der genialen Frau, die sich von der Sturm-und-Drang-Philosophie „die revolutionäre Emanzipation der Subjektivität" abgemerkt hat (NGA IV, 453), und den „Veitstanz des freiheitstrunkenen Subjekts" zu Ende tanzt (NGA IV, 328—329).

3. Juanna in DICHTER UND IHRE GESELLEN

Auch die dianahafte Juanna wird mit einem Mann konfrontiert, der wie sie durch Kühnheit und Wagemut aus der übrigen Gesellschaft herausragt. Juannas und Lotharios Hochmut grenzt an Hybris. Ihr hochfahrender Genius wird beiden zur Versuchung. Eichendorff hat das Prometheische von Lotharios Wesen in einer Mythe nach christlichem Vorbild zum Ausdruck gebracht. Der Dichter Lothario wird in seiner schöpferischen Tätigkeit von einem Gesicht geschreckt. Ihm war, als sähe der Teufel „ihm beim Schreiben über die Schulter und flüsterte zu ihm: ‚Nur zu, nur zu! Die unschuldige Welt mit vornehmen Worten belogen und verführt, ich will dich dafür auf die Zinnen des Ruhms stellen, und die Welt soll dir huldigen!' " (GW II, 446). Menschliche Hybris wird hier als Versuchung des Bösen begriffen und durch den biblischen Verweis als Ursünde entlarvt. Ein ähnliches Bild kommt bei Juanna vor, doch nicht in einer mythischen, sondern in einer geschichtlichen Situation, die aber ebenfalls symbolisch zu deuten ist. Juannas Vater pflegte mit ihr, „wenn alles schon schlief, die Zinne des Schlosses zu besteigen und zeigte ihr das Land, das ehemals ihre Ahnen beherrscht, so weit der Mond die Wälder beleuchtete, und erzählte ihr halbe Nächte hindurch von der alten, großen Zeit und der fürstlichen Freiheit, die sich dem Zwange der Städte nicht unterwerfe" (GW II, 376). Nichts Sündhaftes liegt in der Trauer des Vaters über die verlorene Freiheit, aber der Eindruck auf das Mädchen, das „unter solchen Träumen" aufwuchs (GW II, 376), macht sich später in seiner unweiblichen Verhaltensweise bemerkbar. Während des Krieges sah Juanna eines Abends „lange stumm und unverwandt in das ferne Feuer, dann brach sie still in Weinen aus und sagte für sich: ‚Wie ist das herrlich! Ach, daß ich kein Mann geworden bin! ihnen gehört alles, sie regieren die Welt' " (GW II, 377). Darauf erwiderte ihre Amme: „ ‚Desto besser, ... denn die Frauen regieren wieder die Männer' " (GW, II, 377). Von der Amme erbittet sie das Zaubermittel, das macht, „ ‚daß alle Männer, die mich sehen, in Liebe entbrennen und mir folgen müssen' " (GW II, 377). Der Wunsch zu herrschen und zu beherrschen ist also Juanna und Lothario eigen. Sein Instrument ist seine dichterische Schöpferkraft, und das ihrige eine zauberische Schönheit.

Es besteht ein Zusammenhang zwischen Lotharios Dichtertum und Juannas Schönheit. Nach Eichendorffs poetischem Bekenntnis ist jeder Dichter dem Zauberblick des Schönen ausgesetzt:

> Du sahst die Fei ihr goldnes Haar sich strählen,
> Wenn morgens früh noch alle Wälder schweigen,
> Gar viele da im Felsgrund sich versteigen,
> Und weiß doch keiner, wen sie wird erwählen.
>
> . . .
>
> Doch streift beim Zug dich aus dem Walde eben
> Der Feie Blick und brennt dich nicht zu Asche:
> Fahr wohl, bist nimmer ein Poet gewesen!
>
> *(Schlimme Wahl)* [189]

Hier antwortet der Dichter nicht passiv, indem er die Schönheit durch die Sinne auf sich einströmen läßt, sondern aktiv, indem er sich zur Eroberung der Schönheit anschickt. Ist in dem Gedicht mit Schönheit Poesie an sich gemeint, so erscheint in Juanna das Schöne in einer konkreten, menschlichen Gestalt. Von Lothario aus gesehen kann Juanna als fleischgewordene Schönheit interpretiert werden. In einem Gespräch über Dichtung setzt sich Lothario von einer Art von Dichtern ab, zu denen Fortunat gehört, welche das Leben „wie ein Wolkenspiel über ... [sich] dahinziehen lassen," und er hält ihnen seine eigene Anschauung entgegen: „ ,Ist das Leben schön, so will ich auch schön leben. ... Um die Schönheit will ich freien, wo ich sie treffe. ... Warum sollte man so ein lumpiges Menschenleben nicht ganz in Poesie übersetzen können?' " (GW II, 363). Fortunat entgegnet ihm, „ ,ich glaube, du könntest ein großer Dichter sein, wenn du nicht so stolz wärest' " (GW II, 363). Hybris ist es, das Schöne gleichsam vom Himmel herunterreißen und zum Selbstgenuß auf die Erde bannen zu wollen.

Es öffnet sich also ein zweifacher Zugang zu Juanna. Im Blickfeld Lotharios ist sie die poetische Schönheit, die er in gelebtes Leben umwandeln will. Juanna führt aber auch als Person ein Eigenleben. Ihr Menschsein gibt sie durch ihren eigenen Willen kund; ihr Wille steht nach Frei-

---

[189] Hinweis auf das Gedicht oben, S. 108 f.

heit, nach Unabhängigkeit. Wie Diana in der *Entführung*, ja noch mehr als diese, benützt sie ihre Schönheit als Mittel, ihr Selbstgefühl zu steigern. Dieser Egoismus ist die eigentliche Sünde ihrer Diananatur. Sie schreckt in ihrem Hochmut nicht davor zurück, einen Menschen, der in ihrer Macht steht, zu demütigen. St. Val „sollt ihr das Schuhband binden," und sie „lächelte spöttisch, da er's tat" (GW II, 382). Lothario nennt sie „diese wilde, schöne Gräfin ..., die ... die Meute Liebhaber hinter sich für Hunde hält" (GW II, 363). Eine Soldatensage hat sich um sie gebildet, derzufolge „es jedem den Tod bedeute, der sie unversehens im Walde erblickt" (GW II, 381). Sie spricht es einmal selber aus: „ ,Ich werde nie die Eurige und keines Mannes Weib — hütet Euch, es wäre unser beider Tod!' " (GW II, 403).

Mit den Motiven: Blitz und Feuer, Jagd und Abgrund, werden ihr dianahaftes Wesen und ihre Handlungen zu bildlicher Anschaulichkeit gebracht. Dianahaft ist die Gegensätzlichkeit von Juannas strahlender Schönheit, die die Männerherzen betört, und ihre diamantene Härte, an der alle Annäherungen abprallen. „ ,Wie das blendet!' " ruft Lothario aus, als „ein langer Blitz ... plötzlich die ganze schöne Gestalt beleuchtet (GW II, 353). Auch ihn hat das Wetterleuchten ihres Blickes gefangengenommen, mit dem Diana in der *Entführung* Gaston in Bann schlug. Wie Romana erschüttert Juanna „in ihrer ganzen furchtbaren Schönheit" (GW II, 383). Doch gegen den Liebesanruf war sie taub, „allen gleich fern und fremd, wie ein Stern in kalter Winternacht" (GW II, 376). Und wo man ihr zu nahe trat, da zerstörte sie. Den Rittmeister, der die Gräfin aus dem brennenden Schloß, das sie selbst angezündet hatte, retten wollte, stieß sie „mächtig von der Zinne hinab, daß die Flammen wie fliegende Fahnen den braven Soldaten bedeckten" (GW II, 384). Wie ein „Todesengel, zwischen den Flammen" steht Juanna hoch auf dem Schloß (GW II, 384). So erblickte auch Gaston Diana auf der Wassermühle.

Von Lothario habe ich behauptet, daß Juanna für ihn mehr als ein irdisches Weib bedeute. Greifen wir zur Veranschaulichung den Höhepunkt der Konfrontation im 13. Kapitel heraus. Das Kapitel beginnt mit einem Lied, das Lothario singt:

> Und wo noch kein Wandrer gegangen,
> Hoch über Jäger und Roß,
> Die Felsen im Abendrot hangen
> Als wie ein Wolkenschloß.

Dort zwischen den Zinnen und Spitzen,
Von wilden Nelken umblüht,
Die schönen Waldfrauen sitzen
Und singen im Wind ihr Lied.

Der Jäger schaut nach dem Schlosse:
„Die droben, das ist mein Lieb!"
Er sprang vom scheuenden Rosse,
Weiß keiner, wo er blieb.   (GW II, 402)

„ ‚Hast du die Braut nicht gesehen?' " (GW II, 402), fragt er gleich darauf,
auf eine vorhergehende Diskussion anschließend, doch auch in ganz deutlicher Bezugnahme auf das Lied. Von keinem gewöhnlichen Schloß ist
darin die Rede, sondern von einem Wolkenschloß, in dem schöne Waldfrauen sitzen. Das Lied, das in Eichendorffs Gedichtsammlung unter dem
Titel *Der Kühne* steht, hat symbolische Bedeutung für Lotharios Vorhaben. Lothario befand sich gerade auf einer Jagd. Er trug sich mit der
Absicht, Juanna, die ebenfalls an der Jagd teilnahm, zu entführen. Diese
Jagdszene führt auf die höchsten Berggipfel und an schwindligen Abgründen entlang. Juanna ist Jägerin und Wild zugleich. Von der Kühnheit
eines Hirsches, der ihr entkommt, zieht sie die Parallele zu sich selbst.
Mit einer Meute Hunde war sie hinter dem Wild her. Doch „das edle Tier
bei seinem Anblick stutzte schnaubend und stürzte sich seitwärts in den
Abgrund, Hund und Reiterin konnten ihm dorthin nicht folgen" (GW
II, 403). Der Hirsch dient zum Vergleich mit ihrem eigenen Freiheitsdrang. „ ‚Seht, der ist frei', sagte sie, . . . ‚und eher fangt Ihr mit verliebten Blicken einen Hirsch im Walde als mich! Was wollt Ihr von mir?
Laßt das Werben um mich, mir ist wohl in meiner Freiheit' " (GW II,
403). Und sie gibt ihrem Roß die Sporen, um Freiern und Verliebten zu
entkommen.

Drückt sich im Sinnbild des scheuen Wilds Juannas Angst aus, ihre
Freiheit zu verlieren, so tritt in der Gestalt der Jägerin ihr anderer Zug
hervor, bezwingen und dominieren zu wollen. Eine Gemse, „die sich hoch
über den Wipfeln von Klippe zu Klippe schwang," reizt ihre Jagdgelüste.
„Das war ihr ganz neu, sie konnte der gefährlichen Lust nicht widerstehen.
. . . Nun kletterte sie wie ein schlanker Panther über die Klippen, das
scheue Wild verlockte sie immer höher hinauf, die Lust wuchs mit der
Gefahr, sie hatte sich lange nicht so wohl gefühlt" (GW II, 403). Indem
sie dem Wild nachsteigt, verirrt sie sich in den unwirtlichen Höhen; „wo-

196

hin sie sich wandte, taten sich neue Abgründe auf" (GW II, 404). In diesem „gefährlichen Revier" tritt ihr plötzlich Lothario entgegen. Die Gemsenjagd bekommt jetzt eine übertragene Bedeutung. Lothario ist für Juanna eine echte Gefahr, denn beide bewegen sich in denselben Regionen. So wird der Kampf, als welcher diese Brautjagd zu verstehen ist, zwischen diesen ebenbürtigen Gegnern ein Kampf auf Leben und Tod. Juanna entzieht sich Lotharios Zugriff, der zuerst wie eine Hilfeleistung aussieht. Ein „seltsamer Eigensinn" hatte sie ergriffen, „und eh er's verhindern konnte, schwang sie, ihn abwehrend, sich auf einen einzelnen, senkrecht über die Tiefe hinausragenden Fels, daß ihm in innerster Seele grauste — nur ein Fehltritt, und sie glitt in den Abgrund hinunter" (GW II, 404).

Diese Szene erinnert an Gaston, der Diana aus der brennenden Wassermühle rettet. Doch hier haben wir es, von Lothario aus gesehen, mit einer symbolischen Handlung zu tun, die Lotharios vermessene Geisteshaltung spiegelt. Lothario hat nach Juanna gegriffen, um die Schönheit — wofür man auch Poesie setzen könnte — in Gestalt der schönen Frau in seinen Lebenskreis zu bannen und ihn so immanent zu erhellen. Durch Juanna soll sein Traumbild verwirklicht werden.

„Juanna!" rief er ihr aus Herzensgrunde zu, „blick um dich, die Erde ist so still und schön wie eine Brautnacht! Frei sollst du wohnen auf hohem Schloß, wo die Rehe an den Abhängen einsam grasen . . . [Oder wenn] dich befällt Heimweh . . .: ich führe dich weit über die Berge fort, du arme Fremde! Auf dem Meere wollen wir fahren an glänzenden Küsten vorüber, bis . . . deine ernste, schöne Heimat emportaucht, duftige Gärten, Gebirge und maurische Schlösser in den trunkenen Fluten spiegelnd — o Juanna, mir ist's, wie von einem hohen Berge ins Morgenrot zu sehen!" (GW II, 405).

Doch Juanna läßt sich nicht fangen. Sie stürzt sich in den Fluß und ertrinkt. Sie läßt Lothario nur ihre Hülle, „stumm und bleich in strenger Todesschönheit" (GW II, 405). Das Kapitel endet mit einer Bemerkung, die das Geschehen in einen weltanschaulichen Bezug setzt und Eichendorffs eigener Auffassung entspricht: „So geht oft ein Schauer mahnend durch die Lust der Menschen, damit sie sich erinnern, daß ihnen die schöne Erde nur geliehen sei" (GW II, 406). Auf diesem religiösen Standpunkt basiert Fortunats Auffassung vom Dichtertum, die, wie oben schon bemerkt, von Lotharios dichterischer Lebensansicht abweicht. Des Dichters Aufgabe ist es, zwischen dem Diesseits und dem Jenseits zu vermitteln. Lothario dagegen versucht, sich eigenmächtig auf der Stufe der poetischen Vermittlung oder Sichtbarmachung anzusiedeln. [190] Das gelingt ihm nicht, denn die Waldfrauen im Wolkenschloß, zu denen Lothario aufstieg, um eine von ihnen zu erobern, können nicht materieller Besitz werden.

Die dichterische Verwirklichung dieses Gedankens ist nicht eindeutig, besonders, was die Gestaltung der Juannafigur betrifft. Wäre die Idee konsequent durchgeführt, dann müßte Juanna als allegorische Gestalt erscheinen. Doch sie schwankt zwischen Allegorie und menschlichem Wesen, einmal mehr zu dieser, dann zu jener Seite neigend. Es ist wohl ihrem allegorischen Charakter zuzuschreiben, daß sie im Wasser ihren Tod sucht, wo sie Lothario „mit dem weit aufgelösten Haare gleich einer Nixe in klarem Mondlichte über die Flut dahinschweben, sinken und wieder emportauchen" sieht (GW II, 405), und nicht, weil ihre Vermessenheit die Dianas, die zuletzt noch ihren Weg ins Kloster gefunden hat, übersteigt. [191] Andererseits ist es menschlicher Egoismus und ausgesprochene Grausamkeit, wie sie einen St. Val oder den Rittmeister behandelt. Schließlich hat Juanna etwas, was weder Diana noch Romana zukommt: das Bannende einer Naturkraft, das sie zeitweise zu einer mythischen Gestalt erhebt. Dieses Bannende werden wir bei der Königin der Wilden wiederfinden.

4. Die Königin der MEERFAHRT

Juanna hatte in den alten Büchern ihres Vaters gelesen, „wie Fürsten und Könige vor Mädchen knieten und ihnen treu und gehorsam waren bis in den Tod" (GW II, 377). Ein Zaubermittel verlieh ihr selbst die Macht, mit einem Blick „die grimmigen Bestien," d. h. eine Schar von Soldaten, zu

---

[190] Lüthi drückt diese Idee etwas anders aus: Lothario „ist der große Dichter der Schönheit der irdischen Welt, der Verherrlicher der Natur. Wie keiner sonst erscheint er als ausersehen, in der Herrlichkeit dieser Welt das Vollendete zu schaffen und sich selbst zu vollenden. Aber gerade er muß im Juanna-Erlebnis erfahren, daß auch dem bedeutenden Menschen die Erfüllung in der Welt versagt bleibt, daß die Selbsterlösung unmöglich und die Selbstvollendung unerlaubt und teuflisch, daß sie letztlich Selbstaufgabe an die Mächte des Todes und des Nichts ist" (Dichtung und Dichter, S. 263).

[191] Letzteres scheint Zernin zu implizieren, wenn er schreibt: „With Juanna's deliberate look over the edge of the cliff we see how far removed she is from any sense of moderation; and there begins to arise within us a premonition of the terrible events that will shortly transpire. It is also meaningful that, unlike Diana in Die Entführung, Juanna cannot find her way to the cloister" (Abyss, S. 286).

bändigen. Man staunte, „wie diese wilden Männer die Gräfin gleich einer Königin verehrten und bedienten" (GW II, 382). In der *Meerfahrt* ist es eine wirkliche Königin, die von den Wilden wie eine Göttin verehrt wird. Auf Schilden, die junge Männer über ihren Köpfen wie ein glänzendes Dach emporhielten, ruhte sie „mit dem schlanken Pantherleib, zu beiden Seiten von den langen dunklen Locken umwallt, . . . in ihrer strengen Schönheit wie eine furchtbare Sphinx" (GW III, 265). Als sie herabstieg, „stoben [die Männer] zu beiden Seiten auseinander und senkten ehrerbietig die Lanzen vor ihr" (GW III, 266). Einer ihrer Leute wollte mit einem Teppich entfliehen. „Die Königin bemerkte es, rasch aufspringend zog sie einen Pfeil aus ihrem Köcher und durchbohrte den Fliehenden, daß er tot ins Gras stürzte" (GW III, 266). Gefesselt und ganz verwirrt und geblendet von ihrer Schönheit drückte ihr Don Diego flüchtig die Hand: „Da wandte sie fast betroffen ihr Gesicht nach mir herum und sprang dann plötzlich wild auf, daß ich zusammenschrak" (GW III, 267).

Wir haben eine Herrscherin vor uns, die unbedingten Gehorsam fordert, die von ihren Untertanen als ein göttliches Wesen angesehen und entsprechend gefürchtet wird. Die *Meerfahrt* stellt ein religionsgeschichtliches Phänomen in den Vordergrund. An ihr wird Eichendorffs religiöse Theorie über die Verhaltensweise einer primitiven Gesellschaft, die noch nicht vom Christentum berührt wurde, in der dichterischen Darstellung ausprobiert. In dieser Gesellschaft fehlt das bindende Glied christlicher Liebe, was vor allem im Wesen und Wirken der Königin zum Vorschein kommt. Aus dem Gefühl der Machtvollkommenheit entspringen ihre Handlungen. Der Mensch wird von ihr als Objekt behandelt, mit dem sie nach eigenem Gutdünken schaltet. Die Königin blendet durch ihre Schönheit. Ihre stolze Kühnheit und ihr überlegendes Selbstgefühl rufen Bewunderung hervor. Doch kein warmes Gefühl für sie will sich einstellen. Es würde bei ihr auch kein Echo finden, denn zur Aufnahme dieses Gefühls fehlt ihr das Organ: sie ist recht eigentlich Herz-los. Diese Herzlosigkeit teilt sie mehr oder minder mit den anderen Dianagestalten, die durch eine einseitige egozentrische Ausrichtung ihrer natürlichen Kräfte den Zugang zum Mitmenschen, d. h. das für den interpersonalen Bezug nötige Verstehen und Geben, verloren haben. Das tritt besonders stark bei Diana und Romana hervor. Der geschichtliche Rahmen, der die Königin ins primitive Heidentum verweist, bietet Eichendorff eine andere Möglichkeit, dieses Thema der Selbstsucht neu zu überprüfen. Indem die Königin nicht in innerem oder äußerem Konflikt mit einer ihrem Wesen widersprechenden Lebensordnung steht, etwas, was z. B. bei Diana und Romana mitspielt, wirkt ihre Haltung ungebrochen-natürlich; [192] ihre Souveränität und ihr Selbstgefühl werden erst in der Betrachtungsweise des der christlichen Tradition entstammenden Eindringlings Don Diego negativ zu Selbst- und Herrschsucht. Durch die natürliche Frische und Spontaneität ihres Wesens gleicht die Königin am ehesten der Diana-Artemis des antiken Mythos. Doch Eichendorff, der auf der Seite Don Diegos steht, betont das Gefährliche dieser mythisch fixierten und stets neu eruptierenden Naturkraft. In diesem Sinne steht er dem Wunsch nach Wiederbelebung des mythischen Kerns, wie ihn Walter Otto propagiert, radikal entgegen. Otto gehört zu denjenigen, die die Wiederkunft der alten Götter herbeisehnen. Artemis verkörpert für ihn die Freiheit weiblicher Art, die „den Geist der unberührten Natur offenbart." [193] So ist sie „der göttliche Geist der sublimen Natur, die hohe schimmernde Herrin, die Reine, die zum Entzücken hinreißt und doch nicht lieben kann, die Tänzerin und Jägerin, ... todbringend, wenn sie den goldenen Bogen spannt, fremdartig und unnahbar, wie die wilde Natur, und doch, wie sie, ganz Zauber und frische Regung und blitzende Schönheit." [194]

Die Königin der Wilden offenbart den „Elementargeist" der Natur. Don Diego sagt von ihrem Erscheinen: „sie selber war wie das Gebirge, in launenhaftem Wechsel bald scharf gezackt, bald sammetgrün, jetzt hell und blühend bis in den fernsten tiefsten Grund, dann alles wieder grauenhaft verdunkelt" (GW III, 267). Sie identifiziert sich mit dem Feuer, der ihr angemessenen elementaren Kraft:

> Bin ein Feuer hell, das lodert
> Von dem grünen Felsenkranz,
> Seewind ist mein Buhl' und fodert
> Mich zum lust'gen Wirbeltanz,
> Kommt und wechselt unbeständig,
> Steigend wild,
> Neigend mild,
> Meine schlanken Lohen wend ich,
> Komm nicht nah mir, ich verbrenn dich!   (GW III, 268)

---

[192] Pauline hebt hervor, daß die Chrarakterisierung der Königin nie mit ethischen, sondern nur mit ästhetischen Begriffen erfolgt (*Meerfahrt*, S. 7).
[193] Otto, *Götter Griechenlands*, S. 91 (Siehe auch oben, Anm. 176).
[194] Ibid., S. 82—83.

Der Hauptmann, der von ihr ge- und verbrannt wurde, nimmt das Bild wieder auf: „ ‚Im Walde brennt's unter meinen Füßen, in meinem Haar, in meinen Eingeweiden brennt's!‘ ‟ (GW III, 270). Die Königin wird hier als brennendes Feuer empfunden. Ihre Zugehörigkeit zur Welt des Animalischen evoziert das Wort „Pantherleib.‟ Und wenn sie mit einem Pantherfell bekleidet von Klippe zu Klippe steigt und den Jagdspeer schleudert, so sieht man sie ebenfalls als Teil dieses unbezähmten Naturbereichs. Die entscheidenden Handlungen der Königin entspringen jedoch der Autonomie ihres Willens, dieser spezifisch menschlichen Eigenschaft, welche zum Dianahaften gehört. Ihr Dominierungswille und die Lust, die sie daran zu haben scheint, Furcht einzujagen und zu demütigen, kommen an einigen Stellen zum Ausdruck. Don Diego berichtet: „So verlockte sie mich immer weiter in die Wildnis, ihr Lied war auch verklungen, kein Vogel sang mehr in dieser unwirtlichen Höhe — da, wie ich mich einmal plötzlich wende, steht sie auf einer Klippe in der Waldesstille, den Bogen lauernd auf mich angelegt. — Ich starrte sie erschrocken an, sie aber lachte und ließ den Bogen sinken‟ (GW III, 267—268). Dem Hauptmann, der ihr ganz verfallen war, setzt sie „mutwillig ihren Fuß auf seinen Nacken; ‚geh nur, geh‘, sagte sie, und ein spöttisches Lächeln flog um ihren Mund‟ (GW III, 270). Ähnlich geht auch Juanna mit St. Val um.

In der *Meerfahrt* geht es nicht nur um die Herrschaft eines Einzelnen, sondern eines Stammes gegen die Eindringlinge. Vor den Schießwaffen der Seeleute schreckten die Wilden „wie vor einer unbegreiflichen übermenschlichen Gewalt‟ zurück (GW III, 263). Doch die Königin nahte sich furchtlos und zürnend dem übermächtigen Gegner. Sie ist zutiefst beunruhigt, daß jemand stärker sein soll als ihre Leute, und sie sucht mit List, ihre bedrohte Herrschaft wiederherzustellen. Als ihr das nicht gelingt, da schreitet sie zum äußersten, zur Selbstzerstörung. Doch ihr Tod ist, im Gegensatz zu Romanas und auch Juannas, nicht das Resultat von Verzweiflung oder einem Unabhängigkeitstrieb, sondern ein Akt echten, wenn auch grausamen Heroismus. Sie hat das Schiff mit seiner Mannschaft in Brand gesteckt, um so ihre Insel von dem weißen Feind zu befreien. „Jetzt züngelten die Flammen schon aus allen Luken aufs Verdeck hinauf, da, mitten in der entsetzlichen Verwirrung, zerriß sie plötzlich ihre Banden, und freudig und unverwandt nach den brennenden Wäldern schauend, streckte sie beide Arme frei in die sternklare Nacht wie ein Engel des Todes‟ (GW III, 273). Wie Juanna, so wird auch sie einem Engel des Todes verglichen. In dieser Bezeichnung schwingt Bewunderung für die heidnische Tugend der Königin mit. Es ist Don Diego, der die Geschichte der wilden Königin erzählt, und der selbst eine Zeitlang unter ihrem Bann stand. In der letzten Schlacht rettete er die Königin auf sein Schiff: „Vergebens streckte die Königin mit ihrem tödlichen Geschoß meine kühnsten Gesellen zu Boden, die Häuptlinge fochten sterbend noch auf den Knien, und als der letzte sank, schwang ich die Schreckliche gewaltsam auf meinen Arm und stürzte mich mit ihr und den wenigen, die mir geblieben, in das Boot" (GW III, 272). Doch mit ihrem Tod hat sie sein Vorhaben vereitelt. Wie es bei Juanna der Fall war, so ist auch bei der Königin eine Schuld auf der Seite des männlichen Gegenüber zu suchen. Don Diego hatte sich geschworen, sich für die Königin zu opfern. Er wollte sie und ihr Volk zum Christentum bekehren. Doch seine Intentionen waren nicht rein. „Ich Tor, ich bildete mir ein, den Himmel zu erobern, und meinte doch nur das schöne Weib!" (GW III, 268). Nur echte christliche Überzeugung hätte das Heidnische besiegen können. Das blieb Antonio vorbehalten, dem allerdings das liebesempfängliche Herz Almas entgegenkam. Die Königin blieb ihrem heidnischen Charakter treu. Nirgends bricht eine Regung ihres Herzens oder der Seele durch. Erst Alma hat „Seele." In der Gegenüberstellung von Alma und der Königin sagt Pauline, „l'orgueuilleuse solitude ... [der Königin] ... était une hybris, à laquelle Alma peut s'essayer en pensée, mais elle ne saurait séjourner longtemps à une hauteur tellement inhumaine." [195]

Zusammenfassung:

Die Königin teilt die wesentlichen Züge des Dianahaften mit Diana, Romana und Juanna, was an den wiederkehrenden Motiven aufgezeigt wurde. Doch durch die Einbettung der Motive in größere Bildkomplexe und in den Gang der Handlung bleibt Raum für individuelle Verschiedenheiten. In der *Meerfahrt* weht uns etwas wie „wildfremde Urgebirgsluft" an (NGA IV, 39), und man wird in manchem an das erinnert, was Eichendorff in der *Geschichte der poetischen Literatur Deutschlands* über das alte Heidentum sagt: „Hier sehen wir noch die starren Zacken des alten Urgebirgs drohend hereinragen," und aus den Abgründen „alle die entsetzliche Naturgewalt menschlicher Leidenschaften" steigen, die erst „vor

[195] Pauline, *Meerfahrt*, S. 8.

dem milderen neuen Lichte [des Christentums] tragisch zusammenbricht" (NGA IV, 38). Die Königin ist zwar ein wenig zu rationalistisch gestaltet, um wirklich den Eindruck einer großartigen Naturgewalt aufkommen zu lassen. Der Rahmen, in dem sie erscheint, dürfte aber doch auf Eichendorffs Intention hinweisen, in der *Meerfahrt* eine entwicklungsgeschichtliche Vorstufe zur späteren Individualisierung der ungebändigten Naturkraft zu zeichnen. Die Königin reflektiert zeitweise die elementare Gewalt der Natur um sie, so daß sie als Teil der Natur, und nicht die Natur als bildhafte Veräußerlichung ihres Innern zu gelten hat. Von Don Diego aus gesehen ist die Natur und damit auch die Königin allerdings ein Symbol dessen, was sich in der Seele des Helden abspielt. Ähnlich verhält es sich bei Juanna, die in gewissem Sinne auch Projektion und Inkarnation von Lotharios geistiger Aktivität ist. Don Diego und Lothario sind die eigentlichen prometheischen Helden, deren Herausforderung ein dianahaftes Wesen beantwortet. Der Unterschied zwischen den beiden ist, daß bei ersterem die religiöse Weltanschauung, und bei letzterem das Dichtertum in den Vordergrund gerückt wird. Don Diego hat wie Lothario den Dämon in seiner Brust besiegt, indem er die Bindung an ein Höheres über sich bejahte. Beide mußten vor ihrer Umkehr den völligen Zusammenbruch ihrer Vorstellungswelt erfahren, was bildlich im Tod von Juanna und von der Königin ausgedrückt wird.

Hier macht sich ein Unterschied zwischen diesen beiden Frauengestalten, die z. T. allegorische und mythische Verkörperungen sind, und der Diana und Romana bemerkbar. Diana und Romana sind rein menschliche Gestalten, die den Konflikt in sich selbst austragen müssen. Diana geht aus der ihren Ego vernichtenden Niederlage wie Don Diego und Lothario geläutert hervor; Romanas abgenütztes Gemüt schafft die Bekehrung nicht mehr. In allen vier Frauengestalten ist aber *der* Grundzug menschlichen Seins bevorzugt dargestellt, der den Menschen vor der gebundenen Natur auszeichnet: sein freier Wille. Das spezifisch Dianahafte ist der Mißbrauch dieser Willensfreiheit. Die Dianagestalt will Freiheit von allen Bindungen. Eichendorff hat ihr Wesen in die ausdrucksvolle Bezeichnung „freiheitstrunkenes Subjekt" gefaßt.

Von dianahaftem Subjektivismus und venushafter Sinnlichkeit hebt sich die christliche Liebe ab. Was sich Eichendorff darunter vorstellt, soll im letzten Kapitel über die marienhaften Frauengestalten gezeigt werden.

KAPITEL III

MARIENHAFTE GESTALTEN IN EICHENDORFFS PROSA

Aus seiner christlich-religiösen Sicht heraus mußte Eichendorff das Venushafte und das Dianahafte als heidnische Versuchung bekämpfen. Nach dem christlichen Mythos hat Gott die Welt und den Menschen geschaffen. Der Mensch hat sich aber von Gott abgewandt und wollte sein eigener Herr sein auf der Welt. Dieser „Sündenfall" blieb nicht ein einmaliges Geschehen, sondern ist zum Stigma des ganzen Menschengeschlechts geworden und hat auch die äußere Natur in Mitleidenschaft gezogen. Um diese menschliche Tragödie und ihre Überwindung geht es im Werk Eichendorffs. In Venus und Diana wird der Sündenfall wiederholt. Venus, das Symbol „der verklärten Welt der Bilder," [196] lenkt die Sinne durch das betörende Lied der Sirenen auf die bezaubernde Schönheit ihres Frauenkörpers und verbaut den Blick nach oben. Diana, die blendende und mit Feuer spielende Amazone, negiert in ihrem Freiheitsrausch jegliche Abhängigkeit. Diesen heidnischen Frauen steht die christliche Frau entgegen. Sie stellt in ihrer Haltung den verlorengegangenen Bezug zwischen Schöpfer und Schöpfung, zwischen Schöpfer und Geschöpf wieder her. Nichts Auffallendes geschieht an ihrer Person. Sie drängt sich nicht auf, leidet im Stillen, sucht nicht den eigenen Vorteil. Diese Art von Liebe meint das Hohelied des heiligen Paulus; sie wurde von Maria, der Mutter Gottes, vorgelebt.

Maria ist zum Idealbild der christlichen Frau geworden. Durch den Einfluß des Christentums wurde die irdische Liebe verklärt und vergeistigt (NGA IV, 42). Den schönsten Ausdruck davon sieht Eichendorff im Frauendienst des Mittelalters. Kosler hebt hervor, „daß E. [Eichendorff] in Maria das schönste u. höchste Bild des Menschseins erblickt." [197] In meiner Untersuchung der Eichendorffschen Lyrik bin ich auf die Gedichte eingegangen, in denen Eichendorff Maria preist und sie um ihre Hilfe anruft. Wie wir noch sehen werden, wird Maria in der Prosa und in den Dramen selten und dann nur in entscheidenden Momenten aus einer Glaubenshaltung heraus evoziert. Eine ehrfürchtige Scheu hat wohl Eichendorff davon abgehalten, Maria als menschliche oder mythische Gestalt wie

---

[196] Reinhold Schneider, *Schwermut und Zuversicht*, S. 53.
[197] Kosler, Artikel *Eichendorff*.

Diana und Venus auftreten zu lassen. Von ihrem Glanze sind aber einige Frauengestalten berührt, deren tugendhafter Wandel es erlaubt, sie als „marienhafte" Gestalten zu bezeichnen. Während Julie in *Ahnung und Gegenwart* in ihrer Tugendhaftigkeit tendenziös wirkt, erscheint das Wesen der schönen Frau im *Taugenichts*, von Leontine in der *Entführung*, von Bianka im *Marmorbild* und Fiametta in *Dichter und ihre Gesellen* poetisch überhöht, ja, wie im Falle von Florentin-Aurora in *Viel Lärm um Nichts* ganz in Poesie aufgelöst. Je mehr die Gestalt allegorischen Charakter hat, desto mehr ist das Positive in der Vorstellung des männlichen Partners zu suchen. Auch hier ist wiederum die Wechselwirkung von Mann und Frau, das Spielfeld der Liebe zwischen zwei Liebenden, von großer Bedeutung. Es sollen im Folgenden zuerst einige menschliche Frauengestalten, danach Verkörperungen der Poesie, und schließlich das Aufleuchten der himmlischen Mutter in den Werken untersucht werden.

1. Julie in AHNUNG UND GEGENWART

Eichendorff hebt in einem vergleichenden Satz das stille Walten der tugendhaften Frau vom blendenen Effekt eines rauschhaft verschwendeten Lebens ab:

> Wenn uns der Wandel tugendhafter Frauen wie die Sonne erscheint, die in gleichverbreiteter Klarheit, still und erwärmend, täglich die vorgeschriebenen Kreise beschreibt, so möchten wir dagegen Romanas rasches Leben einer Rakete vergleichen, die sich mit schimmerndem Geprassel zum Himmel aufreißt und oben unter dem Beifallsklatschen der staunenden Menge in tausend funkelnde Sterne ohne Licht und Wärme prächtig zerplatzt (GW II, 187).

Julie stellt diesen Gegensatz zu Romana dar. Während letztere in ihrer Leuchtkraft und unbändigen Leidenschaft fasziniert, verschwindet Julie oft ins Unscheinbare. Doch in ihrer Bindung an Leontin, den Unbändigen, gewinnt sie an Statur. Leontins unruhiger Geist findet schließlich in ihrem ruhigen und liebenden Wesen einen Halt.

Auf dem Lande aufgewachsen, fehlt Juliens Geist die Wendigkeit und das Raffinement, womit sich die Residenzdamen zu geben wissen. So vermißt Leontin zunächst ihr Echo auf seine phantastischen Geistessprünge. „Er begriff nicht, daß das heiligste Wesen des weiblichen Gemüts in der

Sitte und dem Anstande bestehe, daß ihm in der Kunst wie im Leben alles Zügellose ewig fremd bliebe" (GW II, 76). Diese Aussage über das weibliche Gemüt wiederholt Eichendorff 35 Jahre später in seiner Abhandlung *Die deutsche Salon-Poesie der Frauen*, als Norm weiblicher Verhaltensweise, deren Verschwinden er im Prozeß der gesellschaftlichen Entwicklung bedauernd wahrnahm. Eichendorff war und blieb an der Vergangenheit orientiert, und aus dieser Perspektive holte er seine Julie, die Giraud eine „Demoiselle d'un château médiéval" nennt. [198] Julie fehlt es nicht an Tiefe. Was sie nicht hat, ist der Firnis moderner Bildung. Friedrich gegenüber tat sie oft Äußerungen, „die eine solche Tiefe und Fülle des Gemütes aufdeckten und so seltsam weit über den beschränkten Kreis ihres Lebens hinausreichten, daß Friedrich oft erstaunt vor ihr stand und durch ihre großen, blauen Augen in ein Wunderreich hinunterzublicken glaubte" (GW II, 76). Neben der Sittsamkeit und der Tiefe ihres Gemüts betont Eichendorff „die beständige Heiterkeit und Klarheit ihres Gemüts," die „einen unwiderstehlichen Frühling über ihr ganzes Wesen" verbreitet (GW II, 75), ferner ihre Hilfsbereitschaft und Nächstenliebe. Sie pflegt den kranken Viktor und den verwundeten Leontin. Im Leben wie im Lieben ist sie zart und zurückhaltend. In mädchenhafter Scheu wehrt sie jede Zudringlichkeit von Seiten Leontins ab und errötet, wenn eine unschickliche Situation ihre weibliche Unschuld kompromittieren könnte. Diese Züge sind allen in der Folge zu besprechenden Mädchengestalten eigen. Sie müssen auch alle in der Liebe Leid erfahren. Julie geht durch eine tiefe seelische Erschütterung, als Leontin sie fluchtartig verläßt. Friedrich tröstet sie: „ ‚Lieb ihn nur recht ... so ist er ewig dein. ... Es gibt nichts Herrlicheres auf Erden als der Mann, und nichts Schöneres als das Weib, das ihm treu ergeben bis zum Tode' " (GW II, 109).

Leontin wird ihr wieder geschenkt. Auch das verbindet Julie mit den ihr verwandten Gestalten, denen der Geliebte am Ende doch wiederkehrt. In *Ahnung und Gegenwart* mutet diese Lösung zu einfach an, denn sie setzt eine heile Weltordnung voraus, wie sie in der Wirklichkeit, aus der Eichendorff ein Stück darstellen wollte, nicht existiert. Der Roman ist nach Eichendorff selbst und nach Fouqués Äußerungen eng mit den literarischen, sozialen und politischen Zeitereignissen im ersten Jahrzehnt des 19. Jahrhunderts verbunden. Doch *Ahnung und Gegenwart* ist ebenfalls Bildungsroman, nach dem Vorbild der *Gräfin Dolores* von Arnim,

[198] Giraud, *Les problèmes généraux*, S. 159.

an dessen Dichtung Eichendorff das ethische Element hervorhebt (NGA IV, 285). Nach Lüthi ist es „Eichendorffs Hauptanliegen, im Roman die aufrichtige Rückkehr zur Religion darzustellen, aber eben nicht zu einer ästhetischen, sondern zu der einzigen positiven kirchlichen Religion."[199] Schließlich macht der Roman, wie Eichendorff Fouqué gesteht, ein Stück seines innersten Lebens aus (Brief vom 1. 10. 1814, HKA XII, 8). Dieses wiederum blüht in den Hauptgestalten auf.

Leontin scheint einen guten Schuß Eichendorffschen Blutes zu haben. Sein Verhältnis zu Julie schließt eine Parallele zu Eichendorffs Gattin nicht aus. Eichendorff war durch seine Studien und seine Teilnahme am Befreiungskrieg lange von seiner Verlobten getrennt. Einige Gedichte Eichendorffs, die oben (S. 54 ff.) biographisch gedeutet wurden, decken eine Ähnlichkeit zwischen den Paaren Julie — Leontin und Luise — Eichendorff auf. *Trennung, 2* spricht davon, wie der Geliebte „Mit stolzen Augen, fremden schönen Worten," die Wünsche des Mädchens „aus dem stillen Hafen" hinauslockt. „Da zog er heimlich fort." Eichendorff hat sich bald nach der Entlassung aus dem Kriegsdienst mit Luise vermählt. Er hat ihr eines der innigsten Liebesgedichte (*An Luise*) gewidmet, das man als Preislied an die marienhafte Frau bezeichnen möchte.

Leontin, dem vor seinem Weggang von Julie eine eheliche Bindung philisterhaft vorkam, gab ihr bei der Wiederkehr sein Jawort. Von Julie heißt es, sie „saß still in die Zukunft versenkt und schien innerlich entzückt, daß nun endlich ihr ganzes Leben in des Geliebten Gewalt gegeben sei" (GW II, 288). Als Leontin sie fragt: „ ‚Wirst du ganz ein Weib sein und ... dich dem Triebe hingeben, der dich zügellos ergreift und dahin oder dorthin reißt, oder wirst du immer Mut genug haben, dein Leben etwas Höherem unterzuordnen?' " da antwortet sie ihm mit der Romanze *Von der deutschen Jungfrau*, womit sie ihm Tapferkeit und Treue bis in den Tod verspricht (GW II, 292—293). Ganz Gott und der Liebe vertrauend tritt sie die wagemutige Reise in die Neue Welt an. Dort wollen sie sich „in dem noch unberührten Waldesgrün ... Herz und Augen stärken" (GW II, 292).

Julie ist eine teils nach dem idealen Frauenbild gezeichnete, an der Vergangenheit orientierte, und teils biographisch beeinflußte christliche Frauengestalt, die sich wie ein tugendhaftes Vorbild aus der Erbauungsliteratur ausnimmt. Diese als menschliche Person auftretende Gestalt ist zu voll-

[199] Lüthi, *Dichtung*, S. 39.

kommen, um zu überzeugen, und hat zu wenig poetischen Reiz, um gegen die blendende Romana aufzukommen. Eichendorff muß diesen Mangel gespürt haben. Er hat in der Folge keine Gestalt in der Art Juliens mehr geschaffen. Seine späteren christlichen Frauengestalten bezaubern durch ihre Poesie und haben so vom ethischen Wert abgesehen dichterische Gültigkeit. Auch werden sie mehr und mehr von der Wirklichkeitsebene in einen poetischen Raum transponiert und erfüllen in ihrer Transparenz auf das Überirdische hin Eichendorffs religiöses Anliegen, nämlich durch das dichterische Medium das Diesseits an das Jenseits zu knüpfen.

2. Leontine in der ENTFÜHRUNG

Leontine steht, der Novelle entsprechend, noch am deutlichsten auf dem Boden der Wirklichkeit. Sie bildet sozusagen nur den Rahmen um die Entführungsszene, eine Technik, die Eichendorff öfters verwendet. Er entläßt seinen Helden in die Versuchung, in den Kampf mit den Dämonen, um ihn dann geläutert in die Arme des treuliebenden Mädchens zurückzuführen, die mit ihm den Weg ihrer wahren göttlichen Bestimmung geht. Leontine war in einem weit abgelegenen, verödeten Schloß, zwischen den „Trümmern des früheren Glanzes" aufgewachsen. Doch ihr schien alles prächtig, „weil es ins Morgenrot ihrer Kindheit getaucht" (GW III, 320). Dort überraschte sie eines Abends ein junger Mann, der ihr Herz zutiefst bewegte. Man vermutete in ihm den gefürchteten Räuberhauptmann. Weil sie ihn liebt, will sie ihn schützen, doch nicht, indem sie ihn egoistisch bei sich zu behalten gedenkt, sondern, indem sie ihm zur Flucht verhilft. Er ist außerordentlich erstaunt über eine solche Liebe: „ ‚Kind, Kind, wie liebst du mich so schön!' " Er ritt fort, und sie „weinte bitterlich" (GW III, 324). Während Gaston, der vermutliche Räuber, in die Jagd um Diana verstrickt ist, lebt Leontine ihr stilles Leben weiter. „Da stand Leontine wie damals zwischen den Hecken und fütterte wieder ihr Reh und streichelt' es und sah ihm in die klaren, unschuldigen Augen. ‚Deine Augen sind ohne Falsch', sagte sie schmeichelnd zu ihm, ‚du bist mir treu, wir wollen auch immer zusammenbleiben hier zwischen den Bergen, es fragt ja doch niemand draußen nach uns' " (GW III, 344). Doch Gaston hatte sich Leontine nach seiner Ernüchterung zur Braut geholt. „Wie eine schöne Landschaft nach einem Gewitter war in seiner Seele Leontinens unschuldiges Bild unwiderstehlich wieder aufgetaucht, das Diana so lange wetterleuchtend verdeckt" (GW III, 351).

Leontine, die sich erst aus der Verwechslung heraus und in ihr Glück hineinfinden mußte, „stand verwirrt mit niedergeschlagenen Augen, tief-beschämt, daß er nun alles, alles wußte, wie sehr sie ihn geliebt" (GW III, 350). Ihre selbstlose Liebe, die in der Entsagung und der Trauer ge-reift ist, spricht aus den klaren, unschuldigen Augen der Braut, die „heiterplaudernd an Gastons Seite" zum Traualtar geht. „Die Vögel sangen ihr nach aus der alten, schönen Einsamkeit, das treue Reh folgte ihr frei" (GW III, 351). Das Reh ist Sinnbild für Leontine. [200] Gaston weiß, daß ihm seine Gattin treu und frei dienen wird. Doch von ihm heißt es, daß ihn noch manchmal eine leise Wehmut überkommt, wenn er die Glocken aus Dianas Kloster vernimmt. Er kann das Wetterleuchten ihres Blicks nicht vergessen, und er wird sich immer wieder an der wunder-stillen Güte seiner Lebensgefährtin aufraffen und überwinden lernen müs-sen.

3. Die schöne gnädige Frau in der Novelle AUS DEM LEBEN EINES TAUGENICHTS

Die *Taugenichts*-Erzählung spielt in einer höheren Wirklichkeit, und ist somit nicht mehr den Anforderungen der konkreten Wirklichkeit unter-worfen, braucht also auch nicht mehr deren Gesetzen zu gehorchen. Ihre Hauptgestalt, der Taugenichts, und seine Geliebte, sind ganz in den Zau-ber poetischen Lichts getaucht und gleichzeitig durchsichtig auf ein Höheres über ihnen. Mühlher geht in seiner *Taugenichts*-Studie der großartigen künstlerischen Leistung Eichendorffs nach, wie er den Traum des Tau-genichts als gelebtes Leben gestaltet. Nach Mühlher ist die Novelle einmal ein Verzauberungsmärchen, in dem der Taugenichts die Welt als ein von Liebe Verzauberter erfährt. [201] Die Liebesbezauberung wiederum „hat ihre Wurzel in dem Bild, das der Taugenichts im Herzen trägt und das ihm, den Eichendorff selbst als einen ‚neuen Troubadour' bezeichnen wollte, erst nachträglich in der Wirklichkeit entgegentritt." Mühlher nennt dieses Bild auch „Urbild oder Traumbild." [202] Außer dem Traum wird vom Tau-

---

[200] Hierzu Kunz: „Um Leontine liegen Unschuld und Frömmigkeit des kindlichen Lebens, das sich im schützenden Kreis der Mutter und der heimatlichen Landschaft vollzogen hat. Ihr zur Seite geht das Reh, für Eichendorff Gleichnis und Inbegriff des frommen, behüteten Daseins" (*Eichendorff*, S. 38).
[201] Mühlher, *Taugenichts*, S. 17.
[202] Ibid., S. 20.

genichts das als Kind Gelesene in Wirklichkeit umgesetzt, und beides, seinem Charakter gemäß, in einer ganz unreflektierten, natürlichen Weise. Mühlher schreibt: „Was ihm als Kind erzählt wird, was er singen hört, ist ihm alles andere als Kunst, ist ihm ein Offenbarwerden einer in ihm und in der Wirklichkeit verborgenen Wirklichkeit. Seine große Wanderschaft hat den einzigen Zweck, dieses Verborgene suchen zu gehen, um es zu finden." [203] Die schöne gnädige Frau, die ihm in dieser Traum-Wirklichkeit entgegentritt, lebt also aus seinem innersten Wesen heraus und muß vom Taugenichts aus betrachtet werden.

„Das poetische Daseinsgefühl des Taugenichts," sagt Mühlher, „gründet ... im christlichen Vertrauen auf Gottes Fügung und Lenkung." [204] Der Reisespruch des Taugenichts, mit dem er in die Welt hinauszieht, lautet: „Den lieben Gott laß ich nur walten" (GW III, 64). Seine Liebe ist von einem durchaus keuschen Gefühl getragen, fast frei „von der Schwüle des Körperlichen." [205] Von Anfang an muß er Verzicht in der Liebe üben, da er die Frau, die er verehrt, durch ihren vermeintlichen hohen Rang für unerreichbar hält. Seine Liebe ist an das Mittelalter erinnernder Frauendienst, und diesen drückt er in seinem *Minnelied* aus (GW III, 70—71). Wie erscheint ihm die „Vielschöne, hohe Fraue," die er besingt?

Er spricht selten mit ihr, sieht sie oft nur aus der Ferne, wie sie durch den Garten geht, „so still, groß und freundlich wie ein Engelsbild" (GW III, 67). [206] Ihr verehrt er jeden Abend heimlich einen Rosenstrauß. Sein Blumengarten blüht nur noch für sie, ja, die Blumen selbst werden zum Bild der Geliebten: „Die Rosen waren nun wieder wie *ihr* Mund, die himmelblauen Winden wie *ihre* Augen, die schneeweiße Lilie mit ihrem schwermütig gesenkten Köpfchen sah ganz aus wie *sie*" (GW III, 77). Als er es wagt, ihr mit den schönsten Beteuerungen einen Strauß persönlich in die Hand zu drücken, da blickt sie ihn „ernsthaft und fast böse" an, nimmt die Blumen aber doch und geht schnell weg (GW III, 75). Die Gräfin ist ihm hold, doch ihre Liebe ist verschwiegen; nur an ihren niederge-

[203] Ibid., S. 25.
[204] Ibid., S. 30.
[205] Ibid., S. 21.
[206] Über die Liebe des Taugenichts zur schönen Frau sagt Benno von Wiese: „Er liebt sie als den Inbegriff des Wunderbaren und Schönen, nicht eigentlich als sie selbst. Er liebt sie, wie er den Wald, den Garten und die Blumen liebt, als die Gegenwart Gottes in der Welt. Diese Liebe ist Anbetung und Verehrung, und je mehr sie liebt, um so stärker wird ihr Gegenstand in die Ferne eines poetischen, von der Phantasie umspielten Traumes entrückt" (*Die deutsche Novelle*, I, 91).

schlagenen Augen merkt man, was ihr Herz bewegt. Durch ein Mißverständnis verläßt der Taugenichts fluchtartig das Schloß, nur um den Traum von der schönen Frau umso intensiver zu träumen, und sie auf Schritt und Tritt in Rom zu suchen. Einmal träumt ihm, es käme

diese schöne Frau aus der prächtigen Gegend unten zu mir gegangen oder eigentlich langsam geflogen zwischen den Glockenklängen, mit langen weißen Schleiern, die im Morgenrote wehten. ... Die schöne Frau aber war sehr gut und freundlich, sie hielt mich an der Hand und ging mit mir und sang in einem fort in dieser Einsamkeit das schöne Lied, das sie damals immer frühmorgens am offenen Fenster zur Gitarre gesungen hat, und ich sah dabei ihr Bild in dem stillen Weiher, noch vieltausendmal schöner, aber mit sonderbaren großen Augen, die mich so starr ansahen, daß ich mich beinah gefürchtet hätte (GW III, 84).

Sie verwandelt sich im Traum beinahe zur gespenstischen Venus, welche Florio aus starren Augen anblickte. Doch es bleibt beim „beinahe." Die venushafte Möglichkeit ist zwar gegeben, doch für eine venushafte Verführung ist das Gemüt des Taugenichts nicht anfällig. Das wird ganz deutlich ausgesprochen, als der Taugenichts den mythischen Boden des Venusbereiches betritt: „Sie sagen, daß hier eine uralte Stadt und die Frau Venus begraben liegt und die alten Heiden zuweilen noch aus ihren Gräbern heraufsteigen und bei stiller Nacht über die Heide gehn und die Wanderer verwirren" (GW III, 113). Er weiß das nur vom Hörensagen. Was er wirklich sieht, ist die Stadt mit den goldenen Kuppeln des Domes, also die Überwinderin der Venus. In Rom entdeckt er das gemalte Bild seiner Geliebten. Da war ihm, als wenn ihm „die Morgensonne auf einmal über die Augen blitzt. ... Sie stand in einem schwarzen Samtkleide im Garten und hob mit einer Hand den Schleier vom Gesicht und sah still und freundlich in eine weite, prächtige Gegend hinaus. Je länger ich hinsah, je mehr kam es mir vor, als wäre es der Garten am Schlosse" (GW III, 119). Und dort auf ihrem Schloß findet er sie wieder, nachdem er sie vergeblich in Italien gesucht hat.

Wenn er seine Liebe unbeantwortet glaubte, kam ihm die Welt so entsetzlich leer und er sich selbst entfremdet vor. Doch wo er sich, wie jetzt, in dem glücklichen Gefühl wiegt, daß die Geliebte seine Liebe erwidert, da ist ihm das Herz und die Welt zum Zerspringen eng. Mit einem Freudenschrei empfängt ihn die schöne Frau auf dem Schloß. Alle Mißverständnisse klären sich auf, alle Hindernisse werden aus dem Weg geräumt. Die Verzauberung des Taugenichts durch die Liebe, sagt Mühlher, ist hier „nur insofern eine Entzauberung, als eben der Gegenstand des Zaubers sich in Wahrheit als erreichbar entpuppt." [207] Der Taugenichts kann zuletzt seine geliebte, gnädige Frau doch noch heiraten.

So endet diese Geschichte einer Liebe, die der Erzähler im Poetenmantel präsentiert, „den jeder Phantast einmal in der kalten Welt umnimmt, um nach Arkadien auszuwandern" (GW III, 143). Das auf Kontrast aufgebaute Spannungsverhältnis zwischen dem dargestellten Taugenichts-Leben und der erzählerischen Fixierung verhindert, daß die Erzählung zum rein idyllischen Märchen wird. [208] Aber auch der Taugenichts selbst hat in sich Spannungen der menschlichen Empfindungen auszutragen. Seine Liebe ist den Schmerzen der Entsagung, dem Zweifel, allen Schwankungen einer feinfühligen Seele ausgesetzt. Doch sie ist getragen von Zuversicht und Gottvertrauen, von keuscher Zurückhaltung und freudigem Liebesdienst. Sie ist wie ein ständiges Werben und sich Verwirklichen, am schönsten dann in der Ehe, die aber keinen Stillstand bedeutet: die beiden ziehen „gleich nach der Trauung ... fort nach Italien" (GW III, 148). Es ist eine Wanderschaft zu zweit durch die nie befriedigende Welt dem ewigen Ziel entgegen. Aus dieser Zuversicht heraus und aus dem Glauben an die Liebe heißt es am Schluß der Novelle: „Und es war alles, alles gut!" (GW III, 148).

4. Bianka im MARMORBILD

Der Aufbruch in die Fremde nach der glücklichen Vereinigung der Liebenden ist bezeichnend auch für die weiteren Gestalten. Leontin und Julie haben eine Reise in die Neue Welt angetreten. Bei den anderen führt sie immer nach Italien, das für die Romantiker, wie schon für Goethe, das Land der Sehnsucht und der Poesie war. Bei Eichendorff ist Italien gleichzeitig das Land der ausgeprägten heidnischen und christlichen Seinsweise. Nach Bianchi ist es „für Eichendorff mit ursprünglichen seelischen Ereignissen verbunden." Es ist „der Garten, der über den gefallenen Götterstatuen verwildert, in dem süße und wirre Stimmen dämonischer

---

[207] Mühlher, *Taugenichts*, S. 17.
[208] Ähnliches meint Benno von Wiese, wenn er sagt, Eichendorff habe den Taugenichts leise ironisiert. „Diese zarte Ironie verhindert es, daß die Vorgänge an irgendeiner Stelle allzu gefühlvoll werden" (*Die deutsche Novelle*, I, 84).

Mächte vom Wege verlocken und über denen ... nur das hohe Symbol des Glaubens rettend aufgeht." [209] Eichendorff entläßt seine gottvertrauenden Gestalten am Ende immer in das letztere, nämlich das Land mit dem christlichen Glaubenssymbol. In dieses Italien wandert auch Florio mit Bianka, nachdem er aber zuvor in seinem Innern durch das andere, das Land der sehnsuchtsvollen Lockung, der Venus, hindurchgegangen ist.

Bianka umrahmt die Versuchungsszene Florios. In noch tiefgreifenderer Weise als bei Gaston hat ein anderes Frauenbild das schüchterne Mädchen überschattet, das dann Florio nach seiner Ernüchterung um so höher schätzt. Bianka gehört dem Kreis sittiger Frauen an, die sich um Pietro scharen. „Ein fröhliches Bild des Frühlings" wird die kindliche, anmutige Gestalt genannt (GW III, 25). Sie ist, wie die ihr verwandten Gestalten, still und schüchtern und errötet, wenn ihre Augen oder Gesten das im Herzen verborgene Liebesgefühl verraten. Florio hat das Mädchen auf einem Frühlingsfest kennengelernt. Sie begegnet ihm wieder auf einem Maskenball. Bianka ist es, die an ihn herantritt, „in griechischem Gewande leicht geschürzt, die schönen Haare in künstliche Kränze geflochten" (GW III, 43). Es ist bemerkenswert, daß Eichendorff die betont christliche Gesellschaft um Pietro und Fortunat. in Masken auftreten läßt, wo doch Masken bei Eichendorff meist etwas Unheimliches an sich haben, das wahre Gesicht der Dinge verhüllen oder das ungehemmte Walten der Phantasie anzeigen. Bianka als Griechin verkleidet, als eine Art Venusbild, ist das nicht ein Widerspruch? Seidlin hebt hervor, „wie eng dieses harmlose Treiben an die Gefahrenzone des fürchterlich Zerstörerischen grenzt." [210] Für die Tanzgesellschaft scheint das Maskenspiel die Grenzen eines harmlosen Treibens nicht zu überschreiten. Die Gefahr droht vielmehr Florio, dem innerlich ungefestigten, träumerischen Jüngling, dessen erotische Wunschträume inmitten der Scheinwelt der Masken unter den süßen Klängen der Tanzmusik sich mächtig zu regen beginnen. Doch nicht erst auf dem Maskenball beginnt Florios Verhexung, wie Seidlin meint, er ist ja schon mit dem Bild der Venus im Herzen zum Fest gekommen. Während er mit der „niedlichen Griechin" Bianka tanzt, verdoppelt sich ihm ihre Gestalt (GW III, 44). Es ist dieses andere Bild, das die zauberischen Klänge erneut heraufbeschworen haben, das Bild, das er in der marmornen Venus schaute, und das ihm „wie eine lang gesuchte, nun plötzlich erkannte Geliebte ..., wie eine Wunderblume, aus der Frühlingsdämmerung und träu-

---

[209] Bianchi, *Italien*, S. 22 und 31.
[210] Seidlin, *Versuche*, S. 202.

merischen Stille seiner frühesten Jugend heraufgewachsen" vorkam (GW III, 34). Bianka und Venus gehen zeitweise bis zur Verwechslung ineinander über, ja selbst dem Leser verwischen sich die Gestalten. Bei genauer Betrachtung stellt man jedoch fest, daß es sich immer da um Bianka handelt, wo die Griechin etwas von scheuer Zurückhaltung an den Tag legt: „Sie folgte ihm still und mit gesenktem Köpfchen," verläßt ihn eilig „mit einem flüchtigen Händedruck," und „floh, schnell wie ein aufgescheuchtes Reh, wieder zur Gesellschaft zurück" (GW III, 44, 45). Dagegen ist es Venus, der er im Garten begegnet, und von der es heißt, Florio „wunderte sich, daß die Scheue nun so allein bei ihm aushielt" (GW III, 46).

Über dieser Griechin vergißt Florio Bianka, deren unbeantwortete Liebe zu ihm wie eine verzehrende Krankheit allmählich ihr Gemüt verdunkelt. In diesem Zustand findet sie Florio wieder. Sie war eben auf einer Reise nach dem Süden begriffen.

Er erschrak, wie sie so bleich aussah gegen jenen Abend, da er sie zum ersten Mal unter den Zelten in reizendem Mutwillen gesehen. Die Arme war mitten in ihren sorglosen Kinderspielen von der Gewalt der ersten Liebe überrascht worden. Und als dann der heißgeliebte Florio, den dunkeln Mächten folgend, so fremd wurde und sich immer weiter von ihr entfernte, bis sie ihn endlich ganz verloren geben mußte, da versank sie in eine tiefe Schwermut, deren Geheimnis sie niemand anzuvertrauen wagte (GW III, 61).

Nach seinem Erwachen aus „Des Bösen Trug und Zaubermacht" wird Florio empfänglich für die Schönheit Biankas und sein Herz frei für ihre fromme Liebe. Noch einmal wird das innig liebende, demütige Gemüt Biankas betont. „Da ritt sie, ganz überrascht von dem unverhofften Glück und in freudiger Demut, als verdiene sie solche Gnade nicht, mit niedergeschlagenen Augen schweigend neben ihm her" (GW III, 61—62). Kunz schreibt zu diesen Zeilen: „So empfängt Bianca die neu erwachte Liebe Florios als reines Geschenk, ohne Gedanken an den eigenen Wert oder an die Schmerzen, die er ihr bereitet hat." [211] Florio nimmt das Geschenk dieser Liebe an. „ ‚Ich bin wie neugeboren,' " sagt er, „ ‚es ist mir, als würde noch alles gut werden, seit ich Euch wiedergefunden' " (GW III, 62). „Und es war alles, alles gut," hat schon der Taugenichts gesagt; auch Florio darf an der Seite Biankas hoffen, daß alles gut wird.

[211] Kunz, *Eichendorff*, S. 199.

Mit der Morgenhelle hatte Florio den Weg aus der Verstrickung der Venus zurück in das Leben gefunden. Nun überstrahlt der Morgenhimmel die reine Liebe des jungen Paares. Bianka blickte „wie ein heiteres Engelsbild auf dem tiefblauen Grunde des Morgenhimmels" (GW III, 62). Peter Schwarz stellt die Morgenmotivik als eine der Wesensdimensionen im *Marmorbild* heraus und bringt sie mit der christlichen Heiterkeit in Verbindung, die „wesentlich übersinnlich determiniert" ist. „Sie kommt als Gnade über den für sie offenen Menschen." [212] In diesen großen, weltanschaulichen Rahmen ist auch Bianka einbezogen, denn auf sie fällt der Glanz der himmlischen Mutter, von der Fortunato in seiner Romanze *Götterdämmerung* singt.

5. Fiametta in DICHTER UND IHRE GESELLEN und Florentin-Aurora in VIEL LÄRM UM NICHTS

Noch deutlicher als Bianka wird Fiametta mit der Morgenmotivik verbunden. Ihr Gesang tönt in Fortunats Morgenträume hinein (GW II, 429). „Eines Morgens fand er sogar einen frischen vollen Blumenstrauß auf seinem Tischchen am Bett" (GW II, 429), den ihm Fiametta heimlich zugesteckt hatte. Für Fortunat ist Fiametta bezeichnenderweise eine Morgengabe. Der Morgen, in den sie hineinreiten, wird überstrahlt vom Morgenrot. Ja, die Morgensymbolik, die Fiamettas und Fortunats Liebe begleitet, ist so weit getrieben, daß man vom tollgewordenen Morgen sprechen kann (GW II, 503). Das Morgenrot nimmt im Märchen von Kasperl und Annerl als Aurora Gestalt an, und mit der Waldkönigin Aurora identifiziert Fortunat sein „liebes, liebes Dichterweibchen", Fiametta (GW II, 497). Fiametta wird zur Allegorie der Poesie, und ist damit wesensverwandt mit Florentin, der poetischen Aurora in *Viel Lärm um Nichts.*

Insofern es sich bei beiden Gestalten um die „Aurora eines dichterischen Gemütes" (*Ahnung und Gegenwart*, GW II, 32) handelt, können sie im Zusammenhang besprochen werden. Florentin ist in einem ausschließlicheren Sinne Allegorie als Fiametta, was auf das stilistische Prinzip der Literatursatire *Viel Lärm um Nichts* zurückzuführen ist. Doch sowohl im Roman als auch in der Novelle geht es um die Hervorkehrung der

[212] Peter Schwarz, *Tageszeiten*, S. 225.

echten Poesie, personifiziert in Fiametta und in Florentin, und des frommen Dichters, wofür Fortunat und Willibald beispielhaft stehen. Durch diese Gestalten spricht Eichendorff sein poetisches Bekenntnis aus und hält es den „falschen" Romantikern und den Jungdeutschen entgegen. Die Entartung der romantischen Bewegung zu pantheistischem Mystizismus und zu Gefühlsschwelgerei oder zu subjektiver Allmächtigkeit und poetischer Autonomie hat Eichendorff innerhalb der beiden Werke in Otto und Prinz Romano einerseits, und in Lothario andererseits dargestellt. Jedem ist die entsprechende Frauenfigur zugeordnet, die seine irregeführten Sinne und Kräfte anzieht und bricht. Otto geht an Annidi zugrunde, Romano wird von seiner imaginären Geliebten bloßgestellt, und Lotharios Genie erleidet am Tod Juannas Schiffbruch. Der flache Liberalismus und die Proletarisierung der Poesie in der nachromantischen Periode wird in der Werbung Publikums um die Hand der schönen Aurora, die sich als die falsche, nämlich als die Kammerzofe der echten Aurora entpuppt, satirisch getroffen.

Die echte Aurora schenkt sich Willibald, einem Wanderdichter voll jugendlicher Frische, von dem Lüthi sagt, daß in ihn „viel eigenes Erleben [von Eichendorff] eingeflossen" sei. [213] Ebenso gehört Fortunat zu der Reihe von Dichtergestalten, die sich um die wahre Poesie bemühen. Fortunat empfängt sie in Fiametta zur Braut. „Nun bin ich wirklich Aurora," sagt Fiametta zu Fortunat, als sie im Morgenrot nach Italien hinunterziehen (GW II, 524). An den Dichterpaaren Fiametta — Fortunat und Aurora — Willibald kann Eichendorffs Auffassung vom Dichterischen abgelesen werden. In seiner Schrift *Die geistliche Poesie in Deutschland* sagt Eichendorff von der Poesie, sie sei „ein von Gott bestimmtes Gefäß himmlischer Wahrheiten," das aber entweiht worden sei (NGA IV, 487). Die Poesie ist demnach an sich neutral. Der Dichter muß dieses Gefäß mit dem entsprechenden Inhalt füllen. So fordert Eichendorff den Dichter auf, er solle der Poesie „wieder jene große, tiefsinnige Weltansicht [geben], welche, indem sie das Diesseits an das Jenseits knüpft, aller irdischen Erscheinung eine höhere Bedeutung und Schönheit verleiht" (NGA IV, 487). Dichtung und Leben gehören nach Eichendorff zusammen. Wie die Poesie, so können auch die menschlichen Triebe, die „Elementarkraft der Seele," erst in ihrer Ausrichtung gewertet werden (NGA IV, 399). Sie können zum Laster absinken oder zur Tugend veredelt werden. Aus dieser Ver-

[213] Lüthi, *Dichtung*, S. 94.

schränkung von Poesie und menschlichen Triebkräften heraus wird Eichendorffs Dichterbild verständlich, demzufolge nur ein frommer Dichter ein wahrer Dichter sein kann. In diesem Sinne sagt Eichendorff über die Liebe: „Eben weil die Liebe nur von Poesie lebt, bildet sie auch das unverwüstliche Grundthema aller Dichtungen, dessen höhere oder gemeinere Auffassung von jeher den wahren Dichter von dem unberufenen unterschieden hat" (NGA IV, 399). In der Darstellung der Liebe hat nach Eichendorff die christliche Romantik ihre dichterische Aufgabe gesehen:

> In der Dichtkunst insbesondere aber bekundete sie [die Romantik] diese ihre höhere und durchaus religiöse Weltanschauung durch die, dem Christentum eigentümliche, versöhnende Liebe, die kein blind zermalmendes Schicksal anerkennt, nichts Großes und Edles diesseits vernichtend abbricht, sondern auch das Tragische nur als ein verklärendes Märtyrtum auffaßt. Ja selbst in der Behandlung der Liebe im gewöhnlichen, engeren Sinne zeigt sich jenes Streben nach einer höheren Vermittelung des Realen und Idealen (NGA IV, 397).

Da die Liebe ein Symbol des Göttlichen ist, hat sie Offenbarungscharakter: „Denn wenn die Romantik die Natur und deren geistigsten Ausdruck, die menschliche Schönheit, als ein Symbol des Göttlichen betrachtete, so mußte notwendig auch die Liebe, als das tiefere Gefühl dieser Schönheit, dem Göttlichen zugewendet und in den geheimnisvollen Kreis des Ewigen mit aufgenommen werden" (NGA IV, 397—398).

Gehen wir diesem Gedanken nun in Eichendorffs Dichtung nach. Wo Eichendorff die Poesie in ein allegorisches Gewand kleidet, da gibt er ihr den Charakter eines elbischen Wesens. Das Liebchen vom Roßtrapp in der Ich-Erzählung Willibalds trägt unverkennbar Züge einer Elbe. Sie lockt Willibald wie ein Irrlicht durch die Wälder, taucht „mit unbegreiflicher Kühnheit plötzlich fern über den Wipfeln auf, um sich wie ein Waldvöglein gleich wieder in dem Grün zu versenken." Sie winkt und ruft ihm, „immerfort neckend, bald da, bald dort, bald unter mir, bald über mir" (GW III, 204). Willibald nennt sie selbst eine Elfe: „Endlich glaubte ich meine Schöne wieder in der Tiefe zu vernehmen, als ich sie plötzlich mit lautem Lachen wie einen Elfen hoch über mir schwebend auf der obersten Zinne des Berges erblickte, die wir vorhin verlassen" (GW III, 205). Auch sieht er sie „auf einem jener rehfüßigen arabischen Zelter über den grünen Plan sprengen" (GW III, 199—200). Außerhalb der Ich-Erzählung, da wo der Schreiber das Wort ergreift, zeigt das ins Jägerbürschchen Florentin verwandelte Liebchen noch einmal ihre Verwandtschaft mit den elbischen Wesen. Sie versteht die Stimmen der Natur, die wie ein „überaus lieblicher Gesang" an des Erzählers Ohr dringen, „als ob der Mondschein klänge:"

> Bleib bei uns! Wir haben den Tanzplan im Tal
> Bedeckt mit Mondesglanze,
> Johanniswürmchen erleuchten den Saal,
> Die Heimchen spielen zum Tanze. (GW III, 217)

Zum Erstaunen des Erzählers „zankte [sie] sich ordentlich mit den wunderlichen Musikanten" (GW III, 217). Auch Fortunat kommt einmal „Fiametta fast wie ein lieblicher Kobold vor" (GW II, 509). Und in dem Märchen vom Kasperl und Annerl reitet „ein wunderschönes Mädchen auf einem weißen Hirsch." Es ist Annerl, Aurora und Fiametta in einem. „ ,Die schöne Frau Luna ist verwichene Nacht untergegangen, sie läßt dich noch grüßen, ich aber bin ihre Tochter Aurora, die Königin der Wälder,' " sagt sie (GW II, 497).

Jacob Grimm zählt die elbischen Geister in seiner deutschen Mythologiegeschichte zu den höheren Wesen und belegt dies mit Stellen aus der *Edda*. „Den elben [scheint] nähere göttlichkeit als den menschen eingeräumt." Erst „der spätere volksglaube" legte ihnen „die unheidnischen begriffe christlicher engel und teufel" bei. Doch „teuflische eigenheiten haben im grund alle elbe, selbst die lichten, z. b. ihre lust menschen zu necken." Die lichten Elben „strahlen von zierlicher schönheit," ja sie drükken „den gipfel weiblicher schönheit aus." Die Elben werden auch „reitend vorgestellt." und „alle elbe haben unwiderstehlichen hang zu *musik* und *tanz*. man sieht sie nachts im mondschein auf den wiesen ihre reigen führen und erkennt morgens die spur im thau." So stellt Grimm fest: „Diese liebe der elbe zu den tönen und tänzen knüpft ihr geschlecht an höhere wesen, vorzüglich an halbgöttinnen und göttinnen." [214]

In der Romantik sind diese Geister wieder lebendig geworden. Jene Zeit war, wie Eichendorff später bemerkt, „doch selbst eine Feenzeit, da das wunderbare Lied, das in allen Dingen gebunden schläft, zu singen anhob, da die Waldeinsamkeit das uralte Märchen der Natur wiedererzählte, von verfallenen Burgen und Kirchen die Glocken wie von selber anschlugen, und die Wipfel sich rauschend neigten, als ginge der Herr durch

---

[214] Jacob Grimm, *Deutsche Mythologie*, I, 366, 370, 371, 385 und 389.

die weite Stille, daß der Mensch in dem Glanze betend niedersank"
(NGA IV, 243). Eichendorff hat in seiner Lyrik die Naturstimmen zum
Singen gebracht. Immer wieder hebt er die Auszeichnung des Dichters
hervor, der das Zauberwort kennt, um den verborgenen Sinn der Natur
zu enthüllen. Doch hier, wo es sich um die Darstellung der Poesie, also
um die Bildwerdung von etwas Abstraktem handelt, verlieren die Geister
ihren mythischen Charakter und werden zur Allegorie. Aurora, die Fiametta
und Florentin umfaßt, ist von dieser allegorisch-poetischen Art. Es kommt
nun auf den Dichter an, wie sich der poetische Geist zu ihm verhält.

In Willibalds Seele leuchtete „ein Bild wunderbarer Schönheit wieder
auf, das ... [er] oft im Traume gesehen und seitdem auf manchem alten
schönen Bilde wiederzuerkennen geglaubt hatte" (GW III, 199). Ein solches Bild trägt jeder Eichendorffsche Jüngling im Herzen. Friedrich in
Ahnung und Gegenwart träumte einmal, „als weckte ihn ein glänzendes
Kind aus langen lieblichen Träumen. Er konnte kaum die Augen auftun
vor Licht, von so wunderbarer Hoheit und Schönheit war des Kindes
Angesicht. Es wies mit seinem kleinen Rosenfinger von dem hohen Berge
in die Gegend hinaus, da sah er ringsum eine unbegrenzte Runde, Meer,
Ströme und Länder" (GW II, 164). Er vernimmt im Traum die folgenden Worte des wunderschönen Kindes: „ ‚Liebst du mich recht, so gehe
mit mir unter, als Sonne wirst du dann wieder aufgehen, und die Welt
ist frei!' " (GW II, 165). Ein Gemälde, das die heilige Mutter Anna mit
der kleinen Maria darstellt, ruft in Friedrich das Bild aus frühester Kindheit in die Erinnerung zurück. „Je länger er das stille Köpfchen [der
kleinen heiligen Maria] ansah, je deutlicher schienen alle Züge desselben
in ein ihm wohlbekanntes Gesicht zu verschwimmen" (GW II, 215). In
Erwin und Angelina tritt das Traumbild ins Leben, und durch die Verbindung mit dem Heiligenbild werden das Traumbild und die Gestalten
in einen religiösen Bezug gesetzt. Die mystischen Worte des Kindes „vom
Liebestode des Dichters und der Befreiung der Welt durch ihn" [215] verbinden schließlich das Ganze mit Friedrichs poetischer Sendung und Welterfahrung. Und so gehen die Muse, Erwin und Angelina ein in die Vorstellung „der göttlichen Aurora des Dichtertums, erwecken die schöpferische
Kraft des Dichters, der in seinem Werke das Zauberwort findet und
ausspricht." [216]

---

[215] Lüthi, *Dichtung*, S. 254.
[216] Ibid.

In Friedrich lebt, wie gezeigt wurde, die Vorstellung des Dichters als eines Magiers weiter, die sehr an die Jugenddichtung und das Vorbild Novalis erinnert. In der mystischen Verschlingung von Göttlichem und Irdischem durch das Band der Poesie und der Liebe wirkt noch etwas vom erotischen Marienkult der Jugendgedichte nach. Nach Lüthi vermischen sich in der Gestalt der Angelina noch „beide Frauenbilder [Venus und Maria], die im Jugendparadies überhaupt eins waren." [217] In gleichem Sinne ist Erwin eine Zwittergestalt, so ernsthaft, still und schön wie eine Engelsgestalt, wie das Marienkind auf dem Gemälde, gleichzeitig aber ein ganz naturverbundenes Wesen, das von einer heimlich genährten, heftigen Sinnlichkeit verzehrt wird. Eichendorff sagt in einem Brief an Loeben später selbst: „Die Aftermignon wünschte auch ich nun ganz weg, wenn das noch anginge" (Brief vom 25. 12. 1814, GW III, 630—631). An dem poetischen Traumbild Friedrichs und der Art, wie es in seinem Leben wirksam und nach außen gespiegelt wird, ist ersichtlich, daß der Roman *Ahnung und Gegenwart* teilweise noch zu Eichendorffs Jugenddichtung gehört. Kommen doch in Friedrich Eichendorffs eigene Vorstellungen zum Ausdruck. Im *Marmorbild* zeigt sich Eichendorffs poetisches Bekenntnis in seiner späteren Form, wie wir es in *Dichter und ihre Gesellen* und in *Viel Lärm um Nichts* wiederfinden.

Wieder ist es ein Traumbild, das des Jünglings Lebens- und Dichterwünsche aktiviert. Während es sich im sinnlichen Begehren Florios zu Venus verdichtet, neigt es sich dem frommen, jugendlichen Gemüt Willibalds als Aurora entgegen. Willibald spricht seine christliche Lebensauffassung deutlich aus:

Wer ... einmal wahrhaft jung gewesen, der bleibt's zeitlebens. Denn das Leben ist ja doch nur ein wechselndes Morgenrot, die Ahnungen und Geheimnisse werden mit jedem Schritt nur größer und ernster, bis wir endlich von dem letzten Gipfel die Wälder und Täler hinter uns versinken und vor uns im hellen Sonnenschein das andere Land sehen, das die Jugend meinte (GW III, 199).

Für Willibald bedeutet das Morgenrot ein stets neues und freudiges Beginnen und ein mutiges Aufwärtsstreben, dessen höchste Stufe er mit dem Morgenrot des jenseitigen Lebens erreicht haben wird. Dieses Mor-

[217] Ibid., S. 172.

genrot ist zugleich in dichterischem Sinne „Zeichen progessiv-religiöser Poesie." [218]

Ein fromm-romantischer Dichter wie Willibald kann es wagen, seinen Ring „auf das Wohl ... [seiner] künftigen Geliebten" in das Abendrot hinauszuwerfen, ohne daß ihm diese Herausforderung zum Verhängnis wird (GW III, 199). Die stolze Ida wird in Fabers Märchen vom Wassermann, der ihren Ring aufgefangen hat, auf sein Wasserschloß verbannt (*Ahnung und Gegenwart*, GW II, 43 ff.), und die verwegene Romana kann sich aus dem Zauberbann der Natur nicht mehr lösen, seitdem sie dem wilden Jägersmann ihren Ring zum Pfand gegeben hat (*Ahnung und Gegenwart*, GW II, 122). Willibald dagegen wird von der Geliebten, der er sich mit seinem Ring verlobt hat, in das Sehnsuchtsland der Dichter, nach Italien, der Heimat der poetischen Aurora, geführt. Seine Geste entspringt derselben Kühnheit, welche die Gedichte *Schlimme Wahl* und *Frische Fahrt* meinen, und die solange bejaht wird, als sie nicht in Maßlosigkeit umschlägt. Vor solcher Hybris bewahrt Willibald sein frommes Gemüt.

An einer Stelle in Willibalds Erzählung kann man den Unterschied zwischen seinem Nachstellen und Lotharios Jagd auf Juanna erkennen. Willibalds Schöne entschlüpft ihm auf die oberste Zinne des Berges und lacht auf ihn herunter. „Da erwachte in ... [ihm] der ganze herbe Jünglingsstolz verschmähter Liebe," und er wandte sich „zürnend völlig in den Abgrund" (GW III, 205). Juanna schwingt sich ebenfalls auf die höchste Spitze eines Felsen. Da hatte Lothario „mit sicherm Blicke seinen Vorteil abgesehen." Er ergreift sie und trägt sie „grauenhaft an jähen Schlünden vorüber durch die Dämmerung von Klippe zu Klippe hinab" (GW II, 404). Nur im Tod kann Juanna sich Lothario entziehen. Und da zeigt sich bezeichnenderweise auch ihr elbisches Wesen: Sie treibt „mit dem weit aufgelösten Haare gleich einer Nixe in klarem Mondlichte über die Flut" (GW II, 405). Willibald hat durch die aufgegebene Jagd vorerst sein Liebchen verloren. „Ihr Bild aber," so schließt seine Erzählung, „blieb seitdem leuchtend in meiner Seele" (GW III, 205). Dieses Liebchen ist die Aurora seines dichterischen Gemüts, das ihn als Leitbild begleitet.

Auch Fiametta erwacht in Fortunats dichterischer Vorstellung zu neuer und größerer Bedeutsamkeit. Über seinen Streifzügen in Italien hatte er

[218] Peter Schwarz, *Tageszeiten*, S. 277.

sie vergessen. Von seiner Liebe blieb „gar nichts als ein langes Gedicht in vielen Gesängen und verschiedenen Silbenmaßen, worin ein schönes, schlankes italienisches Mädchen die Hauptfigur spielte":

> Da begab sich's aber, daß er im Schreiben sich nach und nach in diese Figur selbst verliebte, und je verliebter er wurde, je ähnlicher wurde sie unvermerkt der kleinen Marchesin, als ob Fiametta oft plötzlich zwischen den Blütengewinden der Verse hervorguckte und, ihn auslachend, ausrief: „Siehst du, ich hab dich doch!" (GW II, 442).

Wie eine Sirene „in irren Tönen wehmütig klagend" durchzieht sie von nun an seine Träume und lenkt schließlich seine Schritte zu sich zurück. Fortunat verliert sich dabei nicht, wie der Jüngling in dem Gedicht *Die zwei Gesellen*, im „farbig klingenden Schlund," wofür das Morgenrotmotiv bürgt, das seine Rückreise folgendermaßen eröffnet: „Und so geschah es, daß aus demselben Morgenrot, in welchem Rom hinter Otto versank, die Gärten, Trümmer und Kuppeln vor dem glückseligen Fortunat duftig wieder emporstiegen" (GW II, 442).

Nach seiner Wiedervereinigung mit Fiametta häufen sich die Morgenbilder. An ihrem Hochzeitsmorgen läuten die Glocken. Da kam ihnen „die Welt wie verwandelt vor, als wäre über Nacht alles schöner und jünger geworden, denn die Erde putzt und spiegelt sich gern in fröhlichen Augen" (GW II, 515). Mit strahlendem Morgenlicht und Glockenklang entläßt Eichendorff das Dichterpaar am Ende des Romans: „Da ging die Sonne prächtig auf, die Morgenglocken klangen über die stille Gegend" (GW II, 524). Auch bei Willibalds Vereinigung mit Aurora ging „hinter den fernen blauen Bergen ... soeben die Sonne auf und blitzte so morgenfrisch über die Landschaft" (GW III, 219), und durch die glänzende Landschaft ziehen die beiden fort nach Italien. Zu diesen Morgenbildern sagt Lüthi:

> Die über die Weite des landschaftlichen Raumes sich emporschwingende Morgensonne und Aurora aber sind eins, es ist das für Eichendorff so wichtige Symbol der beseelenden Poesie, deren Verkörperung die Gräfin Aurora ist. Die Vermählung des Dichters mit Aurora bedeutet aber nicht der Beginn ruhigen Daseins, sie bedeutet vielmehr Aufbruch zu neuer Wanderschaft. [219]

Das trifft ebenso auf Fortunat und Fiametta zu. Die Wanderschaft dieser Gestalten ist auch in religiösem Sinne zu verstehen, als eine Ausrichtung

[219] Lüthi, *Dichtung*, S. 95.

auf das Unendliche hin. Aurora im Gewande Fiamettas und Florentins wird damit zum Zeichen der progressiv-religiösen Poesie. Was diese Poesie für Eichendorff bedeutet und wie sich seine Vorstellung entwickelte, wurde am Morgenrötemotiv in Eichendorffs Lyrik im Kapitel „Attribute Mariens" aufgezeigt. Die Ehe der beiden Dichterpaare, insoweit sie das Verhältnis des Dichters zur Dichtung versinnbildlicht, also besonders des rein allegorischen Paares Willibald — Aurora, soll nicht im Sinne eines physischen Besitzergreifens, sondern als eine ideale Verbindung verstanden werden. Gerade weil Lothario Juanna in greifbare Wirklichkeit umsetzen wollte, mußte sein Unternehmen scheitern. In *Viel Lärm um Nichts* spricht sich Eichendorff ganz deutlich darüber aus. Romano, der die schöne Gräfin Aurora heiraten will, wird ausgelacht: „ ‚Ebensogut könnte man die Göttin Diana unter die Haube bringen — oder der Thetis den Verlobungsring an den rosigen Finger stecken — oder die Phantasie heiraten — und alle neun Musen dazu!' (GW III, 164). Demgegenüber steht das Verhältnis des Wanderdichters Willibald zur „echten" Gräfin Aurora, das Peter Schwarz treffend interpretiert: „Das Wesen der Poesie liegt vielmehr in der allegorischen Ansicht der Dinge, wonach das Wirkliche nur der zeichenhafte Verweis auf die höhere ‚Wirklichkeit' sein kann, jedes Bild Auroras nur Abbild ihrer Idee." [220]

Fiametta, die erst allmählich in eine allegorische Gestalt übergeht, reiht sich in ihrer Verhaltensweise den anderen christlichen Frauengestalten an. Von ihr heißt es, sie wandelte „arglos zwischen nackten Götterbildern" (GW II, 411—412). Die lüsterne Sinnlichkeit, welche von den Marmorstatuen ausgeht, kann ihrer unschuldigen Kindlichkeit nichts anhaben. Durch Fortunat zur Liebe erwacht und gereift, drückt sie im Erröten ihre Schamhaftigkeit aus. Stille Freude und kindliches Vertrauen sind ihre typischen Wesenszüge. Sie mußte die Schmerzen der Liebe in ihrer ganzen Tiefe erleiden, als Fortunat sie verließ. Und als sie sich wiederfinden und der Mönch sie fragt, „ob sie als getreue Eheleute einander lieben wollten bis in den Tod," da sagte Fiametta „errötend aus Herzensgrunde: ‚Ja' " (GW II, 514). Selbst Florentin-Aurora läßt solche Züge durch ihr elbisches Wesen durchschimmern. Willibald findet sie „so gar nicht bacchantisch oder amazonenhaft, so milde, still und über alle Beschreibung schön" (GW III, 202). Willibalds Zudringlichkeit wehrt sie in einer koboldartigen Weise ab. Als er ihr einmal „einen brennenden

[220] Peter Schwarz, *Tageszeiten*, S. 277.

Kuß auf ihren schönen Mund" drückt, da ruft sie „ ‚Pfui!' " und „sich hastig losmachend und den Mund wischend" rügt sie ihn mit den Worten: „ ‚Siehst du, mit deinen dummen Flausen hast du den rechten Weg verfehlt!' " (GW III, 204). Eichendorff läßt auch sie durch das Liebesleid gehen, das der Verlust des Geliebten verursacht, und um seinetwillen Tränen vergießen. Einmal muß sie sogar erröten, als sie, ihr Gesicht an der Brust des wiedergefundenen Geliebten verbergend, leise zu ihm sagt, daß sie nun ganz sein sei (GW III, 220).

Das Lichte und Schöne an Fiametta und Florentin, und das, wofür sie stehen und womit sie ihren Umkreis erhellen, drückt sich vor allem durch erhabene Sinnbilder aus, worunter der Morgen und die Morgenröte als die bezeichnendsten schon erwähnt wurden. An die Aurora im Gedicht *Der Maler* erinnert Willibalds Liebchen an der Stelle, wo es Willibald vorkommt, „als zöge ihr Rosenfinger eben erst die silbernen Ströme, die duftigen Fernen und die blauen Berge dahinter und vergolde Seen, Hügel und Wälder, und alle rauschten und jauchzten wie frühlingstrunken zu der Zauberin herauf" (GW III, 203). Das Engelsbild, der Regenbogen und der Sternenhimmel sind andere poetische Bilder, die in ihren Bereich gehören. Bei Fortunats Rückkehr zu Fiametta stand „ein Regenbogen ... über der Gegend, als müßte nun alles, alles wieder gut werden" (GW II, 444). Er lädt seine Geliebte ins Traumreich ein: „ ‚Das ist Jakobs Traumleiter', sagte er fröhlich, ‚wie sie der liebe Gott zuweilen in solchen Frühlingsnächten herunterläßt, nur frisch! wir steigen ins Himmelreich, ich seh schon die Sterne durch die Wipfel flimmern' " (GW II, 492). Eine wunderschöne Landschaft tut sich auf, über die sich die göttliche Liebe beugt: „ ‚Gottvater fährt über die Saiten seiner Harfe, wie eine leise Musik zieht's gnadenreich über die stille Gegend' " (GW II, 493). Solche Bilder stehen nicht nur für die hier besprochenen Gestalten. Sie leuchten überall da auf, wo Ähnliches über menschliches Hoffen und Lieben, über poetische Verklärung und die Erfahrung des Göttlichen ausgesagt wird.

6. *Das Marienmotiv in den epischen und dramatischen Werken*

Die als marienhaft bezeichneten Gestalten stehen im Licht des christlichen Frauenbildes, Maria, dem himmlischen Symbol weiblicher Milde und Reinheit. Eichendorff hat Maria vor allem in seiner Lyrik besungen. In der Prosa wird sie selten genannt. Wo ihr Name erscheint, geschieht dies in einer dreifachen Funktion: Maria wird um Hilfe angerufen. Sie wird verehrt oder ihr wird „Mariendienst" geleistet. Diesen Aufwärtsbewegungen steht eine Abwärtsbewegung als Zeichen himmlischer Resonanz gegenüber: Maria wacht über ihre Kinder und umfängt sie mit mütterlicher Liebe.

Wie aus der Jugenddichtung Eichendorffs und aus den Paralipomena, die der *Zauberei im Herbste* und dem *Marmorbild* zugrundeliegen, ersichtlich ist, wird Maria vom jungen Eichendorff einbezogen in ein mystisch-pantheistisches Naturempfinden, „das erhöht wird von einem Liebesverlangen nach einer Jungfrau, die sich in der Natur offenbart." [221] Aus diesem mystischen Naturerleben löst der spätere Eichendorff das Marienbild und stellt es in einen dogmatisch-poetischen Zusammenhang mit der katholischen Mariendichtung. Das Mystische und Romantische wird um der religiösen Verbindlichkeit willen verdrängt. Unromantisch ist dieses Marienbild deswegen, weil es nicht mehr, wie für Novalis, Ausdruck einer individualistischen Glaubenshaltung ist, und unmystisch insofern, als es räumlich „oben" fixiert wird, der christlichen Vorstellung von Himmel und Erde als eines Oben und Unten entsprechend. Doch immer ist es poetisch durchdrungen, ja oft bis zum mythischen Bild gesteigert.

Von den Attributen Marias, welche aus der Lyrik des reifen Eichendorff herausgestellt wurden, finden wir vor allem das Motiv der Morgenröte und des Sternenmantels wieder. Das Blumenmotiv wird nicht mehr direkt mit Maria in Verbindung gebracht. Und das Bild der Mutter mit dem Kind geht fast ganz in der übersinnlichen Vorstellung auf, derzufolge Maria die himmlische Mutter jedes Menschenkindes ist. In dem Drama *Der letzte Held von Marienburg* steht das Eichendorffsche Muttergottesbild am deutlichsten im Traditionszusammenhang. Aufschlußreiche Hinweise auf dieses Drama gibt Eichendorffs später entstandene historische Schrift *Die Wiederherstellung des Schlosses der deutschen Ordensritter*. Da, wo heute die Marienburg steht, soll „in alter Zeit ein Kirchlein mit einem wundertätigen Muttergottesbilde gestanden" haben, berichtet eine Sage, und Eichendorff fügt hinzu, damit habe „das Volksgefühl am würdigsten die Weihe des Orts bezeichnet, von dem das Christentum, unter dem Schutze der heiligen Jungfrau, jene Wälder durchleuchten sollte" (NGA IV, 951). Die Marienburg wurde der Muttergottes geweiht, und von dort aus breitete sich „das neue Licht" über das heidnische Preußen aus. Im oben (S. 131) besprochenen Gedicht *Der Liedsprecher*, 2 wird Maria die Hohe genannt, die des „Morgenrotes Lohen / Im Norden ange-

[221] Kosler, Artikel *Eichendorff*.

facht." Das Christentum hatte die Herrschaft des Geistes über die Natur gebracht, heißt es in der Schrift weiter. „Um die Burg [bildete sich] ein fester Kern christlicher Gesittung, an dem die rohe Gewalt keine Macht mehr hatte" (NGA IV, 953).

Der Schutzpatronin der Burg wurde ein mächtiges Standbild gebaut, das „von der Schloßkirche in das stille Grün [hinüberleuchtet], das Christkind und den Lilienzepter zu steter Mahnung emporhaltend, auf daß der Orden der großen Pflanzung eingedenk bleibe, die Gott ihm anvertraut" (NGA IV, 970). Dieses Bild hat den Untergang der Burg und des Ordens überdauert. Eichendorff beschreibt es als eine hohe Gestalt, mit dem Christkind auf dem Arm, in goldenem Gewand, mit einem weißen, nonnenartig gefalteten Schleier und einer prächtigen Krone auf dem Haupte. Der Hintergrund sei mit goldenen Sternen besät. Dieses Bild und ähnliche Darstellungen der Muttergottes stehen hinter dem Marienmotiv der späteren Dichtung Eichendorffs, ja leuchten selbst im Motiv des Sternenmantels auf. Die folgenden Zeilen zeugen von dem tiefen Eindruck, den die Muttergottes-Statue auf Eichendorff gemacht hat:

Es ist wie eine übermächtige Erscheinung des Geistes, der in allen den pfeilernden Sälen und Gängen des Baues geheimnisvoll waltet. Nicht, wie die Burggeister anderer Schlösser, bei düsterer Nacht umherwandelnd, im vollen Licht der heiteren Morgensonne zeigt er sich, von den verwandten Strahlen wunderbar entzündet und durchblitzt. Aber auch keine lieblich weiche Madonna ist das riesenhafte Bild, in der Nähe fast schreckhaft durch die ungeheueren Dimensionen, sondern die mildernste Himmelskönigin in allen Glorien ihrer übermenschlichen Hoheit (NGA IV, 1045).

In dem Drama geht es um die Verteidigung der Burg unter ihrem letzten großen Ordensherrn, Heinrich von Plauen. Der Kampf wird unter dem Banner Mariens geführt:

Der Frauen höchste hast du dir erkoren,
Die, unsre Fahne in der reinen Hand,
Hoch vor uns herzieht auf der Morgenröte,
In stillen Nächten über'n Sternengrund
Mit Himmelsglanz die arme Erde streifend.   (NGA I, 833)

Steht die Morgenröte hier für die christliche Freude und Zuversicht während des irdischen Lebens, so ist das Morgenrot in dem folgenden Preis- und Bittlied ins Jenseits verlagert:

Sei gegrüßt, du Königin
Himmels und der Erden,
Hilf uns, laß die Deinen heut
Nicht zuschanden werden!

Sei gegrüßt, du Morgenstern
In dem Graun der Schlachten
Führ uns heim in's Morgenrot,
Will uns Tod umnachten! (NGA I, 817)

In den Worten des sterbenden Plauen umfaßt Aurora beide Vorstellungen:

Hoch überm Walde, der sich rauschend neigt,
Wie unermeßlich da Aurora steigt!
Die Waffen blitzen, mutig schallen Lieder —
Reich' mir den Helm, geb't mir das Banner wieder!
Das flatternde Panier hoch in der Hand. (NGA I, 894)

Diese Aurora meint nicht die Poesie, sondern sie ist ganz in den christlichen Bezug gesetzt. Plauen wird eingehen ins Morgenrot, nachdem er sein Leben für die Rettung der Marienburg und die Ausbreitung des christlichen Lichts eingesetzt hat. In der historischen Schrift sagt Eichendorff über die Herrscherzeit Plauens, daß „da die heilige Jungfrau zum letzten Male rettend in Flammen" erschienen sei (NGA IV, 976).

Als inniges Sinnbild mütterlicher Liebe steht das Sternenmantelmotiv, das mit dem „Sternengrund" in *Der letzte Held von Marienburg* schon berührt wurde (oben S. 120 f.). In *Ezelin von Romano* kommt es in verschiedenen Bedeutungslagen vor, doch immer liegt ihm der Gedanke des Geborgen- und Umfangenseins zugrunde. Da führt Maria in ihrem Sternenmantel ein verirrtes Kind zu sich in die himmlische Heimat (NGA I, 653). Isolde, die um Giuglio zittert, würde ihm in den Tod folgen, sich „ins Gras an seine Seite" legen, „Daß Nacht um beid' den Sternenmantel breite" (NGA I, 667), doch sie besinnt sich eines anderen. Sie wählt den Weg ins Kloster, „daß die ew'ge Mutter / Dort ihre Sternenschleier um mich schlage" (NGA I, 781). Im *Julian* zieht Severus „Mit den Sternen auf die Wacht," und im nächtlichen Waldesrauschen vernimmt er den Gesang:

„Ave, Maria, benedeite!
Um uns in der falschen Nacht

Deinen Sternenmantel breite,
Schütz uns vor des Bösen Macht!" (NGA I, 439)

In dieser unheimlichen Nacht bereitet sich der Feind zum Angriff vor; die „falsche Nacht" erkennt Severus aber auch im eigenen verblendeten Herzen.

In *Dichter und ihre Gesellen* ist es die Nacht des Wahnsinns, die den Fürsten liebend umfaßt: Er hatte sich „im schönen Leben verirrt und konnte sich nicht wieder nach Hause finden. Da schlug die himmlische Liebe ihren Sternenmantel um den Todmüden" (GW II, 445). „Am ergreifendsten," sagt Kosler, „ist das Bild des schützenden, rettenden Sternenmantels wohl in der Szene des sterbenden Otto. ... Ein Kind singt den todmüden Wanderer in den ewigen Schlummer." [222] Mit mütterlicher Liebe bedeckt Maria den Schlafenden:

Die Mutter Gottes wacht,
Mit ihrem Sternenkleid
Bedeckt sie dich sacht
In der Waldeinsamkeit,
Gute Nacht, gute Nacht! (GW II, 491)

Dieses Lied „leitet die Heimkehr der Seele zu Gott ein." [223]

Dem sterbenden Grafen Dürande verwandelt sich das Traumbild seiner verstorbenen Gemahlin in ein helleres und schöneres: „,Sie hat einen Sternenmantel um und eine funkelnde Krone auf dem Haupt.'" Er erkennt in ihr die Muttergottes: „,Gegrüßt seist du, Maria, bitt für mich, du Königin der Ehren!'" (*Das Schloß Dürande*, GW III, 303). Über die schlafende Gabriele in derselben Novelle beugt sich eine Nonne, deren liebevolle Geste sichtbarer Ausdruck himmlischer Liebe ist: „Als sie aufwachte, sah sie eine hohe Frau in faltigen Gewändern über sich gebeugt, der Morgenstern schimmerte durch ihren langen Schleier, es war ihr, als hätt im Schlaf die Mutter Gottes ihren Sternenmantel um sie geschlagen" (GW III, 283).

Zusammenfassung:

In den kosmischen Bildern der Morgenröte und des Sternenhimmels wird die indirekte Einwirkung Marias auf das irdische Leben dichterisch

[222] Ibid.
[223] Ibid.

dargestellt. Der Mensch erfährt die himmlische Liebe in einer sinnlichen Weise. Ihm leuchtet die Welt auf, er fühlt sich geborgen. Er antwortet im Gebet, das er an die Königin des Himmels, den Morgen- oder Leitstern seines Lebens richtet, oder er stellt sich wie Plauen und Isolde in den Dienst dieser hohen Frau.

Die marienhaften Gestalten sind an der himmlischen Frau orientiert. Der Symbolbezug drückt sich, wie im Falle von Bianka und der schönen gnädigen Frau, häufig in poetischen Bildern aus. Die leuchtendsten Symbole gelten der Poesie selbst, die Eichendorff wieder „als ein geheimnisvolles Organ zur Wahrnehmung wie zur Mitteilung der göttlichen Dinge" sakralisieren möchte (NGA IV, 472). In der Morgenröte, der Aurora des dichterischen Gemüts, treffen sich poetische und religiöse Vorstellungen. Dieser Bereich, der mit der dichterischen Intuition zu tun hat, widerstrebt oft dem Wunsch des Dichters nach einer „Vermittelung zwischen der sichtbaren Natur ... und der Welt des Unsichtbaren" (NGA IV, 447), was sich an der Untersuchung der Lyrik gezeigt hat. Die epische Darstellung kommt ihm eher entgegen, weil hier das unmittelbare Erleben in der erzählerischen Handlung aufgeht und diese dem tektonischen Aufbauwillen unterworfen ist. Fiametta und Florentin-Aurora, die allegorischen Verkörperungen der Poesie, gehen aus der Erzählung als marienhafte Gestalten hervor.

SCHLUSSBETRACHTUNG

Mit der vorliegenden Arbeit wurde die dichterische Gestaltung des Frauenbildes in den Werken Josephs von Eichendorff verfolgt und dessen Bedeutung aufgezeigt. Die Untersuchung beginnt bei den frühesten lyrischen Äußerungen des Dichters in den sogenannten „Schulgedichten," worin der junge Schüler versuchte, das aufwühlende Erlebnis der ersten Liebe dichterisch zu bewältigen. Während der Bezug zur Geliebten in den Schulgedichten entweder direkt ausgesprochen oder in eine lehrhafte, idealistische Gedankenlyrik einbezogen wird, fehlt den darauffolgenden Gedichten aus Eichendorffs Heidelberger Zeit der feste Bezug zur Wirklichkeit. Diese Gedichte stehen unter dem Zeichen einer mystisch-mythischen Gestalt, welche aus Traumbildern, aus naturpantheistischen Vorstellungen und einem schwärmerischen Bild der heiligen Jungfrau zusammengesetzt ist, und welche Symbol für die himmlische Poesie, die ewige Liebe und Sehnsucht sein soll. Die frühen Heidelberger Gedichte zeigen eine uneingeschränkte Hingabe an dieses weibliche Wesen, doch immer mehr wird es zu einer chthonischen Macht, die in den Abgrund, ins Verderben zieht.

Dem Wandel des Bildes liegt eine tiefgreifende dichterische und menschliche Erschütterung des jungen Eichendorff zugrunde. An der weiteren Entwicklung kann ein waches Mißtrauen dem dichterischen Dämon gegenüber verfolgt werden, sowie ein stetes Bemühen um einen Halt, den Eichendorff im positiven Christentum sucht und findet. Das Bild der heiligen Jungfrau wird allmählich aus der naturmystischen Verbindung gelöst und als Sinnbild einer vergeistigten und verklärten Liebe in den christlichen Himmel gehoben, während die gefährlichen irdischen Mächte in den heidnischen Bereich verwiesen werden. Wo sich die verführerischen Stimmen, die aus der blütenträchtigen Natur und aus dem eigenen Innern locken, zur heidnischen Venus verdichten, da ist der Höhepunkt der Versuchung erreicht, der nur durch einen Willensakt, mit einem Gebet überwunden werden kann. Und wo dianahafte Selbstherrlichkeit in Anarchie umzuschlagen droht, wird zur Anerkennung einer höheren Bindung gemahnt.

Der reife Eichendorff vertieft und erweitert die neuerrungenen Anschauungen in seiner Dichtung, doch eine grundlegende Änderung tritt nicht mehr ein. Deshalb konnte die chronologische Anordnung, anhand welcher der Entwicklungsgang des jungen Eichendorff aufgezeigt wurde, zugunsten einer motivischen Übersicht aufgegeben werden. Die Analyse dieser späteren Lyrik zeigte, wie schwer es dem Dichter fiel, ja wie es ihm zuweilen mißlang, die von ihm an die Dichtung gestellten Anforderungen durchzuhalten, welche seinem natürlichen schöpferischen Drang widerstreben. In den Frauenfiguren der epischen und dramatischen Werke sind die weiblichen Züge, die in den Gedichten oft nur punktuell aufleuchten, breiter ausgestaltet, was dem Dichter erlaubte, seine religiösen Ansichten in einer schließlichen Verurteilung oder Bejahung ihrer Verhaltensweise eindeutig geltend zu machen. Diese Frauengestalten sind in das Spannungsverhältnis gesetzt, das Eichendorffs Dichten charakterisiert, und welches als eine fortwährende Auseinandersetzung mit seinem christlich geprägten dualistischen Menschen- und Weltbild bezeichnet werden kann. Die Gestalten leben aus der Sicht eines männlichen Gegenüber und werden erst in der wechselseitigen Beziehung bedeutsam.

In Venus und den venushaften Frauengestalten wird ein der irdischen Schönheit huldigendes Heidentum gefährlich lebendig. Die dianahaften Gestalten durchbrechen die Schranken gesitteter Weiblichkeit und geben sich einem dämonischen Freiheitsrausch hin. Obwohl diese Frauengestalten am Ende von Eichendorff verurteilt werden, ist hinter der bestrickenden Darstellung des Venuszaubers eine nie überwundene Verführbarkeit des Dichters spürbar. Auch seine zu feuriger Vitalität gesteigerten Dianagestalten lassen Eichendorffs eigene ästhetische Faszination durchblicken. Seine Zustimmung gilt jedoch den marienhaften Gestalten, die unter dem verklärenden Licht der Jungfrau Maria stehen, und an deren demütigem, gottgefälligem Lebenswandel sich „das zerfahrene Treiben und die verworrenen Leidenschaften des Mannes" beruhigen und läutern können (NGA IV, 67). Maria selbst zeigt den wahren Weg des Menschen aus irdischer Verstrickung zu himmlischer Erlösung. In den transzendenten Bezug zum Überirdischen wird auch die Poesie gestellt, die in Aurora als allegorische Gestalt auftritt. Aurora ist Sinnbild für die christlich-romantische Poesie und für den christlichen Dichter schlechthin, für den das Morgenrot ein stets neues und freudiges Beginnen und ein mutiges Aufwärtsstreben bedeutet, dessen höchste Stufe er mit dem Morgenrot des jenseitigen Lebens erreicht haben wird.

Es entsteht oft bei Interpretationen von einzelnen Gedichten und Werken Eichendorffs, wie bei solchen auf das reife dichterische Werk beschränkten oder rein textkritischen und motivgeschichtlichen Interpretationen der Eindruck eines gleichbleibenden dichterischen Bildes bei

Eichendorff, wobei Abweichungen oftmals als nebensächlich abgetan werden. Demgegenüber konnte diese umfassende Untersuchung des Eichendorffschen Werkes, die auch biographisch und geistesgeschichtlich gestützt wurde, und die das dichterische Frauenbild aus seinen Anfängen heraus verfolgte, die große Bedeutung des Bildwandels nach der Jugendzeit für die spätere Dichtung aufweisen. Erst in den reifen Werken verdichten sich Eichendorffs aus einer Krisenerfahrung hervorgegangene Vorstellungen zu den mythisch-bedeutsamen Gestalten Venus und Diana, Maria und Aurora, welche die christliche und heidnische Seins- und Verhaltensweise im Leben und Dichten verkörpern.

BIBLIOGRAPHIE

I. Primärliteratur

Schulhof, Hilda. *Eichendorffs Jugendgedichte aus seiner Schulzeit*. Reihe: Prager Deutsche Studien. Heft 23. Prag, 1915.

Joseph und Wilhelm von Eichendorffs Jugendgedichte. Hrsg. von R. Pissin. Berlin, 1906.

Joseph von Eichendorff. *Gesammelte Werke*. Hrsg. von Manfred Häckel. Anmerkungen von Regina Otto. 3 Bände. Berlin, 1962.

Joseph Freiherr von Eichendorff. *Neue Gesamtausgabe der Werke und Schriften in vier Bänden*. Hrsg. von G. Baumann und S. Grosse. Stuttgart, 1957—58.

Sämtliche Werke des Freiherrn Joseph von Eichendorff. Historisch-Kritische Ausgabe. Hrsg. von W. Kosch, A. Sauer und H. Kunisch. Regensburg, 1908 ff.

II. Sekundärliteratur

Alewyn, Richard. *Ein Wort über Eichendorff*. In *Eichendorff Heute*. München, 1960.

Arnim, Achim von. *Armut, Reichtum, Schuld und Buße der Gräfin Dolores*. Hrsg. von Andreas Müller. Leipzig, 1935.

—, und Brentano, Clemens. *Des Knaben Wunderhorn: Alte deutsche Lieder*. München, 1957 (nach dem Text der Erstausgabe von 1806/1808).

—, *Von Volksliedern*. In *Kürschners Deutsche National-Litteratur*. 146. Band, 1. Abt. Hrsg. von Max Koch. Stuttgart, o. J.

Athenaeum. Eine Zeitschrift von August Wilhelm und Friedrich Schlegel. Band III, 1. Teil. Berlin, 1800.

Bachelard, Gaston. *Poetik des Raumes*. Übertragen von Kurt Leonhard. München, 1960.

[Bachofen, J. J.] *Aus den Werken von J. J. Bachofen, Der Mythos von Orient und Occident: Eine Metaphysik der alten Welt*. Hrsg. von Manfred Schroeter. München, 1956.

Baum, Paull Franklin. *The young man betrothed to a statue*. In *PMLA*. XXXIV, 4. Teil (1919).

Baumann, Gerhart. *Des Luftschiffers Giannozzo Seebuch*. In *Die Wissenschaft von Deutscher Sprache und Dichtung: Methoden, Probleme, Aufgaben*. Festschrift für Friedrich Maurer zum 65. Geburtstag. Hrsg. von Siegfried Gutenbrunner. Stuttgart, 1963.

Baxa, J. *Eichendorff und die Antike.* In *Aurora* (1955).

Béguin, Albert. *L'Âme et le Rêve.* 2 Bände. Marseille, 1937.

Beller, Manfred. *Narziß und Venus.* In: *Euphorion* (1968).

Benz, Richard. *Eichendorff.* In *Eichendorff Heute.* München 1960.

Bezold, Friedrich. *Das Fortleben der antiken Götter im mittelalterlichen Humanismus.* Bonn, 1922.

Bianchi, Lorenzo. *Italien in Eichendorffs Dichtung.* Bologna, 1937.

Bollnow, Otto Friedrich. *Das romantische Weltbild bei J. v. Eichendorff.* In *Die Sammlung.* 6. Jg. (1951).

Boros, Ladislaus. *Erlöstes Dasein.* Mainz, 1965.
—, *Im Menschen Gott begegnen.* Mainz, 1967.

Brandenburg, Hans. *Joseph von Eichendorff: Sein Leben und sein Werk.* München, 1922.

Carlsson, Anni. *Die Fragmente des Novalis.* Basel, 1939.

Carrouges, Michel. *La Mystique du Surhomme.* Paris, 1948.

Cronin, Vincent. *Mary Portrayed — I.* In *The Month* (April, 1961).

Cysarz, Herbert. *Eichendorff und der Mythos.* In *Internationale Forschungen zur deutschen Literaturgeschichte.* Leipzig, 1938.

de Boor, H., und Newald, R. *Geschichte der deutschen Literatur.* Band V. München, 1963.

Dornheim, Alfred. *Vom Sein der Welt.* Mendoza, 1958.

Dyroff, Adolf. *Eichendorffs Heidelberger Beziehungen zu Görres.* In *Literaturwissenschaftliches Jahrbuch der Görres-Gesellschaft.* VIII (1936).

Eichhof, Hugo. *Oberschlesische Sagengestalten in Eichendorffs Schriften.* In *Aurora* (1954).

Fassbinder, Franz. *Eichendorffs Lyrik.* Köln, 1911.

Feise, Ernst. *Eichendorffs Marmorbild.* In *The Germanic Review.* XI (1936).

Frey, Otto. *Eichendorffs Beziehungen zu Heidelberg-Rohrbach und die Entstehung des Liedes vom kühlen Grunde.* Sonderdruck aus den *Neuen Heidelberger Jahrbüchern* (1938).

Giraud, Jean. *Les problèmes généraux et la conception de la vie humaine dans le roman de jeunesse d'Eichendorff.* Mémoire de Diplôme d'Etudes Supérieures. Strasbourg, 1954 (unveröffentlicht).

Goedeke, K. *Joseph Freiherr von Eichendorff,* Rezension der 4-bändigen Werke (Berlin, 1843). Hannoversche Morgenzeitung *Posaune* (10., 12., 17. Feb. 1843). (Abgedruckt in HKA XII, 279—281.)

Görres, Josef. *Aphorismen über die Kunst.* In *Gesammelte Schriften.* Hrsg. von Wilhelm Schellberg u. a. Köln, 1928 ff. Band II, I. Teil (1932).

—, *Die teutschen Volksbücher.* Heidelberg, 1807.

Goethe, Johann Wolfgang von. *Egmont.* In *Goethes Werke.* Hrsg. von Erich Trunz. (Hamburger Ausgabe) Band IV. 1962.

Goethes Werke. Hrsg. von Erich Trunz (Hamburger Ausgabe). 1948—60.

Grimm, Jacob. *Deutsche Mythologie.* Band I. Darmstadt, 1965 (unveränderter reprografischer Nachdruck der 4. Ausgabe, Berlin 1875).

—, und Wilhelm. Artikel *Muhme.* In *Deutsches Wörterbuch.* 6. Band. Leipzig, 1885.

Guitton, Jean. *Jésus.* Paris, 1956.

Haberland, Helga. *Das Problem der Dämonie im Werk Josef von Eichendorffs.* Phil. Diss. Frankfurt/Main, 1954.

Haller, Rudolf. *Eichendorffs Balladenwerk.* München und Bern, 1962.

Happel. *Größeste Denkwürdigkeiten der Welt oder so genandte Relationes curiosae.* In *Kürschners Deutsche National-Litteratur.* 146. Band, 2. Abt. Hrsg. von Max Koch. Stuttgart, o. J.

Haufe, Eberhard, Hrsg. *Deutsche Mariendichtung aus neun Jahrhunderten.* Hanau, 1961.

Hayduk, Alfons. *Der Dämonisierte Eros bei Eichendorff und Hauptmann.* In *Aurora* (1955).

Hederich, Benjamin M. Artikel *Diana.* In *Schol. Hayn. Rect. Gründliches Lexicon Mythologicum.* Leipzig, 1724.

Hock, Erich. *Eichendorffs Dichtertum.* In *Eichendorff Heute.* München, 1960.

Huch, Ricarda. *Die Romantik: Ausbreitung, Blütezeit und Verfall.* Neue Auflage. Tübingen, 1951.

Hunger, H. Artikel *Artemis.* In *Lexikon der griechischen und römischen Mythologie.* Wien, 1953.

Ibel, Rudolf. *Weltschau deutscher Dichter.* Hamburg, 1948.

Ibing, Th. *Das Verhältnis des Dichters Freiherr Josef von Eichendorff zu Volksbrauch, Aberglaube, Sage und Märchen.* Phil. Diss. Marburg, 1912.

Jean Paul. *Titan.* In *Jean Pauls Werke.* Band III. München, 1961.

Karrer, Otto, Hrsg. *Maria in Dichtung und Deutung.* Zürich, 1952.

Klemenz, Paul. *Otto Graf von Haugwitz, Joesph von Eichendorff, Joseph Christian Freiherr von Zedlitz, drei ehemalige Matthesianer und zeitgenössische Dichter.* In *300 Jahre Matthiasgymnasium zu Breslau 1638—1938. Eine Erinnerungsschrift.* Breslau, 1939.

Klein, Johannes. *Geschichte der deutschen Novelle von Goethe bis zur Gegenwart.* Wiesbaden, 1960.

Kluckhohn, Paul. *Die Auffassung der Liebe in der Literatur des 18. Jahrhunderts und in der deutschen Romantik.* Halle, 1922.

Kluge, Friedrich. Artikel *Muhme.* In *Ethymologisches Wörterbuch der Deutschen Sprache.* 11. Auflage. Leipzig, 1934.

Kohlschmidt, Werner. *Form und Innerlichkeit.* Bern, 1955.

Kommerell, Max. *Jean Paul.* Frankfurt/Main, 1939.

Korff, H. A. *Geist der Goethezeit.* Band II. Leipzig, 1962.

Kosler, Alois M. Artikel *Eichendorff.* In *Lexikon der Marienkunde.* Hrsg. von K. Algermissen u. a. Band I. Regensburg, 1967.

Krummacher, Henrik. *Das Als Ob in der Lyrik: Erscheinungsformen und Wandlungen einer Sprachfigur der Metaphorik von der Romantik bis zu Rilke.* Köln, 1965.

Kummer, Herbert. *Der Romantiker Otto Heinrich von Loeben und die Antike.* Halle, 1929.

Kunisch, Hermann. *Freiheit und Bann — Heimat und Fremde.* In *Eichendorff Heute.* München, 1960.

Kunz, Josef. *Eichendorff: Höhepunkt und Krise der Spätromantik.* Oberursel, 1951.

Lent, Dieter. *Die Dämonie der Antike bei Eichendorff.* Phil. Diss. Freiburg, 1964.

Loeben, O. H. Graf von. *Blätter aus dem Reisebüchlein eines andächtigen Pilgers.* Mannheim, 1808.

Lüthi, Hans Jürg. *Dichtung und Dichter bei Joseph von Eichendorff.* Bern, 1966.
—, *Dionysos und Christus in der Lyrik Josefs von Eichendorff.* In *Schweizer Monatshefte.* 73. Jg. (1957—58).

Möbus, Gerhard. *Der andere Eichendorff.* Osnabrück, 1960.
—, *Eichendorff in Heidelberg.* Düsseldorf, 1954.

Mühlher, Robert. *Eichendorff's Erzählung „Aus dem Leben eines Taugenichts":* *Eine Untersuchung der künstlerischen Leistung.* Würzburg, 1962.
—, *Der Poetenmantel.* In *Eichendorff Heute.* München, 1960.
—, *Der Venusring.* In *Aurora* (1957).
—, *Die Zauberei im Herbste.* In *Aurora* (1964).

Müller, Günther. *Geschichte der deutschen Seele.* Freiburg, 1939.

Nadler, Josef. *Eichendorffs Lyrik.* Prag, 1908.

Novalis. *Blütenstaub (109).* In *Lebenskunst.* Band IV von *Deutsche Literatur.* Reihe: Romantik. Hrsg. von Paul Kluckhohn. Darmstadt, 1966 (unveränderter reprografischer Nachdruck der Ausgabe Leipzig 1931).

—, *Fragmente.* Hrsg. von Ernst Kamnitzer. Dresden, 1929.

—, *Heinrich von Ofterdingen.* In *Weltanschauung der Frühromantik.* Band V von *Deutsche Literatur.* Reihe: Romantik. Hrsg. von Paul Kluckhohn. Darmstadt, 1966 (unveränderter reprografischer Nachdruck der Ausgabe Leipzig 1932).

—, *Schriften.* Hrsg. von Ernst Kamnitzer. Band I. München, 1924.

Neues Testament. Herder-Taschenbuch. Freiburg, 1960.

Otto, Walter. *Die Götter Griechenlands.* Frankfurt/Main, 1947.

Pauline, Georges. *Eine Meerfahrt d'Eichendorff.* In *Etudes Germaniques* (1955).

Pfeffer, C. A. *Venus und Maria: Eine Eichendorff-Studie als Beitrag zur Wesenserkenntnis des Dichters.* Reihe: Das Deutsche Leben. Band III. Berlin, 1936.

Pissin, R. *Gedichte von O. H. Grafen von Loeben.* Berlin, 1905.

—, *Otto Heinrich Graf von Loeben (Isidorus Orientalis): Sein Leben und seine Werke.* Berlin, 1905.

Ranegger, Franz. *Eichendorffs Lyrik im Urteil von Mit- und Nachwelt.* In *Aurora* (1954).

Rehm, Walter. *Griechentum und Goethezeit.* Leipzig, 1936.

—, *Prinz Rokoko im alten Garten.* In *Jahrbuch des Freien Deutschen Hochstifts* (1962).

—, *Das Werden des Renaissancebildes in der deutschen Dichtung.* München, 1924.

Reinhard, Ewald. *Aus dem Freundeskreis Eichendorffs, VI. Clemens Brentano.* In *Aurora* (1937).

—, *Aus dem Freundeskreis Eichendorffs, II. Loeben.* In *Eichendorff-Kalender für das Jahr 1922.*

Reiprich, Walter. *Eichendorffs Liebe zu Katharina Barbara Förster.* In *Festschrift 1200 Jahre Rohrbach 766–1966.* Heidelberg, 1966.

[Rilke, Rainer Maria] *Rainer Maria Rilke, Briefe aus den Jahren 1904–1907.* Hrsg. von Ruth Sieber-Rilke. Leipzig, 1939.

Rodger, Gillian. *Eichendorff's Conception of the Supernatural World of the Ballad.* In *German Life and Letters* (1960).

Rommel, Otto. *Rationalistische Dämonie.* In *Deutsche Vierteljahresschrift* (1939).

Schellberg, Wilhelm. *Clemens Brentano und Philip Otto Runge.* In *Literaturwissenschaftliches Jahrbuch der Görres-Gesellschaft.* VIII (1936).

Schillers Werke. Hrsg. von Dieter Schmidt. Band III. Frankfurt/Main, 1966.

Schlegel, Friedrich. *Lucinde: Ein Roman.* Baden-Baden, 1947.

Schmidt, Erich. *Charakteristiken.* Berlin, 1912.

Schneider, Reinhold. *Prophetische Pilgerschaft.* In *Eichendorff Heute.* München, 1960.

—, *Schwermut und Zuversicht, Lenau / Eichendorff.* Heidelberg, 1948.

Schulhof, Hilda. *Eichendorffs Jugendgedichte aus seiner Schulzeit.* Reihe: Prager Deutsche Studien. Heft 23. Prag, 1915.

—, *Zur Textgeschichte von Eichendorffs Gedichten.* In *Zeitschrift für deutsche Philologie.* XLVII (1916).

Schwarz, Egon. *Der Taugenichts zwischen Heimat und Exil.* In *Etudes Germaniques* (1957).

Schwarz, Peter. *Die Bedeutung der Tageszeiten in der Dichtung Eichendorffs.* Phil. Diss. Freiburg, 1964.

Seidlin, Oskar. *Versuche über Eichendorff.* Göttingen, 1965.

Staiger, Emil. *Jean Paul.* In *Meisterwerke Deutscher Sprache aus dem 19. Jahrhundert.* Zürich, 1957.

Stein, Volkmar. *Die Dichtergestalten in Eichendorffs „Ahnung und Gegenwart."* Phil. Diss. Basel, 1964.

Stöcklein, Paul, Hrsg. *Eichendorff Heute.* München, 1960.

Strich, Fritz. *Die Mythologie in der deutschen Literatur von Klopstock bis Wagner.* 2 Bände. Halle, 1910.

Tieck, Ludwig. *Schriften.* Hrsg. von Reimer. Band X. Berlin, 1828.

—, *William Lovell.* In *Werke in vier Bänden.* Hrsg. von Marianne Thalmann. Band I. München, 1963.

Uhlendorff, Franz. *Frühlingssehnsucht und Verlockung bei Eichendorff.* In *Aurora* (1958).

—, *Pissin, Jos. u. W. v. Eichendorffs Jugendgedichte.* In *Euphorion.* XV (1908).

Ulmer, Bernhard. *Eichendorff's „Eine Meerfahrt."* In *Monatshefte* (1950).

Venus-Gärtlein: Oder Viel Schöne ausserlesene Weltliche Lieder. Erstdruck, Hamburg, 1656 (unveränderte Neuauflage Leipzig, 1921).

Wackenroder. W., Tieck, L. *Herzensergießungen eines kunstliebenden Klosterbruders.* Stuttgart (Reclam), 1961.

Weihe, Amalie. *Der junge Eichendorff und Novalis' Naturpantheismus.* Reihe: Germanische Studien. Heft 210. Berlin, 1939.

Weschta, Friedrich. *Eichendorffs Novellenmärchen „Das Marmorbild."* Reihe: Prager Deutsche Studien. Heft 25. Prag, 1916.

Wiese, Benno von. *Joseph von Eichendorff: Aus dem Leben eines Taugenichts.* In *Die deutsche Novelle von Goethe bis Kafka.* Düsseldorf, 1963.

Wiesmann, Louis. *Das Dionysische bei Hölderin und in der deutschen Romantik.* Basel, 1948.

Wilpert, Gero von. *Sachwörterbuch der Literatur*. Stuttgart, 1961.

Wolffheim, Hans. *Sinn und Deutung der Sonett-Gestaltung im Werk Eichendorffs*. Phil. Diss. Hamburg, 1933.

Worbs, Erich. *Kaiserkron' und Päonien rot*. In *Aurora* (1964).

Zernin, Vladimir. *The Abyss in Eichendorff*. In *The German Quarterly*. XXXV (1962).

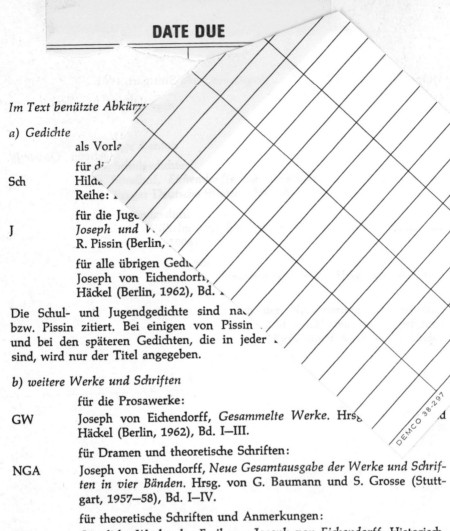

Im Text benützte Abkür̃z

a) Gedichte

    als Vorla

    für d⸗

Sch   Hila.

    Reihe:

    für die Juge

J   *Joseph und* V.

    R. Pissin (Berlin,

    für alle übrigen Gedi.

    Joseph von Eichendorh,

    Häckel (Berlin, 1962), Bd.

Die Schul- und Jugendgedichte sind na.
bzw. Pissin zitiert. Bei einigen von Pissin
und bei den späteren Gedichten, die in jeder
sind, wird nur der Titel angegeben.

b) weitere Werke und Schriften

    für die Prosawerke:

GW   Joseph von Eichendorff, *Gesammelte Werke.* Hrsg.   d
    Häckel (Berlin, 1962), Bd. I–III.

    für Dramen und theoretische Schriften:

NGA   Joseph von Eichendorff, *Neue Gesamtausgabe der Werke und Schriften in vier Bänden.* Hrsg. von G. Baumann und S. Grosse (Stuttgart, 1957–58), Bd. I–IV.

    für theoretische Schriften und Anmerkungen:

HKA   *Sämtliche Werke des Freiherrn Joseph von Eichendorff,* Historisch-Kritische Ausgabe. Hrsg. von W. Kosch, A. Sauer und H. Kunisch (Regensburg, 1908).

    für Tagebuchvermerke:

Tb   „Eichendorffs Tagebücher," NGA III.